IL ÉTAIT UNE LETTRE

Kathryn Hughes est née près de Manchester et s'est mise à l'écriture sur le tard. *Il était une lettre*, son premier roman, auto-édité début 2015, a remporté un succès immédiat et s'est retrouvé catapulté numéro 1 des ventes en Grande-Bretagne. Véritable phénomène d'édition, il a été traduit dans plus de vingt pays.

KATHRYN HUGHES

Il était une lettre

TRADUIT DE L'ANGLAIS (ROYAUME-UNI) PAR PASCALE HAAS

CALMANN-LÉVY

Titre original :

THE LETTER
Publié par Headline Review, 2015.

Pour Rob, Cameron et Ellen.

PROLOGUE

Aujourd'hui

C'était dans les petites choses qu'elle prenait du plaisir. Le vol vrombissant d'un gros bourdon velu qui butinait de fleur en fleur, sans savoir que de son activité dépendait l'ensemble de l'espèce humaine. Le parfum enivrant et la profusion extraordinaire de nuances des pois de senteur qu'elle cultivait dans le potager, un espace qui aurait pu être dévolu à leurs cousins plus comestibles. Et aussi, voir son mari frotter son dos douloureux sans se plaindre tandis qu'il mettait de l'engrais dans les rosiers, lui qui aurait préféré faire mille autres choses.

Elle s'agenouilla pour arracher quelques mauvaises herbes et sentit la main de sa petite-fille se faufiler dans la sienne, une main minuscule, chaude et pleine de confiance. C'était encore une de ces petites choses – et un de ses plus grands plaisirs – qui à chaque fois lui donnait le sourire et lui faisait chaud au cœur.

« Tu fais quoi, mamie ? »

Elle se tourna vers sa petite-fille adorée.

Le soleil de l'après-midi avait rosi ses joues et des traces de terre noircissaient le bout de son nez.

Elle sortit son mouchoir et les essuya d'un geste déli-cat. « J'arrache ces mauvaises herbes.

— Pourquoi ? »

Elle réfléchit une seconde. « Eh bien, parce qu'elles ne devraient pas être là.

— Ah bon ? Elles devraient être où ?

— Ce sont juste des mauvaises herbes, ma chérie, elles ne doivent être nulle part ! »

La petite fit la moue. « C'est pas très gentil pour elles… Il faut bien que tout soit quelque part. »

Elle lui planta un baiser sur la tête en souriant et jeta un regard vers son mari. Ses cheveux autrefois très bruns étaient parsemés de gris, et quelques rides s'étaient dessinées sur son visage, mais les années l'avaient plutôt épargné, et elle se félicitait chaque jour de l'avoir rencontré. Par un hasard extraordinaire, leurs chemins s'étaient croisés, et désormais, ils étaient là l'un pour l'autre.

« Tu as raison, dit-elle à sa petite-fille. On va les remettre là où elles étaient. »

Pendant qu'elle creusait un petit trou, elle s'émer-veilla de la quantité de choses que pouvaient vous apprendre les enfants, de cette sagesse qui était la leur et que si souvent on sous-estimait, ou même ignorait.

« Mamie ? »

Elle s'arracha à ses rêveries. « Oui, ma chérie ?

— Vous vous êtes rencontrés comment, toi et papi ? »

Elle se redressa en la prenant par la main, puis écarta une mèche blonde de son petit visage. « Eh bien, voyons voir… C'est une très longue histoire. »

PREMIÈRE PARTIE

1

Mars 1973

Cette fois, elle allait mourir. Convaincue qu'il ne lui restait plus que quelques secondes à vivre, elle pria pour que tout se termine au plus vite. Du sang chaud poisseux lui coulait le long de la nuque. Elle avait entendu le bruit écœurant qu'avait fait son crâne au moment où son mari lui avait fracassé la tête contre le mur. Elle sentait dans sa bouche comme un morceau de gravier ; elle savait que c'était une dent et essaya désespérément de la cracher. Il lui serrait si fort la gorge qu'il lui était impossible de respirer ou d'émettre le moindre son. Ses poumons hurlaient, en quête d'oxygène, et la pression derrière ses yeux était si atroce qu'ils allaient jaillir de leurs orbites. Ses pensées commencèrent à se brouiller quand, tout à coup – Dieu soit loué ! –, elle perdit connaissance.

La cloche de l'école retentit, et ce son qu'elle avait oublié depuis longtemps la ramena soudain à l'âge de cinq ans. Les bavardages de ses camarades se noyaient au milieu de la sonnerie incessante. Ce fut au moment où elle leur cria de se taire qu'elle s'aperçut que, finalement, elle avait encore une voix.

Tina fixa un instant le plafond, puis jeta un coup d'œil au réveil qui venait de l'arracher au sommeil. Un filet de sueur froide lui dégoulinait dans le dos ; elle remonta les couvertures sous son menton pour savourer leur douce chaleur quelques secondes encore. Le cœur battant à tout rompre après le cauchemar qu'elle venait de faire, elle expira lentement. Son souffle tiède resta en suspens dans l'air glacé de la chambre. Au prix d'un effort gigantesque, elle se leva et tressaillit en sentant le froid du plancher rugueux sous ses pieds. Puis elle se tourna vers Rick, qui par chance dormait à poings fermés, en train de ronfler et de cuver la bouteille de whisky qu'il avait descendue la veille. Elle vérifia que ses cigarettes étaient bien sur la table de nuit où elle avait pris soin de les poser. Car s'il y avait une chose qui ne manquait pas de mettre son mari de mauvaise humeur, c'était de ne pas trouver son paquet à la seconde où il ouvrait les yeux.

Elle alla dans la salle de bains sur la pointe des pieds et referma la porte sans faire de bruit. Pour le réveiller, il aurait fallu une explosion comme on n'en avait pas vue depuis Hiroshima, mais elle ne voulait surtout pas courir ce risque. Tina remplit une cuvette et fit une rapide toilette avec de l'eau glacée, comme d'habitude. Parfois, ils devaient choisir entre acheter à manger ou mettre des pièces dans le chauffe-eau électrique. Depuis que Rick avait perdu son emploi à la compagnie de bus, il ne restait plus assez d'argent pour se chauffer. *Mais toujours bien assez pour picoler, fumer et jouer aux courses !* songea-t-elle.

Descendue au rez-de-chaussée, Tina remplit la bouilloire et la posa sur la cuisinière. Voyant que le livreur de journaux était passé, elle les sortit de la boîte aux lettres d'un air absent. *The Sun* pour elle, *The Sporting Life* pour lui. Le gros titre à la une attira son œil. C'était le jour du prix Grand National. Les épaules affaissées, elle frémit en pensant à tout l'argent que Rick allait engloutir aux courses. Et comme il serait sans doute trop saoul à l'heure du déjeuner pour se rendre chez le bookmaker, ce serait à elle d'aller parier pour lui. Le bureau des paris était voisin de la boutique caritative où elle donnait un coup de main le samedi, et, au fil des années, le patron, Graham, était devenu un ami. Bien qu'elle travaille toute la semaine comme secrétaire dans une compagnie d'assurances, Tina attendait sa journée à la boutique avec impatience. Rick jugeait ridicule qu'elle la passe à trier bénévolement des vêtements de gens décédés, alors qu'elle aurait pu travailler dans une vraie boutique et contribuer encore davantage aux dépenses du ménage. Tina, elle, y trouvait une excuse pour passer la journée loin de son mari, et elle aimait bien bavarder avec les clients, avoir des conversations normales, sans être obligée de prendre garde à chaque mot qu'elle prononçait.

Elle alluma la radio et baissa légèrement le volume. Les blagues scabreuses de Tony Blackburn parvenaient toujours à la faire sourire. Il était en train d'annoncer la sortie du nouveau single de Donny Osmond, *The Twelfth of Never*, quand la bouilloire se mit à siffler. Tina l'attrapa en vitesse avant que le sifflement ne devienne trop strident, puis mit deux cuillerées de feuilles de thé dans la vieille théière toute tachée. Assise à la table de la cuisine, elle attendit que le thé infuse et ouvrit son journal. Soudain, elle retint sa respiration en entendant la chasse d'eau à l'étage. Le plancher craqua tandis que Rick retournait au lit, et elle soupira de soulagement. Mais d'un seul coup, elle se tétanisa en l'entendant crier :

« Tina ! Où sont mes clopes ? »

Mon Dieu ! Il fume comme un pompier.

« Sur ta table de nuit, là où je les ai posées hier soir », répondit-elle en arrivant près de lui, le souffle court.

Dans la pénombre de la chambre, elle les chercha à tâtons sur la table de nuit sans les trouver. Elle ravala sa panique.

« Je vais devoir entrouvrir les rideaux… Je n'y vois rien.

— Bon sang ! C'est vraiment trop demander qu'un homme puisse fumer une clope à son réveil ? J'en peux plus… »

Son haleine âcre du matin empestait le whisky.

Tina finit par trouver le paquet de cigarettes par terre, entre le lit et la table de nuit.

« Les voilà. Tu as dû les faire tomber en dormant. »

Rick la dévisagea un instant avant de lui arracher le paquet des mains. Elle sursauta et, instinctivement, se protégea le visage. Il l'agrippa par le poignet. Leurs yeux se croisèrent une seconde avant qu'elle ne les ferme en retenant ses larmes.

Elle se rappelait la première fois qu'il l'avait battue comme si c'était hier. À ce seul souvenir, sa joue la brûlait. Et ce n'était pas seulement à cause de la douleur physique, mais de la soudaine prise de conscience que jamais rien ne changerait. Et que ce soit arrivé le soir même de leur nuit de noces rendait la chose encore plus dure à encaisser. Jusqu'à ce moment-là, la journée avait été parfaite. Rick était superbe dans son nouveau costume marron, avec sa chemise blanc crème et sa cravate en soie. L'œillet blanc piqué à sa boutonnière confirmait qu'il était le marié, et Tina pensait impossible d'aimer quelqu'un plus qu'elle ne l'aimait en cette seconde. Tout le monde lui avait dit qu'elle était splendide. Ses longs cheveux bruns étaient relevés en un chignon lâche parsemé de petites fleurs. Ses yeux bleu clair brillaient sous d'épais faux cils et sa peau rayonnait d'un éclat naturel qui n'avait besoin d'aucun maquillage. Après le mariage à la mairie, la fête avait eu lieu dans un hôtel bon marché, où l'heureux couple et leurs invités avaient dansé jusqu'au bout de la nuit.

Ce soir-là, alors qu'ils allaient se mettre au lit dans leur chambre d'hôtel, Tina remarqua que Rick s'était renfermé dans un silence inhabituel.

« Ça va, mon chéri ? demanda-t-elle en l'enlaçant par le cou. Quelle journée magnifique ! Je n'arrive pas à croire que je suis enfin Mrs Craig… » Elle s'écarta soudain. « Oh, mais il faut que je m'entraîne à faire ma nouvelle signature ! » Elle prit un stylo et un papier sur la table de chevet et écrivit avec des lignes amples : *Mrs Tina Craig.*

Toujours sans rien dire, Rick se contenta de la regarder. Il alluma une cigarette, puis se versa un verre de mauvais champagne qu'il avala d'un trait avant de rejoindre sa femme assise sur le lit.

« Lève-toi ! » ordonna-t-il.

Son ton la surprit, mais elle obtempéra.

Il leva la main et la frappa en pleine figure.

« Ne t'avise plus jamais de me faire passer pour un imbécile ! » Et sur ces mots, il sortit en trombe de la chambre.

Rick avait passé la nuit affalé dans le hall de l'hôtel entouré de verres vides, et plusieurs jours s'étaient écoulés avant qu'il ne précise à Tina ce qu'elle avait fait de mal. Apparemment, il n'avait pas apprécié la façon dont elle avait dansé avec un de ses collègues de boulot. Elle l'avait regardé d'un œil provoquant et avait flirté avec lui devant leurs invités. Tina ne se souvenait même plus du type en question, et encore moins de ce dont Rick lui parlait, néanmoins ce fut là que commença la fixation paranoïaque de son mari, selon laquelle elle ne pouvait s'empêcher de draguer tous les hommes qu'elle croisait. Elle se demandait souvent si elle n'aurait pas dû le quitter dès le lendemain. Mais la jeune femme romantique qu'elle était voulait donner à son mariage toutes les chances de réussir. Elle était persuadée qu'un tel incident ne se reproduirait plus, et Rick avait fini de dissiper ses doutes en lui offrant un bouquet de fleurs pour s'excuser. Avec tant de remords et de contrition que Tina n'avait pas hésité à lui pardonner sur-le-champ ! Ce ne fut que quelques jours plus tard qu'elle remarqua une carte au milieu des fleurs. Elle la prit en souriant et lut : *Avec notre tendre souvenir pour notre Nan bien-aimée*. Ce salaud avait volé les fleurs sur la tombe d'un cimetière !

Quatre ans plus tard, ils étaient dans leur chambre et se fixaient, les yeux dans les yeux. Rick la relâcha.

« Merci, ma chérie, dit-il en souriant. Sois gentille, va me chercher du thé. »

Soulagée, Tina frotta son poignet écarlate en soupirant. Depuis l'incident survenu le soir de sa nuit de noces, elle s'était juré de ne pas être une victime. Il était hors de question qu'elle devienne une de ces femmes battues qui trouvaient des excuses au comportement ignoble de leur mari. D'innombrables fois, elle l'avait menacé de partir, mais elle reculait toujours à la dernière minute. Cependant, ces derniers temps, il buvait beaucoup plus, et ses crises devenaient plus fréquentes. Elle avait atteint un stade où elle ne supportait plus la situation.

Le problème était qu'elle n'avait nulle part où aller. Elle n'avait aucune famille, et bien qu'ils aient un couple d'amis proches, elle ne voulait pas s'imposer en leur demandant de l'héberger. Et vu que c'était son salaire à elle qui payait le loyer, Rick ne partirait jamais de son plein gré. Aussi avait-elle commencé à mettre de l'argent de côté. Il lui fallait juste de quoi payer la caution et un mois d'avance pour prendre un nouvel appartement, et ensuite, elle serait libre. Ce qui était plus facile à dire qu'à faire. Elle n'avait quasiment jamais d'argent à économiser, mais, quel que soit le temps que cela lui prendrait, elle était décidée à partir. La vieille boîte à café qu'elle cachait au fond du placard de la cuisine se remplissait petit à petit – elle avait déjà un peu plus de cinquante livres. Cependant, la moindre chambre de bonne coûtait huit livres par semaine, plus la caution qui se montait au moins à trente, il lui faudrait donc économiser encore un moment avant de pouvoir s'en aller. D'ici là, elle se débrouillerait comme elle pourrait, en restant le plus souvent possible loin de Rick et en essayant de ne pas l'énerver.

The Sporting Life sous le bras, Tina lui monta une tasse de thé.

« Tiens », dit-elle, en s'efforçant de ne pas avoir l'air essoufflé.

Pas de réponse. À moitié avachi contre l'oreiller, il s'était rendormi, la bouche ouverte, une cigarette collée en équilibre précaire sur sa lèvre gercée. Tina la lui retira et l'écrasa dans le cendrier.

« Pour l'amour du ciel ! marmonna-t-elle. Tu vas nous tuer tous les deux ! »

Elle posa la tasse en se demandant quoi faire. Devait-elle le réveiller et endurer sa colère ? Laisser la tasse sur la table de nuit ? Quand il se réveillerait, le thé aurait sans doute refroidi, ce qui ne manquerait pas de le mettre en rage, sauf que, heureusement, elle serait à la boutique et loin de ses sautes d'humeur. La décision lui échappa lorsque, tant bien que mal, il ouvrit les yeux.

« Ton thé est là, dit-elle. Je file à la boutique. Ça ira ? »

Rick se redressa sur les coudes.

« J'ai la bouche aussi sèche qu'un chameau, grommela-t-il en reniflant. Merci pour le thé, ma chérie. »

Il tapota la couette en lui faisant signe de s'asseoir. « Viens ici… »

La vie avec Rick était comme ça. On aurait dit un démon, il se comportait comme une brute ignoble, et, la seconde d'après, il avait l'air aussi angélique qu'un enfant de chœur.

« Désolé pour tout à l'heure. À propos des cigarettes… Je ne te ferais jamais de mal, Tina, tu le sais bien. »

Elle eut de la peine à en croire ses oreilles, mais, comme contrarier Rick n'était jamais une bonne idée, elle se contenta d'acquiescer.

« Dis-moi, reprit-il, tu me rendrais un service ? »

Elle poussa un petit soupir inaudible et leva les yeux. *Et c'est parti.*

« Tu pourrais aller parier pour moi ? »

Cette fois, elle ne réussit pas à se retenir.

« Tu crois vraiment que c'est raisonnable, Rick ? Tu sais bien que nous avons un budget serré… Avec seulement mon salaire, il ne reste pas beaucoup d'argent à jouer aux courses.

— Avec seulement mon salaire, répéta-t-il en l'imitant. Tu ne rates jamais une occasion de me le rappeler, hein, espèce de sale donneuse de leçons ! » Tina s'étonna de cette réaction fielleuse, mais il n'avait pas encore terminé. « Bon sang, c'est le prix Grand National ! Tout le monde va parier. »

Il ramassa le pantalon qu'il avait balancé par terre la veille au soir et en sortit une liasse de billets.

« Il y a là cinquante livres. » Il déchira le rabat de son paquet de cigarettes et écrivit dessus le nom d'un cheval. « Cinquante livres pour gagner. »

Il lui tendit l'argent et le bout de carton. Tina le regarda d'un air médusé.

« Où as-tu trouvé cet argent ? demanda-t-elle.

— Ça ne te regarde pas, mais, puisque tu me poses la question, sache que je les ai gagnés grâce à un canasson. Tu vois, qui a dit que les courses étaient un attrape-nigaud ? »

Menteur.

La tête lui tournait. Elle sentit son cou s'empourprer.

« Rick, ça représente plus que le salaire que je gagne en une semaine…

— Je sais. Je suis un petit malin, non ? » rétorqua-t-il d'un air suffisant.

Elle joignit les mains devant sa bouche. S'appliquant à ne pas perdre son calme, elle souffla lentement entre ses doigts. « Mais cet argent pourrait payer la facture d'électricité et de quoi nous nourrir pendant un mois entier !

— Oh lala, ce que tu peux être ennuyeuse… »

Elle déploya les billets en éventail entre ses mains tremblantes. Donner autant d'argent à un bookmaker était au-delà de ses forces, elle le savait.

« Tu ne peux pas y aller toi ? implora-t-elle.

— Tu bosses à côté du bureau des paris, je ne te demande pas de faire un gros détour. »

Elle sentit les larmes lui piquer les yeux. Toutefois, sa décision était prise. Elle allait prendre ces billets et discuterait avec Graham de quoi en faire. Il lui était déjà arrivé de prendre l'argent que lui avait remis Rick et de ne pas parier. Le cheval, bien entendu, avait perdu, et il n'en avait rien su. Il n'empêche que, pendant que se déroulait la course, Tina avait eu l'impression de vieillir de dix ans d'un coup. Cette fois, ce serait encore pire. Les paris étaient nettement plus élevés. Cinquante livres, bon Dieu !

Brusquement, un sentiment de panique inexplicable la saisit. Elle sentit la chaleur remonter de ses orteils à sa nuque et éprouva de la peine à respirer. Elle redescendit en prétextant avoir laissé du pain dans le toaster et se précipita à la cuisine. Grimpée sur un tabouret, elle chercha la boîte de café qui contenait ses économies au fond du placard. Dès que ses doigts se refermèrent sur la forme familière, elle l'attrapa et la serra contre sa poitrine. Les mains tremblantes, elle essaya de dévisser le couvercle. Comme ses doigts moites glissaient, elle attrapa un torchon. Le couvercle finit par céder, et elle jeta un coup d'œil dans la boîte, où il ne restait plus que quelques pièces. Elle secoua la boîte, puis regarda une deuxième fois au fond, n'en croyant pas ses yeux.

« Salaud ! cria-t-elle. Salaud, salaud, salaud ! »

Elle se mit à pleurer, les épaules secouées par les sanglots.

« Tu croyais quoi, Tina ? Que tu pouvais me berner ? »

Se retournant en sursaut, elle aperçut Rick appuyé au chambranle de la porte, une cigarette aux lèvres, vêtu de son maillot de corps grisâtre couvert de taches de thé et d'un caleçon crasseux.

« Tu l'as pris ! Comment as-tu osé ? J'ai travaillé des heures et des heures pour économiser cet argent ! Il m'a fallu des mois… »

Sans lâcher la boîte, elle se laissa glisser par terre et se balança d'avant en arrière. Rick s'avança à grandes enjambées et la releva d'un geste brusque.

« Reprends-toi. Tu t'attendais à quoi en cachant de l'argent à ton mari ? Tu économises pour quoi, d'ailleurs ? »

Pour partir le plus loin possible de toi, espèce de parasite ivrogne et manipulateur !

« C'était censé être… une surprise, pour nous offrir des petites vacances. Je me disais qu'une pause nous ferait du bien à tous les deux. »

Rick réfléchit une seconde, puis il lui desserra un peu le bras et fronça les sourcils d'un air sceptique.

« Excellente idée. Tu sais quoi ? Une fois que ce cheval aura gagné comme dans un fauteuil, on se paiera des super vacances, peut-être même un petit voyage à l'étranger. »

L'air misérable, elle acquiesça et essuya ses larmes.

« Va te laver, dit-il. Tu vas être en retard au boulot. Je retourne me coucher. Je suis vanné. »

Il lui posa un baiser sur le dessus de la tête et remonta à l'étage.

Tina se retrouva toute seule debout au milieu de la cuisine. Elle ne s'était jamais sentie aussi désespérée de sa vie, mais elle était déterminée à ne pas miser cet argent. Ces cinquante livres étaient à elle ; prix Grand National ou pas, il n'était pas question de les gaspiller en pariant sur un cheval. Elle fourra les billets dans son porte-monnaie, puis jeta un regard sur le nom que Rick avait noté sur le paquet de cigarettes.

Red Rum.

Toi, mon vieux, tu n'as pas intérêt à gagner !

Arrivée devant la boutique, Tina chercha les clés au fond de sa besace. Une pancarte avait beau prier de n'en rien faire, quelqu'un avait laissé un sac de vieux vêtements sur le pas de la porte. Bien que voler des vêtements donnés à une œuvre de charité lui paraisse inconcevable, c'était déjà arrivé à plusieurs reprises. Même en ces temps économiques moroses de grèves et de coupures d'électricité, il était surprenant de voir à quel point pouvaient s'abaisser certaines personnes. Elle jeta le sac sur son épaule, déverrouilla la porte et entra. Depuis deux ans qu'elle travaillait ici, l'odeur de la boutique lui faisait toujours froncer le nez. Les vêtements d'occasion avaient une odeur particulière, que l'on retrouvait dans toutes les boutiques de ce genre ou dans les braderies. Un mélange d'antimite, de vieille sueur et de biscuits.

Tina mit de l'eau à chauffer pour la seconde fois de la matinée et ouvrit le sac. Elle en sortit un vieux costume qu'elle tendit à bout de bras pour l'examiner. Très vieux, mais extrêmement bien coupé, il était d'une qualité comme elle n'en avait encore jamais vu. Un tissu en pure laine d'un vert inhabituel, agrémenté d'une fine rayure dorée.

La sonnette retentit en l'interrompant dans son examen.

« Chouette costume, dis-moi… Et quelle couleur ravissante ! Pas étonnant qu'on ait voulu s'en débarrasser ! »

C'était Graham.

« Bonjour. Que tu aies le temps de parler chiffons un jour comme aujourd'hui m'étonne ! plaisanta Tina.

— Ouais, pour moi, c'est le plus gros jour de l'année, mais je ne m'en plains pas, répliqua-t-il en se frottant les mains. C'est Nigel qui se charge de l'ouverture. J'ai donc quelques minutes devant moi. »

Tina le serra dans ses bras.

« Ça me fait plaisir de te voir, dit-elle.

— Comment tu vas ? »

Sa question n'était pas innocente. Graham savait parfaitement ce qu'il en était de sa situation conjugale. Plus d'une fois, il avait fait des remarques sur ses bleus ou sa lèvre éclatée. Il se montrait toujours d'une telle gentillesse qu'elle se sentit soudain vaciller. Il l'attrapa par le coude et la fit asseoir sur une chaise.

« Qu'est-ce qu'il a encore fait, cette fois ? demanda Graham en lui redressant le menton et en scrutant son visage.

— Je t'assure, parfois, il m'arrive de le haïr... »

Il la prit dans ses bras et lui caressa les cheveux. « Tu mérites mieux que ça, Tina. Tu as vingt-huit ans. Tu devrais être installée dans un mariage heureux, peut-être avoir un ou deux enfants... »

Elle se dégagea et chercha son regard de ses yeux maculés de mascara. « Tu n'es pas venu pour m'aider, à ce que je vois !

— Je suis désolé. » Il lui caressa de nouveau la tête. « Raconte-moi ce qui s'est passé.

— Tu n'as pas le temps pour ça, surtout aujourd'hui. »

Elle savait cependant que Graham aurait toujours du temps pour elle. Il était fou amoureux d'elle depuis

26

le jour où ils s'étaient rencontrés. Tina l'aimait bien elle aussi, mais comme un ami très cher, ou une sorte de père. Il avait vingt ans de plus qu'elle, sans compter qu'il avait déjà une femme. Piquer le mari d'une autre n'était pas son genre.

« Il veut parier. » Elle renifla. Graham sortit un mouchoir immaculé de sa poche et le lui tendit.

« Ce n'est pas nouveau, dit-il. C'est un de mes meilleurs clients. Et puis, c'est le jour du prix Grand National…

— C'est ce qu'il m'a dit. Sauf que là, c'est différent. Il veut jouer cinquante livres ! »

Graham lui-même tressaillit.

« Où diable a-t-il trouvé une telle somme ?

— Il me l'a volée ! » sanglota Tina.

Graham se troubla. « À toi ? Je ne comprends pas…

— J'avais économisé cet argent. Je l'avais mis de côté pour m'enf… » Elle se tut, préférant ne pas s'engager sur cette voie. Graham lui avait déjà proposé de lui prêter de l'argent, mais elle avait refusé. Il lui restait encore un minimum de fierté et d'amour-propre. « Peu importe pourquoi je l'ai mis de côté. Le fait est que cet argent m'appartient et il veut que je le joue sur un cheval ! » Elle éleva la voix comme si elle avait de la peine à le croire.

Graham ne sut pas trop comment réagir, mais le bookmaker en lui s'exprima.

« Sur quel cheval ? »

Tina le dévisagea sans comprendre.

« Quelle importance ? Il n'est pas question que je parie pour lui !

— Désolé, Tina… Je te posais la question par curiosité, c'est tout. » Il hésita. « Et si jamais il gagne ?

— Il ne gagnera pas.

— Il s'appelle comment ? » insista Graham.

Tina sortit le bout de carton en soupirant. Il lut le nom et relâcha un petit soupir.

« Red Rum ! fit-il en secouant la tête. Pour être franc, ce cheval a ses chances. Ce sera son premier Grand National, mais il se pourrait bien qu'il parte comme favori. Ce grand cheval australien, Crisp, peut aussi parvenir à se placer sur la ligne d'arrivée. » Il la prit par les épaules. « Il a ses chances, Tina, même si, au National, rien n'est jamais garanti. »

Elle se laissa aller contre lui, apprécia le réconfort de ses bras.

« Je ne miserai pas », dit-elle tout bas.

À la froideur de sa voix, il comprit qu'il ne servirait à rien de discuter.

« C'est toi qui choisis, Tina. Quoi qu'il arrive, je serai là pour toi. »

Elle sourit et l'embrassa sur la joue.

« Tu es un bon copain, Graham… Merci.

— De toute façon, on ne sait jamais, peut-être que tu vas trouver un billet de cinquante livres dans la poche de ce vieux costume. »

Tina pouffa de rire. « Parce que ça existe, les billets de cinquante ? Personnellement, je n'en ai jamais vu ! »

Graham se força à sourire. « Bon, je ferais mieux de filer. Nigel va se demander ce que je fabrique.

— Oui, vas-y. Je ne te retiens pas plus longtemps. À quelle heure est le départ de la course ?

— Trois heures et quart. »

Tina jeta un œil sur sa montre. Plus que six heures à attendre.

« Si jamais tu changes d'avis, préviens-moi.

— Je n'en changerai pas ! Mais je te remercie. »

Dès que Graham fut parti, Tina se concentra sur le sac de vêtements qu'elle avait trouvé dehors. Elle souleva la veste du costume et, tout en repensant à ce qu'avait dit son ami, elle plongea la main dans la poche intérieure. D'un seul coup, son cœur s'emballa, puis elle se sentit un peu bête quand ses doigts effleurèrent ce qui ressemblait à un papier. Elle le sortit. Ce n'était pas un billet de cinquante livres, mais une vieille enveloppe jaunie.

2

Tina lissa l'enveloppe couleur crème en la contemplant d'un œil intrigué. Puis elle la pressa contre son visage et respira la vague odeur de moisi. La lettre était adressée à Miss C. Skinner, 33, Wood Gardens, Manchester. En haut à droite était collé un timbre qu'elle ne connaissait pas – à l'effigie d'un homme qu'elle supposa être le roi George VI et non pas de la reine Elizabeth II comme sur tous les timbres. Elle retourna l'enveloppe et vit qu'elle était cachetée. En regardant de nouveau le timbre, elle s'étonna de ne pas y voir un tampon de la poste. Pour une mystérieuse raison, cette lettre n'avait jamais été envoyée. L'ouvrir reviendrait à une sorte d'intrusion épouvantable, comme si elle fouillait les affaires d'un inconnu, et en même temps, elle ne pouvait pas simplement la jeter. La sonnette la fit sursauter, et elle se sentit rougir lorsqu'elle fourra l'enveloppe dans son sac avant d'aller accueillir sa première cliente de la journée.

« Bonjour, Mrs Greensides !

— Bonjour, ma chère Tina. Je viens faire mon petit tour... Il y a du nouveau ? »

Tina baissa les yeux sur le sac trouvé sur le pas de la porte et le poussa du bout du pied derrière le comptoir.

« Euh, peut-être un peu plus tard... Il faut d'abord que je fasse du tri. »

Avant de mettre les vêtements sur les portants, elle voulait regarder dans le sac si elle ne trouvait pas un indice susceptible de lui indiquer leur provenance.

Un flot continu de clients défila tout au long de la matinée, ce qui lui évita de penser à la course hippique, mais, à trois heures, elle alluma la petite télévision noir et blanc installée dans le bureau. Les chevaux prenaient place sur la ligne de départ. Tina chercha celui qui s'apprêtait à sceller son destin. Avec sa grosse muserolle en peluche, il était facile à repérer, et le jockey portait une casaque imprimée d'un losange – de couleur jaune, précisa le commentateur. Les chevaux s'alignèrent derrière la corde en piaffant, impatients de s'élancer. Pour finir, à trois heures quinze, le drapeau se leva et le commentateur hurla : « Et les voilà partis ! »

Tina eut du mal à les regarder approcher du premier obstacle. Jusque-là, le nom de Red Rum n'avait même pas été mentionné. Un cheval tomba, elle essaya de voir si c'était lui... Non, il avait franchi la haie sans problème. Un autre chuta au deuxième obstacle, mais Red Rum était toujours dans la course, quoique très loin derrière. Elle imagina Rick chez eux en train de hurler devant la télévision, l'encourageant et chevauchant le fauteuil comme si c'était lui le jockey, une canette de bière dans une main, une cigarette dans l'autre. Il n'avait même pas dû s'habiller. Au moment où les chevaux abordèrent pour la première fois le Becher's Brook, elle mit sa main devant ses yeux. Elle avait beau ne pas connaître grand-chose aux courses hippiques, elle savait que cet obstacle était réputé difficile et faisait de nombreuses victimes chaque année. C'était à présent Julian Wilson qui commentait.

« Au niveau du Becher's, Grey Sombrero est en tête, Crisp deuxième, Black Secret troisième, Endless Folly quatrième… Sunny Lad est en cinquième position, Automn Rouge sixième, Beggar's Way septième… et, oh mon Dieu, il vient de chuter ! Beggar's Way est tombé au Becher's ! »

Tina relâcha un gros soupir. Elle se rendit compte qu'elle avait retenu son souffle et que la tête lui tournait légèrement. Red Rum n'avait même pas eu droit à une mention… Elle s'autorisa à se détendre un peu. Même dans une course en solo, Rick n'aurait pas été capable de miser sur le gagnant.

La porte de la boutique s'ouvrit. Tina alla servir le nouvel arrivant en jurant entre ses dents. À son grand désarroi, elle aperçut Mrs Boothman. La vieille dame adorait venir passer du temps à bavarder avec elle, et, n'importe quel autre jour, elle aurait été ravie de lui faire ce plaisir. Depuis la mort de son mari, Mrs Boothman vivait une existence solitaire, et ses deux fils ne se donnaient pas souvent la peine de lui rendre visite. Boire une tasse de thé et faire un brin de causette avec Tina représentait le moment fort de sa semaine.

« Bonjour, Mrs Boothman ! Je suis occupée derrière, mais ce ne sera pas long… Prenez votre temps pour regarder. »

La vieille dame parut perplexe – et Tina savait très bien pourquoi. Mrs Boothman n'avait pas besoin de regarder, vu qu'elle n'avait jamais acheté la moindre chose à la boutique.

« Pas de problème, ma jolie… Je vais me percher là-dessus en vous attendant. »

Elle tira un tabouret et posa son sac sur le comptoir.

« C'est la télé que j'entends là-bas derrière ?

— Euh, oui, répondit Tina en se sentant coupable. Je regardais le prix Grand National.

— J'ignorais que vous vous intéressiez aux courses hippiques, s'étonna Mrs Boothman.

— Je ne m'y intéresse pas, mais…

— Vous avez parié ?

— Non ! Oh, mon Dieu, non… », bafouilla Tina. Elle ne comprenait pas comment elle se retrouvait en train de devoir s'excuser auprès de Mrs Boothman.

« Moi, je n'ai jamais joué de ma vie ! reprit la vieille dame. Mon Jack disait toujours que c'était pour les imbéciles. Pourquoi aller gaspiller de l'argent qu'on a durement gagné ?

— Je n'ai pas parié, Mrs B., expliqua patiemment Tina. Ça m'intéresse, c'est tout. »

Elle resta entre la boutique et le bureau pour écouter la télévision. Peter O'Sullevan avait pris le relais.

« C'est Crisp qui mène devant Red Rum, mais Red Rum gagne encore du terrain… »

Il était deuxième ! Comment était-ce possible ? Tina eut l'impression de ne plus pouvoir respirer.

« Vous vous sentez bien, ma chère ? Vous êtes toute pâlotte, d'un seul coup.

— Oui, oui… ça va.

— Vous ne devinerez jamais ce qui est arrivé ! chuchota Mrs Boothman en prenant un air de conspiratrice. Celle du numéro 9 – vous savez bien, cette petite catin… c'est quoi déjà son nom ?

— Trudy, répondit Tina d'une voix distraite, l'oreille tendue vers la télévision.

— Ah oui, c'est ça… Eh bien, figurez-vous qu'elle s'est fait prendre en train de voler chez Woolies ! » Elle croisa les bras sous son ample poitrine en faisant une moue outrée et attendit la réaction de Tina.

« Oh, vraiment ?

— C'est tout ce que vous trouvez à dire ? » s'exclama Mrs Boothman. Elle paraissait déçue que ce potin réjouissant soit accueilli aussi fraîchement.

Tina ne prêta pas attention à son air indigné et se concentra sur ce que disait Peter O'Sullevan.

« Crisp est toujours devant et n'a plus que deux obstacles à franchir dans le Grand National 1973… Il porte soixante-trois kilos sur son dos, et il y en a soixante-dix-neuf sur celui de Red Rum qui le talonne de près, on dirait qu'ils ne sont plus que tous les deux en course… À l'avant-dernier obstacle, Crisp mène devant Red Rum, qui le saute loin derrière… »

Tina s'agrippa au montant de la porte et respira profondément.

« Vous êtes sûre que ça va, Tina ? »

La voix de Peter O'Sullevan continua à brailler en arrière-fond.

« Voilà maintenant le dernier obstacle du National, et Crisp mène toujours avec grand style ! Il le saute avec aisance… Red Rum le franchit quinze longueurs derrière… Crisp arrive au niveau du coude, il ne lui reste plus que deux cent cinquante mètres à parcourir ! »

Tina était sûre d'avoir pris la bonne décision en ne pariant pas. Red Rum semblait être à la traîne et avait désormais trop de terrain à rattraper. Elle se rasséréna quelque peu.

« Oui, ça va. On boit une tasse de thé ? »

C'était une bonne excuse pour retourner dans le bureau et voir la télévision. Elle mit la bouilloire à chauffer, prit deux tasses et deux soucoupes, puis se figea devant l'écran. Tout à coup, le ton de Peter O'Sullevan venait de changer.

« Crisp commence à perdre sa concentration. Il a mené tout seul pendant un bon bout de temps, et voilà que Red Rum le remonte… Ils n'ont plus qu'une petite distance à parcourir, plus que deux cents mètres pour Crisp… mais Red Rum le rattrape ! »

Les tasses et les soucoupes s'entrechoquèrent tandis que Tina fixait la télévision d'un œil épouvanté.

« Non… non ! murmura-t-elle, la voix rauque. Mon Dieu, je vous en supplie, non ! »

« Crisp est très fatigué… Red Rum le dépasse, et c'est lui qui termine en meilleure forme. Red Rum va gagner le prix… Sur la ligne d'arrivée, il arrache la victoire à Crisp… et… oui, c'est Red Rum qui remporte la course ! »

Tina tomba à genoux. Alors qu'elle sentait le sang se retirer de son visage et ses entrailles se liquéfier, elle lâcha les tasses qui se brisèrent en mille morceaux. Tenant sa tête qui la martelait entre ses mains, elle se mit à trembler comme un animal pris dans un piège.

Des larmes brûlantes roulèrent sur ses joues tandis que Mrs Boothman entrait dans le bureau sans y avoir été invitée.

« Mais… qu'est-ce qui se passe ? Vous avez parié, c'est ça ? Qu'est-ce que je vous disais ? Du jeu, il ne sort jamais rien de bon. Mon Jack disait toujours…

— S'il vous plaît, Mrs Boothman, j'ai besoin de rester seule. »

Elle la poussa hors du bureau, puis vers la porte de la boutique et enfin dans la rue. La vieille dame ne trouva pas quoi dire quand elle la vit claquer la porte, tirer le verrou et retourner la pancarte indiquant *Fermé*. Tina pressa son front contre la vitre. La fraîcheur lui fit du bien. Elle avait l'impression qu'elle allait vomir et sentit la bile lui monter dans la bouche. Elle la ravala et se frotta le visage. Terrassée de désespoir, elle retourna dans le bureau et éteignit toutes les lumières. Il fallait qu'elle réfléchisse à ce qu'elle allait faire. Rick devait attendre qu'elle rentre avec Dieu sait quelle somme. Elle ne savait même pas quel était le montant minimum, n'avait pas imaginé une seconde qu'elle aurait besoin de le savoir, et maintenant… Jamais il ne le lui pardonnerait.

Tina aurait été incapable de dire depuis combien de temps elle était assise dans le noir lorsqu'on frappa à la porte. Elle écarquilla les yeux de frayeur à l'idée que ça puisse être son mari.

« C'est fermé ! cria-t-elle d'une voix lasse.

— Tina ? C'est Graham… Laisse-moi entrer. »

C'est bien la dernière chose dont j'ai besoin, songea-t-elle. À coup sûr, la compassion de Graham et sa gentillesse allaient la faire craquer.

Elle se releva péniblement et déverrouilla la porte.

« Désolé de ne pas avoir pu passer plus tôt. Ça a été de la vraie folie, aujourd'hui !

— Pas de problème, Graham. »

Il observa son visage strié de larmes.

« Alors, tu as regardé la course ?

— Il va me tuer... Il va me tuer pour de bon. »

Graham sortit de sa poche une liasse de billets.

« C'est quoi ? demanda Tina.

— Quatre cent cinquante livres. Tiens ! » Il lui mit l'argent dans la main.

« Je ne comprends pas...

— Chut ! J'ai parié pour toi.

— Toi ? Mais c'est toi le bookmaker, tu ne peux pas parier avec toi-même...

— Je sais. J'ai envoyé Nigel chez Ladbrokes. »

Elle sentit son menton trembloter.

« Tu... tu as fait ça pour moi ?

— C'est juste que ce cheval, je le sentais bien. Je n'ai pas voulu courir de risque... De telles sommes ont été placées sur lui qu'il est parti favori à 9 contre 1.

— Mais il s'en est fallu de peu, Graham... Il a failli perdre. »

Il haussa les épaules. « Écoute, tu as tes quatre cent cinquante livres à donner à ton seigneur et maître, et tu as toujours tes cinquante livres. Par conséquent, tout le monde est content !

— S'il avait perdu, tu m'aurais avoué que tu avais joué ? »

38

Il fit signe que non. « Mais il n'a pas perdu. On ne va pas s'appesantir sur ce qui aurait pu avoir été.

— Je ne sais vraiment pas quoi dire… En fait, je crois bien que tu viens de me sauver la vie.

— Allons, allons, ne sois pas aussi mélodramatique ! »

Tina prit le visage de Graham entre ses mains en l'attirant vers elle et lui planta un bref baiser sur les lèvres.

« Merci », se contenta-t-elle de dire.

Il rougit. « Il n'y a pas de quoi. » Puis, sur un ton plus grave, il ajouta : « Pour toi, Tina, je ferais n'importe quoi, ne l'oublie pas.

— Je n'oublierai pas ça, dit-elle en rangeant l'argent dans son sac. Bon, je ferais mieux d'y aller, il doit être en train de m'attendre… Pour une fois, au moins, il va être de bonne humeur. »

3

Sa tête la martelait, elle avait la bouche sèche et, au moment où elle mit la clé dans la serrure, ses mains tremblaient si fort qu'elle eut du mal à la tourner. Dès qu'elle avança dans l'entrée obscure, elle entendit le bruit de la télévision. Dickie Davies était en train de conclure l'émission *World of Sport*. Rick devait être affalé sur le canapé, probablement assoupi et certainement saoul. Elle jeta un coup d'œil dans le salon, mais elle ne vit personne.

« Rick, je suis rentrée…

— Là-haut ! » cria-t-il.

Elle sortit les billets de son sac tout en montant l'escalier.

« Dans la salle de bains », précisa-t-il.

Tina poussa la porte et se figea sur place. Il avait fait couler un bain avec de la mousse – des litres et des litres d'eau chaude. Il avait même allumé deux bougies. Des gouttes de condensation ruisselaient sur les fenêtres, et elle eut de mal à voir à cause de la vapeur.

Penché au-dessus de la baignoire, il agita la mousse de la main. « J'ai allumé le chauffe-eau, expliqua-t-il.

— Le chauffe-eau ? Mais ça coûte… »

Il lui posa un doigt sur les lèvres pour la faire taire. « Tu n'as pas quelque chose pour moi ? »

Elle lui tendit l'argent.

« J'ai gardé les cinquante livres, si ça ne te dérange pas », dit-elle, avec plus d'assurance qu'elle n'en ressentait en réalité.

Rick n'y prêta pas attention et passa les billets sous son nez. Il renifla l'odeur de l'encre avant de les ranger dans sa poche arrière.

« À partir de maintenant, tout va changer, Tina, je te le promets. Regarde-moi. »

Elle devait admettre qu'il avait fait un effort. Il était habillé – ce qui, un samedi en fin d'après-midi, n'allait pas du tout de soi –, rasé de près et s'était aspergé d'Old Spice. Elle n'en était pas certaine, mais il avait dû également se laver les cheveux. Et bien que son haleine sente encore l'alcool, il avait l'air complètement sobre.

« Ce matin, je n'étais pas en état de fonctionner. Je le sais. Tu veux bien me pardonner, Tina ? Je suis sincèrement désolé. »

Il l'attira contre lui et enfouit son visage dans ses longs cheveux bruns. Tina se raidit. Ils avaient déjà vécu ça tant de fois… Il se comportait comme un parfait salaud, elle était contrariée, il se sentait rongé par les remords et la suppliait de lui pardonner. Elle le repoussa doucement.

« Tu as besoin d'aide, Rick. Je parle de l'alcool.

— Je vais bien, Tina. Je peux m'arrêter de boire quand je veux. Regarde… J'ai arrêté, là, ça y est. »

Elle poussa un soupir en montrant le bain.

« C'est pour moi ?

— Évidemment ! Viens, laisse-moi t'aider. »

Il fit glisser sa veste sur ses épaules et la laissa tomber sur le sol. Puis il déboutonna son chemisier, qu'il laissa tomber également, tout en l'embrassant dans le cou. Elle ferma les yeux lorsqu'il la poussa doucement contre le mur en cherchant sa bouche. Il lui donna un baiser vorace.

« L'eau va refroidir », dit-elle en se dégageant.

Rick s'efforça de masquer sa déception.

« D'accord, ma chérie, excuse-moi. Tu vas prendre un long bain chaud, et ensuite, je te préparerai à dîner. » Elle lui jeta un regard sceptique. « Qu'est-ce qu'il y a ? Je peux le faire, tu sais. Je te promets, Tina, j'ai changé… Gagner cet argent a été le nouveau départ dont on avait besoin. » Il avait l'air si convaincant que, si elle n'avait pas déjà entendu ce genre de promesses, elle aurait pu y croire. Mais Rick était champion dans l'art de manipuler les femmes, un talent qu'il avait développé dès son plus jeune âge, et elle savait très bien par la faute de qui.

Richard Craig était un bébé de la guerre, le fils unique de George et Molly Craig. Pendant que son père se battait au loin pour son pays, sa mère l'avait emmené vivre à la campagne chez sa sœur pour le mettre à l'abri. Adulé par sa mère et par sa tante qui n'avait pas eu d'enfant, le petit Ricky avait vécu une enfance idyllique. Les deux femmes exauçaient le moindre de ses caprices, si bien que, à l'âge de trois ans, le petit garçon avait été stupéfait le jour où il s'était vu refuser un train en bois repéré dans un magasin de jouets.

« C'est beaucoup d'argent, mon chéri, le raisonna sa mère.

— Je le veux ! exigea Ricky.

— Peut-être que tu l'auras pour ton anniversaire…

— Je le veux, là, tout de suite ! » Ricky croisa les bras et se mit à bouder.

Sa tante s'interposa. « Ton anniversaire est seulement dans quelques mois. Tu n'auras pas très longtemps à attendre. »

Le petit garçon ne répondit pas, mais jeta un regard noir aux deux femmes. Puis il inspira un grand coup et bloqua sa respiration.

« Qu'est-ce que tu fais ? s'affola sa mère.

— Vite, fais quelque chose ! » hurla la tante.

Cette dernière attrapa le train en bois et le brandit devant l'employé sidéré.

« On le prend. »

Quand Ricky revint à lui quelques instants plus tard, la première chose qu'il aperçut fut le petit train en bois. Il sourit intérieurement. Dès cet instant, il comprit que sa mère et sa tante seraient comme de la pâte à modeler entre ses mains.

Lorsqu'il eut cinq ans, la guerre prit fin, et son père rentra à la maison. Rick commença à aller à l'école où, comme on aurait pu le prévoir, il ne se plut pas du tout. Il avait un problème avec la discipline, de sorte qu'il se retrouva exclu de plusieurs établissements. Quand il arrêta ses études à l'âge de quinze ans, il s'inscrivit à une formation de receveur de bus, dans l'idée de passer l'examen de conducteur par la suite.

Grâce à son charme de brun ténébreux, il n'était jamais en manque d'attention féminine, et il avait un rapport sympathique avec tous les passagers, surtout les dames. Ses seuls autres centres d'intérêt étaient les chevaux et les chiens. Tous les samedis matin, il accompagnait son père chez le bookmaker, après quoi ils allaient boire quelques pintes au pub. Il passait tous ses jeudis soir aux courses de lévriers à Belle Vue. Cette existence routinière avait pris fin le jour où Tina était montée dans son bus. Ses yeux avaient croisé les siens, et ils s'étaient regardés une seconde de plus que nécessaire. Rick lui avait répété maintes fois que, dès cet instant, il avait su qu'elle serait à lui et qu'il ne la quitterait jamais.

Après avoir paressé longuement dans son bain, Tina se sentit un petit peu mieux. La journée avait été éprouvante, aussi bien physiquement que psychologiquement. Ses paupières se fermaient de fatigue et son corps lui paraissait aussi lourd que du plomb. Elle entendit la friteuse bouillonner furieusement dans la cuisine. Ce ne serait pas un repas de gourmet, mais au moins Rick faisait-il un effort. Quand elle entra dans la cuisine, il était en train de faire cuire des œufs sur le plat.

« Assieds-toi, ma chérie, dit-il en lui avançant une chaise. Ce ne sera plus très long... J'ai ouvert une boîte de pêches au sirop pour le dessert. On pourra les manger avec du lait concentré.

— Super, merci.

« — Comment s'est passée ta journée à la boutique ? Tu as eu le temps de regarder la course ?

— Euh, oui… J'en ai vu un bout.

— C'était sensationnel, non ? J'ai cru qu'il allait perdre, mais il est remonté de justesse à la fin. Je parie que Graham était furieux… J'adore que le bookie soit furieux !

— Il a empoché pas mal de ton argent au fil des années.

— Tina, ne commence pas…

— Je ne commence rien du tout.

— Écoute, aujourd'hui, on a touché le gros lot. Quatre cent cinquante livres ! Dans le bus, je n'en gagnais que trois mille par an. On devrait fêter ça ! Surveille la poêle, je vais faire un saut chez Manny acheter une bouteille de champagne.

— Du champagne ? Pour qui tu te prends, Rick ? Je doute que Manny en ait en stock… Il n'y a pas une grosse demande dans le quartier. »

Il se balança sur ses talons et se passa la main dans les cheveux. « Eh bien, cet autre truc, alors, du Pomagne, du Babycham ou je ne sais plus comment ils appellent ça.

— Ce n'est pas la peine. Je ne bois pas vraiment, et toi, tu as arrêté de boire, tu te rappelles ? »

Il hésita une seconde.

« Quand je dis que j'ai arrêté, ça ne veut pas dire complètement. Je peux bien boire un verre pour les occasions spéciales, et je n'en vois pas de meilleure que celle-ci !

— Tu es un alcoolique, Rick. Tu ne peux pas boire un verre de temps en temps.

46

— T'es quoi ? Une spécialiste ?

— À vrai dire, oui, vivre avec toi a fait de moi une spécialiste des effets de l'alcoolisme.

— Arrête avec ce mot ! Tu es qui pour me diagnostiquer comme un alc… comme un de mecs-là ? » Il enfila sa veste. « Je reviens dans cinq minutes. »

Tina secoua la tête. Rick ne changerait jamais. Il ne pouvait même pas prononcer le mot, encore moins se faire aider par un professionnel. Si elle le laissait faire, il l'entraînerait avec lui.

Ses débuts dans la vie s'étaient pourtant annoncés remplis de promesses, ce qui rendait sa situation d'autant plus déchirante. Fille unique et excellente élève à l'école, elle avait passé son examen d'entrée en sixième et avait été admise dans un lycée public. Ses résultats étant parmi les meilleurs de l'établissement, aussi bien elle que sa prof principale pensaient qu'elle irait à l'université. Tina avait espéré faire des études de lettres avant de se lancer dans une carrière de journaliste. Mais le destin en avait décidé autrement. Son père, Jack Maynard, était décédé brutalement à l'âge de quarante-cinq ans, et, en dépit des protestations à la fois de l'école et de sa mère, Tina n'avait pas hésité. Elle avait immédiatement abandonné ses études et trouvé du travail dans une petite agence d'assurances pour participer aux besoins de sa famille. Les tâches qu'on lui confiait étaient dérisoires, et le salaire assorti, mais elle suivait des cours du soir pour apprendre la dactylo et la sténo. Son obstination et sa détermination se révélèrent payantes, si bien qu'elle monta en grade, devenant vite la meilleure sténographe de l'agence. Cependant, le travail était ennuyeux, et les heures affreusement longues. Le moment de la journée qu'elle préférait était celui où elle rentrait chez elle en bus. Le chauffeur du 192 était terriblement séduisant et la saluait toujours en lui faisant un sourire et un clin d'œil. Un jour, il trouva le courage de l'inviter à boire un verre, et, à partir de ce jour-là, ils devinrent inséparables. Tina avait dû renoncer à ses rêves de journalisme, mais Richard Craig compenserait plus que largement ce sacrifice.

Ils passèrent au salon, où Rick avait branché une des barres de la cheminée électrique. Dépourvue de chauffage central, la maison était en permanence glaciale. Il en était à son troisième verre de médiocre vin pétillant et commençait à avoir de la peine à articuler. C'était là le problème : Rick ne dessaoulait jamais complètement, de sorte qu'il ne lui en fallait pas beaucoup pour être de nouveau incohérent. Tina était encore en train de siroter son premier verre. D'ailleurs, elle n'aimait pas le goût du vin mousseux, qui, en plus, lui donnait mal à la tête.

Rick était affalé sur le canapé en train de regarder *The Generation Game*.

« Tu as déjà vu des prix aussi nuls ? Bon sang, c'est quoi, un service à fondue ?

— Un petit caquelon dans lequel on fait chauffer du fromage pour y tremper des morceaux de pain.

— Ça doit être dégueulasse…

— C'est censé être le must du raffinement. »

Il tapota le canapé. « Éteins la télé et viens t'asseoir près de moi, ma chérie. »

Tina posa son verre et le rejoignit en traînant les pieds.

« Il reste encore des bulles ? demanda Rick.

— Oui, un peu, mais tu ne crois pas que tu en as eu…

— Assez ? Non. Ça va. Je t'en prie, Tina, arrête de m'asticoter comme ça. Tu gâches tout… Viens ici. »

Il la prit dans ses bras et voulut l'embrasser. Instinctivement, elle serra les lèvres et se raidit.

« Qu'est-ce qu'il y a ? demanda Rick.

— Rien. » Elle le repoussa doucement. « Je vais te chercher ce verre. »

Il lui agrippa les poignets d'une main ferme.

« Ça attendra. »

Il la renversa sur le canapé et s'allongea sur elle. En sentant sa langue forcer ses lèvres, elle faillit vomir. Elle le supplia d'arrêter, mais elle n'était pas de taille à lutter, si bien qu'elle ne put l'empêcher de lui baisser son pantalon et de lui écarter les cuisses.

« Rick, attends, dit-elle pour gagner du temps. Montons dans la chambre… Ce sera plus agréable. »

Il la gifla de toutes ses forces.

« Tu crois que je suis né de la dernière pluie ? Tu n'es qu'une pauvre fille frigide… Tais-toi et profite ! »

Tina tourna la tête et ferma les yeux. Ce n'était pas la première fois qu'il la prenait de force, mais elle se jura que ce serait la dernière. Il fallait qu'elle parte. Sa vie en dépendait.

Le dimanche étant pour elle le pire jour de la semaine, elle cherchait toujours une excuse pour sortir de la maison. Rick avait fini la nuit sur le canapé, trop ivre pour monter l'escalier même à quatre pattes, ce dont elle s'était réjouie. Assise dans la cuisine, elle se réchauffait les mains autour d'une tasse de thé tout en contemplant le désordre. La pièce empestait la friture, la poêle avait congelé dans la cuvette d'eau glacée où il l'avait laissée... Il apparut sur le pas de la porte, les cheveux dressés dans tous les sens, les paupières ensommeillées. Il n'avait pas enlevé ses habits de la veille.

« Où sont mes clopes ? » Sa voix était éraillée, et il renifla de façon répugnante tout en se tapant sur le torse.

Tina fit une grimace. « Bonjour. Je vais bien, merci, et toi ?

— Qu'est-ce qu'il y a ? Oh... C'est à cause d'hier soir ? »

Elle lui lança le paquet de cigarettes au-dessus de la table.

« Tiens. »

Il s'assit face à elle.

« C'est possible d'avoir du thé ?

— La bouilloire est là. »

Rick tira une longue bouffée sur sa cigarette. « Tu as raison. Je suis un parfait salaud, tu mérites mieux que ça. Et maintenant, s'il te plaît, sers-moi une tasse de thé.

— Ça a fini par faire tilt.

— Tout de même, ce n'est pas entièrement ma faute ! s'exclama-t-il, aussitôt sur la défensive. Tu y es toi aussi pour quelque chose... »

Tina reposa sa tasse et secoua la tête.

« En quoi est-ce ma faute ? Je t'ai dit de ne pas acheter d'alcool hier soir après ta promesse de ne plus jamais boire. Mais non, tu étais mieux placé que moi pour en juger ! Tu m'as expliqué qu'un verre ou deux ne te feraient pas de mal, que c'était une occasion spéciale, et patati et patata… »

Rick lui souffla un nuage de fumée grise dans la figure.

« Je me rappelle aussi que tu m'as dit hier de ne pas parier sur ce cheval. Alors ? Qui était le mieux placé pour juger, là ?

— Cet argent était à moi, répondit posément Tina.

— Ce qui est à toi est à moi. On est des partenaires.

— D'accord. Dans ce cas, donne-moi la moitié de ce que ça t'a rapporté. »

Il renifla. « C'est à moi. Et puis, tu désapprouves le jeu, l'aurais-tu oublié ? »

Discuter avec lui était impossible ; du reste, elle n'en avait plus l'énergie. Quand elle reprit la parole, ce fut d'une voix plus brave qu'elle ne se sentait.

« Je te quitte. »

Rick eut soudain l'air d'avoir reçu un coup sur la tête. Il lui prit la main.

« Bon sang, Tina… Je sais qu'hier soir j'ai été un peu… disons, enthousiaste, mais ce n'est pas une raison pour être méchante… Je t'aime, et tu le sais. » Elle perçut son désespoir. Cette scène, elle l'avait déjà vécue de trop nombreuses fois. Il allait maintenant faire et dire n'importe quoi pour l'amadouer. Elle connaissait malheureusement ce scénario par cœur.

« Tu ne comprends donc pas ? J'ai peur de toi, Rick. Peur de ce que tu vas me faire la prochaine fois. J'en ai marre de débarquer au boulot et d'être obligée de mentir parce que j'ai des bleus, marre de devoir marcher sur des œufs à la maison, marre de vivre dans cette porcherie glaciale et de devoir travailler des heures pour payer les factures…

— Mais…

— Je n'ai pas terminé. As-tu seulement idée de ce que c'est de vivre dans la peur ? Et pourquoi est-ce que je le devrais ? C'est moi qui nous fais vivre. Tu ne contribues pas à nos dépenses d'un seul centime. Tu ne fais que ponctionner notre budget et ponctionner mes sentiments !

— Charmant ! Je t'ai préparé à manger, hier soir…

— Des œufs et des frites ? se moqua Tina. Si c'est ça que tu appelles accomplir ta part, tu te fais encore plus d'illusions que je ne pensais ! »

Rick, les poings crispés, respirait bruyamment, néanmoins elle continua. Elle ne s'était encore jamais opposée à lui de cette manière et se sentit soudain capable de le faire.

« Tu as besoin d'une aide que je ne peux pas t'apporter. »

Sans prévenir, il se leva et l'empoigna par les cheveux au-dessus de la table.

« Il y a quelqu'un d'autre, c'est ça ? C'est qui ? Je vais le tuer et je te tuerai ensuite ! »

Tina le regarda droit dans les yeux.

« Il n'y a personne d'autre, Rick. Tu ne peux pas accepter que, si je te quitte, c'est uniquement à cause de toi ? Ce n'est de la faute de personne sinon de la tienne. »

Il lui lâcha les cheveux.

« Pourquoi tu me pousses à me comporter comme ça avec toi ? dit-il tout bas. Je t'en supplie, ne t'en va pas… J'ai besoin de toi. »

Elle attrapa son manteau et prit sa petite valise.

« Tu as déjà préparé tes affaires ? Espèce de salope… Depuis quand tu avais prévu de partir ?

— Oh, je ne sais plus… Depuis le jour où tu m'as frappée avec une telle violence que j'ai dû me faire recoudre un œil.

— Ce n'était pas de ma faute, ma bague s'est…

— Depuis le jour où tu m'as flanqué un coup de poing en m'éclatant la lèvre, depuis le jour où tu as écrasé ta cigarette sur mon bras, depuis le jour où tu m'as violée, depuis le jour où tu m'as volé mon argent pour parier aux courses. Depuis le jour de notre foutu mariage… Je continue ? »

Elle s'avança dans l'entrée. Au moment où elle ouvrit la porte, elle garda la tête haute et s'en alla sans regarder en arrière.

« Tina, reviens… Je suis désolé. » Ses genoux cédèrent, et il s'effondra par terre.

Une fois dans la rue, Tina dut prendre sur elle pour ne pas prendre ses jambes à son cou. Elle avait l'impression qu'elle aurait pu courir sans plus jamais s'arrêter. D'ailleurs, elle allait devoir le faire lorsqu'il s'apercevrait qu'elle avait fait une descente dans sa poche pendant qu'il dormait et avait pris tout l'argent qu'il avait gagné.

Un peu plus tard ce jour-là, Tina frappa à la porte d'une petite maison élégante et attendit avec nervosité. Une jolie femme blonde, très maquillée et couverte de bijoux, vint ouvrir.

« Je peux vous renseigner ?

— Vous devez être Sheila… Je suis Tina. »

Elle lui tendit sa main, que Sheila ignora.

« Euh… est-ce que Graham est là ?

— Il vous connaît ?

— Oui, je suis une amie. Je travaille le samedi dans la boutique voisine de la sienne.

— Qui est-ce, Sheila ? » s'écria Graham du fond de la maison.

Sheila ouvrit un peu plus grand la porte et lui fit signe d'entrer.

« Elle dit être une de tes amies.

— Tina ! s'exclama Graham en arrivant dans l'entrée. Il s'est passé quelque chose ? »

Voir son expression inquiète émut Tina. Sa voix trembla. « Je l'ai quitté.

— Oh, mon Dieu ! Viens là… » Il la serra très fort dans ses bras.

Sa femme le regarda d'un air perplexe. Il se tourna vers elle.

« Sheila, mets la bouilloire à chauffer, tu veux ? »

Tina se ressaisit. « Ça ira, Sheila, je ne reste pas… Je voulais seulement prévenir Graham. Il a été un bon ami pour moi, et s'il n'avait pas fait ce qu'il a fait hier, je n'aurais pas pu partir.

— Tu as pris son argent ? » s'enquit Graham d'un air stupéfait.

Tina esquissa un sourire. « Jusqu'au dernier centime ! J'ai trouvé une chambre à louer. Je l'avais repérée il y a déjà quelques semaines, mais je n'avais pas de quoi la payer. Et puisqu'elle est encore disponible, je m'y suis installée. Le mobilier est très vétuste et les murs sont si minces que j'entends le type d'à côté changer d'avis, mais, au moins, c'est chez moi.

— Il va venir te chercher, tu le sais, observa Graham d'un air sombre.

— Je n'en doute pas une seconde… Il sait où je travaille, et il pourrait très bien se pointer à la boutique, mais je m'en fiche ! Il n'osera pas lever la main sur moi en public. Il est beaucoup trop futé pour ça.

— Mais il pourrait te suivre…

— S'il te plaît, Graham… Tu crois que je ne le sais pas ? D'après toi, pourquoi ça m'a pris tout ce temps avant de me décider ?

— Pardon. Tu as besoin d'aide pour déménager tes affaires ?

— Je suis partie avec seulement une petite valise. Il n'y a donc pas grand-chose à déménager. Bon, il vaut mieux que je file. J'ai encore pas mal de choses à faire.

— Comme tu voudras. Je passerai te voir samedi à la boutique. Prends bien soin de toi. »

En fin de soirée, Tina s'installa devant une tasse de chocolat chaud et se détendit un peu. Épuisée, elle appuya sa tête sur le dossier du canapé en fermant les yeux. Penser aux quatre années qu'elle avait passées en couple la laissait dans un étrange sentiment de vide. Elle ignorait ce que l'avenir lui réservait, ce qui la remplissait à la fois de peur et de joie. Elle chercha un mouchoir dans son sac et, n'en trouvant pas, le vida sur le sol. Au-dessus était posée la lettre qu'elle avait trouvée dans la poche du vieux costume. Prise d'une curiosité irrépressible, elle décacheta l'enveloppe en prenant soin de ne pas l'abîmer. L'écriture évoquait celle d'un enfant appliqué, comme si la personne qui l'avait écrite n'avait pas l'habitude de se servir d'un stylo plume. Tina replia ses jambes sous elle et commença à lire.

180, Gillbent Road
Manchester

4 septembre 1939

Ma chère Christina,

Tu me connais, je ne suis pas très doué pour ce genre de choses, mais avoir le cœur brisé me donne du courage. La façon dont je me suis comporté hier est impardonnable, mais, je t'en supplie, sache que c'était à cause du choc, et non le reflet des sentiments que j'ai pour toi. Ces derniers mois ont été les plus heureux de ma vie. Je ne te l'ai encore jamais dit, mais je t'aime, Chrissie, alors, si tu veux bien, je voudrais qu'on passe chaque jour qui nous reste à vivre ensemble pour te le prouver. Ton père m'a dit que tu ne voulais plus me voir, et je ne te le reproche pas, mais il ne s'agit plus seulement de nous à présent – il faut penser au bébé. Je veux être un bon père et un bon mari. Oui, c'est ma façon maladroite de te demander ta main. S'il te plaît, Chrissie, dis-moi que tu seras ma femme et qu'on pourra élever notre enfant ensemble. La guerre aura beau nous

séparer physiquement, le lien qui unit nos cœurs restera
à tout jamais indissoluble.

Il faut que tu me pardonnes, Chrissie. Je t'aime.
À toi pour toujours,

Billy xxx

Tina réprima un frisson. Elle avait beau ne jamais utiliser son nom entier, elle avait été baptisée Christina, si bien qu'elle se sentit un lien immédiat avec cette Chrissie. Quelle histoire triste… Pourquoi Billy n'avait-il pas posté la lettre ? Qu'étaient devenus Chrissie et son bébé ? Peut-être pourrait-elle se renseigner sur eux et faire parvenir la lettre à sa juste destinataire. Ce serait de toute façon une distraction bienvenue pour oublier ses propres problèmes.

4

Printemps 1939

Billy Stirling avait toujours su qu'il était beau pour la bonne raison que sa mère ne se lassait jamais de le lui répéter. À l'âge de vingt et un ans, personne ne s'étonna qu'il ne soit jamais en manque de petites amies. Ses cheveux noirs, qu'il portait un peu trop longs, étaient plaqués en arrière avec de la brillantine, son visage rasé de près révélait un teint mat presque basané et, curieusement, compte tenu du nombre de cigarettes qu'il fumait, ses dents étaient d'un blanc étincelant et parfaitement droites. Dès qu'il riait, son sourire illuminait tout son visage et ses joues se creusaient de fossettes qui lui donnaient un air de collégien insolent. La cicatrice qui lui barrait le sourcil gauche ne faisait qu'ajouter à son charme exotique, et il s'attirait toujours des exclamations de compassion de la part de filles en adoration lorsqu'il racontait comment il se l'était faite. Lui-même n'avait aucun souvenir de l'incident, mais sa mère le lui avait raconté d'innombrables fois.

Alice Stirling aimait follement son fils et se montrait extrêmement protectrice avec lui. Son mari, Henry, estimait qu'elle le gâtait trop, et était même un peu jaloux de l'amour et de l'attention qu'elle prodiguait au petit garçon. Lorsque leur premier fils, Edward, était mort en bas âge de la tuberculose, Alice avait été inconsolable et s'en était voulu. Rien de ce que pouvait dire ou faire son mari ne l'empêchait de penser qu'elle était responsable. S'il avait réussi à être plus convaincant, peut-être aurait-elle fini par le croire. La seule chose que savait Henry, c'était qu'il était revenu de la Grande Guerre et que son fils était mort. Sans qu'il n'ait jamais eu l'occasion de le tenir dans ses bras.

Edward était mort à seulement cinq mois, son petit corps trop fragile pour supporter de cracher sans cesse du sang, les suées nocturnes et les poussées de fièvre caractéristiques de la maladie. Bien que la tuberculose soit associée à des mauvaises conditions d'hygiène, Alice s'était occupée de son fils du mieux qu'elle avait pu. Elle savait bien qu'ils étaient pauvres. Depuis le rationnement imposé en janvier 1918, la nourriture se faisait rare, cependant, il en allait de même pour la majorité des familles pendant la guerre, et leurs bébés n'étaient pas morts. L'appartement qu'ils louaient était un taudis d'une seule pièce, mais elle faisait tout pour le tenir propre. Les murs étaient tellement humides que la moisissure s'infiltrait partout. Edward avait été malade depuis sa naissance, et l'odeur du lait qu'il régurgitait imprégnait l'atmosphère en permanence. À l'heure du coucher, Alice l'emmitouflait dans des couvertures et le prenait dans son lit, où elle le serrait contre elle toute la nuit, se réveillant régulièrement pour s'assurer qu'il respirait encore. Et en dépit de tous ses efforts, Edward était mort, de sorte que la culpabilité l'avait rongée, démolissant peu à peu ses certitudes quant à sa capacité à être mère. À son retour des tranchées, Henry s'était renfermé sur lui-même, et Alice trouva de plus en plus difficile de communiquer avec lui. Il était rare qu'ils se parlent, et cette existence misérable semblait être le reflet de leur vie conjugale. Mais elle avait beau douter d'elle-même en tant que mère, Alice rêvait d'avoir un autre bébé. Le vide qu'elle ressentait au fond d'elle ne pourrait être comblé qu'en donnant de nouveau la vie. Cependant, ses chances de tomber enceinte étaient nulles étant donné la distance qui s'était installée entre elle et son mari.

Un jour, peu de temps après le décès du petit Edward, Alice entendit deux femmes bavarder à l'épicerie du coin de la rue. Ses oreilles se dressèrent, et elle s'approcha pour écouter ce qu'elles disaient. Une fois qu'elle en eut assez entendu, elle rentra chez elle, le cœur battant à toute vitesse. À son grand soulagement, Henry n'était pas là. Elle se changea et mit sa tenue du dimanche, qu'elle compléta avec un chapeau en fourrure et des gants. Le chapeau sentait le moisi, mais ça ferait l'affaire. Elle lui donna un petit coup de brosse et le plaça délicatement sur son chignon, puis elle se regarda dans le petit miroir carré au-dessus de l'évier de la cuisine, qui servait aussi de salle de bains, et ajouta un soupçon de rose sur ses lèvres. Elle savait qu'elle aurait dû mettre des chaussures plates pour faire le long trajet qui l'attendait, toutefois, des talons seraient plus élégants. Après avoir jeté un dernier coup d'œil dans le miroir, son visage exprimant la détermination même, Alice ferma la porte et s'en alla d'un pas alerte et décidé.

La façade grise de l'orphelinat était mouchetée par des décennies de poussière, et des mauvaises herbes poussaient à foison dans les gouttières. La peinture noire de la porte avait depuis longtemps perdu son éclat et était écaillée. L'endroit tout entier dégageait une austérité qui n'avait rien d'accueillant. Néanmoins, Alice ravala son appréhension et gravit les marches en pierre qui menaient au perron. Elle écarta une toile d'araignée qui s'était accrochée à son chapeau. L'énorme heurtoir en cuivre était si rouillé qu'elle eut de la peine à le soulever pour produire un son assez fort. Après ce qui lui parut une éternité, la lourde porte s'ouvrit sur une femme en tenue d'infirmière qui la toisa.

« Oui ? Je peux vous renseigner ? »

Alice s'aperçut qu'elle n'avait pas réfléchi à ce qu'elle allait dire.

« Bonjour… Euh… Je… Mon nom est Alice Stirling, bredouilla-t-elle. Je peux entrer ? »

L'infirmière croisa les bras sur sa poitrine et la dévisagea. « Vous avez un rendez-vous ?

— Non, je crains que non… Ça pose un problème ? »

L'infirmière soupira en secouant la tête, mais elle ouvrit plus grand la porte et lui fit signe d'entrer.

« Attendez ici… Je vais chercher l'infirmière-chef. » Alice la regarda s'éloigner dans le vestibule. Une odeur de désinfectant et de chou bouilli imprégnait la maison – un mélange qui lui donna la nausée. Elle avait la bouche sèche et des gouttes de sueur perlaient sur sa nuque. Elle commençait à regretter d'avoir mis ce chapeau.

« En quoi puis-je vous aider ? »

Elle se retourna. L'infirmière-chef avait un visage expressif et bienveillant qui ne correspondait pas à sa voix, de sorte qu'Alice resta décontenancée un instant.

« Je m'appelle Alice Stirling et je suis venue pour le bébé.

— Quel bébé ? Nous avons de nombreux bébés, ici.

— Oui, bien sûr, s'excusa Alice. Je suis désolée, je ne connais pas son nom.

— Pourriez-vous être plus précise ? »

Au loin, un bébé se mit à pleurer. Alice sentit sa gorge se serrer et ses yeux se remplir de larmes. Elle les essuya de sa main gantée.

« Vous vous sentez bien ? demanda l'infirmière-chef d'un ton plus doux.

— Pas vraiment. J'ai perdu mon bébé, vous comprenez...

— Et vous pensez qu'il pourrait être chez nous ? »

Alice se troubla une seconde.

« Oh, non... bien sûr que non. Il est mort. »

Devant la brusquerie de cette réponse, l'infirmière-chef arrondit les yeux. Puis elle prit Alice par le bras, l'emmena dans son bureau et referma la porte.

« Et si vous me racontiez de quoi il s'agit ? »

Alice éprouva soudain le désir de se délester d'un poids.

« Mon bébé, mon beau petit Edward, est mort quand il avait seulement cinq mois. De la tuberculose, m'a-t-on dit. Je n'ai rien pu faire, mais je sais que Henry...

— Henry ?

— C'est mon mari. Je sais qu'il m'en veut. Il prétend que non, mais je n'ai même pas été capable de garder Edward en vie jusqu'à ce qu'il revienne de la guerre... Quel genre de mère faut-il que je sois ? Il n'a jamais pu voir son propre fils. Et maintenant, c'est tout juste si nous nous adressons la parole. Il boit trop et ne me témoigne aucune affection. Il pense que son chagrin est pire que le mien parce que j'ai au moins passé cinq précieux mois avec Edward... »

L'infirmière lui tendit un mouchoir.

« Allons, allons, ne vous faites pas de reproche... De nombreux bébés meurent de la tuberculose. C'est hélas très fréquent. Je suis certaine que vous avez fait tout votre possible. »

Alice se moucha bruyamment.

« Mais ça n'a pas suffi. » Elle ne savait pas pendant combien de temps encore elle allait supporter ce malheur.

L'infirmière jeta un coup d'œil à la pendule sur le mur.

« C'est bientôt l'heure du dîner. Il faut que j'aille superviser le repas. Voulez-vous vous joindre à nous ?

— Vous êtes très gentille... Oui, volontiers.

— Et ensuite, vous me raconterez ce qui vous amène. Vous avez parlé d'un bébé... »

Alice la suivit au réfectoire, où les enfants avaient déjà pris place devant de longues tables en bois. Le dîner était d'une extrême simplicité : des grosses tranches de pain beurré et un bouillon.

À la seconde même où elle l'aperçut, Alice sut que c'était lui. Et l'entaille au-dessus de son sourcil gauche ne fit que le lui confirmer. Il était assis dans une chaise haute sur laquelle il tapait avec sa cuiller. Dès qu'Alice s'approcha, il arrêta, lui décocha un sourire édenté et lui tendit les bras comme s'il voulait qu'elle le prenne. Elle le fit et respira son odeur de lait. Il portait au bras un petit bracelet en papier sur lequel étaient inscrits son nom et sa date de naissance. *William Edwards. 20 mars 1918.*

« Tout va bien, murmura-t-elle au creux de son oreille. Maman est là. »

Un peu plus tard, dans le bureau de l'infirmière-chef, elle apprit toute l'histoire du petit Billy[1], et comment il avait atterri à l'orphelinat. Tout comme Alice, Frances Edwards, avait accouché pendant la guerre, mais, de façon tragique, son père, Albert, avait été tué sur le front, un mois avant la fin des hostilités. Le 11 novembre 1918, jour de l'armistice, alors que les cloches des églises carillonnaient à travers tout le pays, Frances avait serré fort son bébé contre elle et avait sauté du haut d'un pont de chemin de fer. Elle avait été tuée sur le coup, mais, par miracle, l'enfant avait survécu, avec pour seule blessure une entaille au sourcil gauche. En dépit de nombreux appels lancés, aucun parent n'était venu réclamer le bébé, que les autorités avaient fini par placer à l'orphelinat.

Alice écrasa une larme au coin de son œil.

« Et maintenant, que va-t-il lui arriver ?

---

1. « Billy » est le diminutif de « William », en anglais.

— Nous allons nous en occuper, répondit l'infirmière-chef en haussant les épaules. On prendra bien soin de lui.

— Je vais le prendre, déclara Alice. C'est un bébé qui n'a pas de mère, et je suis une mère qui n'a pas de bébé. Je vous en prie... »

L'infirmière-chef parut hésiter. « Nous n'avons pas de politique d'adoption officielle, mais il faudra faire des vérifications, ainsi que des papiers. » Elle vit le regard implorant d'Alice. « Je vais voir ce que je peux faire. »

Alice esquissa un sourire. « Merci. Je vais en parler à mon mari. »

Une semaine plus tard, Billy avait quitté l'orphelinat avec seulement deux choses : la bague de fiançailles de sa défunte mère et un coquelicot des Flandres, que son père avait glissé dans une lettre envoyée des tranchées à sa femme.

12 octobre 1918

Ma chère Frances,

J'aimerais que tu puisses voir les coquelicots dans les champs. Ils sont encore plus étonnants quand ils se couchent dans le vent. J'ai sauvé celui-ci de la boue des Flandres. Veille bien sur notre petit garçon. Il me tarde de le connaître.

Mon amour et ma tendresse à tout jamais,

Albert xx

Deux jours plus tard, il avait été tué au combat.

En ce printemps 1939, âgé de vingt et un ans, Billy était dévoué à sa mère adoptive. Ses rapports avec son père étaient, pour dire le moins, un peu compliqués. Il estimait que le meilleur moyen de gérer la situation était de garder ses distances. Et comme Henry Stirling passait beaucoup de temps au pub ou à se promener dans les rues, ce n'était pas difficile. Il n'avait jamais vraiment accepté Billy comme son fils, et la quantité d'amour et d'attention qu'Alice lui prodiguait n'avait fait qu'accroître son ressentiment.

Un soir, Billy et son meilleur ami, Clark, étaient accoudés au bar de leur pub favori.

« Je suis désolé pour toi », dit Clark.

Billy tira une longue bouffée sur sa cigarette et regarda son ami.

« Et pourquoi ça ?

— Parce que tu n'as jamais connu le frisson que procure la chasse. C'est vrai, les filles se jettent à tes pieds... Il te suffit de rentrer dans une pièce pour que les yeux de toutes les femmes se tournent vers toi. Dans ces conditions, où est le défi ? »

Billy haussa les épaules et claqua des doigts pour appeler le barman.

« S'il te plaît, mon vieux, quand tu auras une minute, tu nous remettras deux rhums. »

Il se tourna vers son ami. « C'est ce que tu penses ? Tu ne t'es jamais dit que les filles qui sont obsédées par l'apparence d'un type étaient complètement creuses ? Elles n'ont aucune substance, rien... et si elles sont amusantes pour une nuit, après ça, elles m'ennuient !

Je voudrais bien avoir une relation sérieuse et stable, comme tout le monde. »

Il passa un verre à Clark.

« Santé ! »

Clark n'avait pas l'air convaincu. « En traînant avec toi, je n'ai aucune chance », grommela-t-il.

Et c'était vrai. Au bal, les filles accouraient vers eux, mais c'était avec Billy qu'elles voulaient tourbillonner sur la piste de danse, c'était par Billy qu'elles voulaient être raccompagnées chez elles à la fin de la soirée.

« Tu es mon meilleur ami, Clark. On est copains depuis qu'on était des gamins en culottes courtes aux genoux écorchés et à la figure crasseuse. Tu voudrais vraiment qu'on arrête de sortir ensemble pour que tu aies plus de chances avec les filles ?

— Non, ce n'est pas ce que je dis… Seulement, j'ai l'impression que je ne rencontrerai jamais personne. »

Billy lui donna une claque dans le dos. « Arrête de te lamenter ! Aucune fille ne veut d'un type qui s'apitoie sur son sort. »

Clark le regarda dans l'atmosphère enfumée du pub. S'il était vrai que ses cheveux roux et ses taches de rousseur n'étaient pas un aimant pour les filles, ses yeux bleus semblaient voir directement votre âme et brillaient au milieu de ce qui était en réalité un très joli visage. Sa petite taille pouvait être un inconvénient pour celles qui portent des talons hauts, et son accent traînant du Pays noir paraissait déplacé à Manchester, donnant l'impression qu'il avait l'esprit un peu lent alors que c'était tout le contraire. En revanche, il aurait été difficile de trouver un garçon plus solide, plus fiable et aussi correct.

68

« Désolé, Billy... Tu en veux un autre ? »

Billy regarda sa montre. « Vaut mieux pas. Maman a dû me préparer à dîner. On se voit demain au Buck, d'accord ? »

Le vendredi soir, la salle de bal du Buccaneer était leur terrain de jeux préféré. Des ribambelles de filles gloussaient avec nervosité au bord de la piste de danse, jetant de discrets coups d'œil alentour dans l'espoir qu'un garçon les invite à danser. Un orchestre de trois musiciens assurait l'ambiance, et les lumières étaient suffisamment intimes pour créer une atmosphère romantique lorsqu'il le fallait. Le contraste était saisissant avec les bals organisés à la salle paroissiale, où le vicaire tenait à jouer les chaperons et séparait les couples qui, selon lui, se rapprochaient un peu trop. Un soir, Billy avait été mis dehors pour avoir laissé ses mains s'égarer trop bas sur les reins de sa partenaire. Inutile de préciser que Clark avait trouvé cet épisode hilarant.

Au Buck, les règles n'étaient pas aussi strictes, et, après leur conversation de la veille, Billy était décidé à trouver pour Clark une jolie fille qui l'emmènerait chez elle pour le présenter à sa mère, l'épouserait et lui ferait des bébés. Ou, à défaut, au moins une qui voudrait bien danser avec lui. L'orchestre était en grande forme, et la musique si forte qu'il était difficile de se parler. Billy mit ses mains en coupe autour de sa bouche et se pencha à l'oreille de Clark.

« Tu en as repéré une que tu aimerais inviter à danser ?

— Hé, je ne suis pas sourd ! s'exclama Clark en se frictionnant l'oreille.

— Qu'est-ce que tu penses de ces deux-là ? » Billy montra deux filles qui n'avaient pas arrêté de leur jeter des coups d'œil de la soirée. L'une d'elles était grande, assez exubérante et très maquillée. Elle renvoya ses longs cheveux bruns en arrière d'un geste provocant en croisant le regard de Billy. Son amie, qui à l'évidence était mal à l'aise, s'empressa de fixer le plancher. Brusquement, Billy se redressa et donna un coup de coude à son ami.

« Nom de Dieu, elles viennent par ici ! »

Tous deux observèrent la plus grande des filles se faufiler entre les danseurs, son amie la suivant tant bien que mal en prenant garde à ne pas renverser son verre.

« Bonsoir, mesdemoiselles ! dit Billy.

— Bonsoir, renchérit Clark en les saluant d'un signe de tête.

— On a vu que vous nous regardiez, dit la grande en balançant de nouveau ses cheveux en arrière. Moi, c'est Sylvia, mais vous pouvez m'appeler Syl, et voici mon amie Chrissie.

— Enchanté. Je m'appelle Billy, et lui, c'est Clark. »

Ce dernier hocha de nouveau la tête et essuya sa paume moite sur son pantalon avant de serrer la main aux deux filles.

Chrissie sourit tendrement, ses yeux bleus brillant d'un air amusé. Quoique plus réticente que son amie, elle était de loin la plus ravissante des deux. Des cheveux blonds joliment bouclés, la peau rayonnante, elle portait un léger soupçon de rose sur les lèvres.

Billy avait du mal à en détacher les yeux, mais Syl avait autre chose en tête. Elle le tira par sa cravate, l'obligeant à poser son verre.

« Viens, on va voir de quoi tu es fait ! »

Billy voulut protester, mais il était trop tard. Syl le tenait déjà fermement par le bras et le poussait vers la piste de danse. En se retournant, il vit Clark et Chrissie s'asseoir à une table et ressentit un pincement de jalousie qui le surprit.

Syl avait beau être une danseuse formidable, la modestie ne semblait pas faire partie de ses qualités.

« Hé, on fait un couple éblouissant, pas vrai ? »

Lorsqu'ils rejoignirent leurs amis à la table, Clark et Chrissie étaient en grande conversation et leur prêtèrent à peine attention. L'orchestre jouait un morceau plus lent, et aussitôt des couples envahirent la piste pour une série de slows. Billy savait que c'était le moment de la soirée que Clark redoutait toujours – quoique, pas ce soir, apparemment ! Sans un mot, il tendit sa main à Chrissie, qui la prit timidement et se leva. Billy ne put que regarder son ami escorter la jeune fille sur la piste et l'enlacer par la taille. Ils se balancèrent au rythme de la musique sous le regard de Billy et de Syl.

« Ouah… Ils font un couple charmant, non ? »

Billy ne put répondre. Il avait l'épouvantable sentiment qu'il venait de perdre quelque chose d'infiniment précieux. Quelque chose qu'il n'avait encore jamais eu et qui n'en aurait pas moins dû être à lui. Clark serra Chrissie plus près, puis il se tourna vers son ami et leva les deux pouces d'un air triomphant en lui souriant. Billy se força à sourire et leva son verre à leur santé. Bien qu'il soit incapable de l'expliquer, c'était soudain comme si on lui avait arraché le cœur pour le remplacer par un morceau de plomb, et il réalisa alors que Chrissie était destinée à être l'amour de sa vie. Malheureusement, elle était dans les bras de son meilleur ami.

5

Printemps 1939

Chrissie posa son vélo contre un mur et jura entre ses dents. La chaîne avait sauté, ses socquettes blanches étaient tachées de cambouis, et elle allait devoir faire le reste du trajet à pied. Heureusement, cette journée de printemps ressemblait à l'été, et étant donné qu'elle avait presque terminé sa tournée, ça aurait pu être pire. En tant que fille d'un médecin et d'une sage-femme, elle était habituée à leur donner un coup de main. Ce jour-là, elle faisait les livraisons quotidiennes de médicaments que son père avait prescrits à ses patients.

Elle travaillait au cabinet de consultation de Wood Gardens à Manchester, où ses tâches consistaient aussi bien à rédiger des ordonnances qu'à cirer les armoires médicales en acajou sculpté. Le Dr Skinner était un médecin très respecté, qui inspirait de l'admiration à sa fille et la terrifiait plus qu'un peu. Il imposait une discipline très stricte à sa femme, à sa fille et même à ses patients. Il n'avait pas de temps à perdre avec les simulateurs, si bien que les récidivistes se voyaient souvent donner une concoction qui ne contenait rien de plus qu'un mélange de lactose et d'une substance au goût amer. Outre que cette potion sentait suffisamment mauvais pour les persuader qu'elle les guérirait de leur maladie imaginaire, elle avait en outre l'avantage de permettre au médecin de leur faire payer trois shillings et six pence le flacon. Plus d'une mère avait regretté d'avoir amené son enfant chez le Dr Skinner pour un simple mal de gorge. Le lendemain, le malheureux gamin se retrouverait allongé chez lui sur la table de la cuisine où, après lui avoir fait respirer un tampon de chloroforme, le médecin lui enlèverait les amygdales.

La considération dont jouissait le bon docteur était telle que personne ne remettait ses méthodes en question, et il avait acquis la réputation d'être capable de tout soigner. Les gens aisés des environs venaient tous voir le Dr Skinner. Ils étaient autorisés à utiliser la porte d'entrée du cabinet et à attendre dans la pièce agréable qu'était la salle à manger familiale. Chrissie leur servait même du thé pendant qu'ils attendaient. Il n'y avait pas de système de rendez-vous, mais tout le monde acceptait le fait que les patients de la porte d'entrée soient reçus avant ceux qui devaient passer par l'arrière. Ceux-là étaient des gens moins fortunés, qui avaient du mal à payer les notes du médecin, et que ce dernier considérait comme une nuisance. Malheureusement, ces personnes semblaient tomber malades plus souvent que les privilégiés de Manchester qui avaient les moyens de le payer en temps et en heure. Chrissie était souvent gênée par l'attitude rigide de son père, au point que, plus d'une fois, elle avait laissé partir des patients sans payer. Elle était devenue plutôt habile à dissimuler ces mauvaises dettes depuis qu'elle s'occupait de la comptabilité du cabinet. Le Dr Skinner avait beau être un médecin talentueux, il n'était pas comptable.

Elle décida de laisser son vélo là et prit le sac en papier brun dans le panier fixé à l'avant. Il contenait encore quatre flacons à déposer. Chrissie avait préparé les concoctions elle-même, puis appliqué le cachet de cire et l'étiquette blanche sur lequel était indiqué le nom du patient. Elle constata avec joie que deux des flacons étaient destinés à la même personne, ce qui signifiait qu'il ne lui restait plus qu'à se rendre dans trois maisons, et elle aurait terminé sa journée.

Il était crucial qu'elle soit de retour chez elle à l'heure car, ce soir, elle avait l'intention de transgresser les règles rigoureuses que lui imposaient ses parents et d'aller au bal du Buccaneer avec son amie Sylvia. Elles s'étaient connues à l'école, où Sylvia l'avait prise sous son aile et était restée son amie depuis lors. Et bien qu'elles soient opposées à tous les points de vue, leur amitié avait triomphé de tous les obstacles, la désapprobation des parents de Chrissie n'étant pas des moindres. Ils estimaient que Sylvia exerçait une mauvaise influence sur leur fille et faisaient tout leur possible pour les dissuader de se fréquenter. Cependant, ce soir, le docteur et Mrs Skinner sortaient, et Chrissie en avait profité pour prévoir d'aller faire un tour en secret au Buccaneer. Si elle rentrait chez elle avant minuit, ses parents n'en sauraient jamais rien.

Une fois ses livraisons terminées, elle reprit son vélo et le poussa jusque chez elle. Devant le portail du jardin l'attendait Leo, leur fidèle airedale-terrier, la créature la plus loyale, la plus brave et la plus intelligente que Chrissie ait jamais connue. Lorsqu'elle partait faire sa tournée, il attendait patiemment son retour devant le portail et l'accueillait avec une joie sans retenue. Tout son corps s'agitait tandis qu'il remuait la queue et retroussait ses babines comme pour lui sourire. Si le Dr Skinner était en visite chez des patients et qu'on avait besoin de lui en urgence au cabinet, on envoyait Leo le chercher avec un mot attaché à son collier.

« Salut, Leo ! » dit Chrissie en lui frottant les oreilles. Elle ouvrit le portail rouillé pour le faire entrer, mais le chien sauta par-dessus le mur et fonça dans l'allée vers la maison. Lorsqu'elle entendit ses parents parler dans la cuisine, son cœur se serra. Même si l'on n'était qu'à l'heure du thé, il fallait qu'elle se prépare pour le bal. Elle voulait mettre des bigoudis pour boucler ses cheveux, ce qui lui prendrait une bonne heure et ne pourrait pas se faire tant qu'ils seraient encore à la maison.

Elle entra dans la cuisine en essayant d'avoir l'air naturel.

« À quelle heure vous partez ?

— Bonsoir à toi aussi ! rétorqua Mrs Skinner. Tout s'est bien passé avec les livraisons ?

— Pardon ? Oh, oui, sauf que ma chaîne de vélo a encore une fois sauté, dit Chrissie en montrant le cambouis sur ses socquettes.

— Ton père la réparera demain, n'est-ce pas, Samuel ? »

Le Dr Skinner écrasa sa cigarette et en alluma une autre. « Il serait temps que tu apprennes à mieux prendre soin de ce vélo. Quand ce n'est pas la chaîne, c'est un pneu qui crève ou les freins qui lâchent.

— Papa, ce n'est pas de ma faute… »

Mrs Skinner lui jeta un regard noir qui la réduisit au silence, puis se tourna vers son mari.

« Allons, Samuel, ne sois pas aussi grincheux. Va donc prendre un bain… Je t'apporterai un whisky.

— Bonne idée, c'est ce que je vais faire. Je suis tellement fatigué que je vais peut-être me dispenser de ce dîner dansant. »

Prise de panique, Chrissie retint sa respiration. Sylvia allait passer la chercher dans deux heures…

Mabel Skinner poussa son mari hors de la cuisine et le suivit au premier étage. « Tu te sentiras mieux après avoir pris un bon bain, et, de toute façon, j'ai acheté cette nouvelle robe… Ce serait dommage de ne pas la porter. »

Chrissie poussa un soupir soulagé et cria à sa mère : « Qu'est-ce qu'il y a pour le goûter ? »

La réponse assourdie flotta dans l'escalier. « Fais-toi une tartine de pain et de confiture… Ton père et moi prendrons le thé là-bas. »

Charmant, pensa Chrissie, qui se coupa une grosse tranche de pain qu'elle tartina de beurre, puis en jeta un bout à Leo qui bavait patiemment à ses pieds.

Ses parents finirent par s'en aller, non sans lui avoir fait plusieurs recommandations. « N'oublie pas de mettre à jour les dossiers des patients d'aujourd'hui, fais la liste de tous ceux qui doivent encore de l'argent pour les médicaments et emmène Leo faire une dernière promenade vers dix heures. » Quand ils eurent terminé, Chrissie les mit quasiment à la porte.

« Je n'oublierai pas. Amusez-vous bien !

— Et sois bien sage, dit le Dr Skinner en prenant le bras de sa femme et en l'entraînant dans l'allée. On sera de retour vers minuit et demi. »

Chrissie attendit qu'ils soient hors de vue pour refermer la porte, puis elle fila à l'étage en montant les marches deux à deux. Au moment où la sonnette retentit, elle avait pris un bain, bouclé ses cheveux et enfilé sa seule robe convenable. Elle entrouvrit la porte juste assez pour que Sylvia se faufile à l'intérieur.

« Personne ne t'a suivie ? » chuchota-t-elle.

Sylvia leva les yeux au ciel. « On va à un bal, on ne va pas s'engager dans les services secrets ! Bon, voyons un peu à quoi tu ressembles… »

Elle toisa son amie de haut en bas pour en juger.

« Pas mal. Mais tu pourrais mettre une touche de rouge sur les joues et sur les lèvres.

— Oh, je ne sais pas… Je n'ai pas envie d'avoir l'air d'un clown.

— Regarde-moi… Est-ce que j'ai l'air d'un clown ? »

Chrissie observa le visage très maquillé de son amie. Ses sourcils à l'arc parfait étaient noircis de khôl et sa peau pâle sans défaut attirait l'attention sur ses lèvres rubis. Un style que Chrissie n'aurait jamais espéré avoir.

« Non, mais tu es tellement plus sophistiquée que moi ! Tu es grande, élégante, sûre de toi…

— Et toi, tu es jolie et charmante, comme une petite poupée blonde ! »

Chrissie n'était pas sûre que ce soit un réel compliment, mais elle la remercia néanmoins.

« Je ferais peut-être mieux de mettre un peu de rouge à lèvres.

— Ah, voilà qui est sage ! s'exclama Sylvia en ouvrant son sac à main.

— Oh, non, pas le tien… Il est trop… Enfin, ce n'est pas moi. Je monte en vitesse voir ce qu'a ma mère. »

Elle revint quelques instants plus tard, les lèvres brillant d'un rose pâle que Sylvia sembla approuver.

« C'est nettement mieux ! déclara-t-elle. Et maintenant, viens, une soirée de danse inoubliable nous attend. » Elle ouvrit la porte et s'éloigna en trottinant. Chrissie s'empressa de lui emboîter le pas.

Lorsqu'elles arrivèrent, la salle était encore à moitié vide et les gens n'avaient pas vraiment commencé à danser. Sans s'en préoccuper, l'orchestre continua à jouer, et Sylvia proposa qu'elles aillent se commander à boire avant qu'il n'y ait trop de monde. Au bout de deux minutes, elle donna un coup de coude assez douloureux dans les côtes de son amie.

« Hé, pourquoi tu as fait ça ?

— Chut ! Vise un peu ces deux-là qui viennent d'entrer… »

Chrissie se retourna et aperçut deux jeunes gens qui se dirigeaient vers le bar.

« Le grand est carrément superbe, tu ne trouves pas ? Il est pour moi. »

Chrissie ne put qu'acquiescer. Le garçon en question avait un petit air exotique, et elle était sûre qu'il ne la regarderait pas une seule fois, et encore moins deux. « Super, dit-elle. De toute façon, je préfère l'autre. Il a un visage gentil, mais il a l'air nerveux et pas très sûr de lui, exactement comme moi !

— Je leur propose de se joindre à nous ? »

Chrissie fut horrifiée. « On ne devrait pas plutôt attendre que ce soit eux qui le fassent ? Ce serait un peu effronté de…

— D'accord, concéda Sylvia. Je leur accorde une demi-heure, et ensuite, j'y vais ! »

Elle croisa ses longues jambes et remonta légèrement sa jupe quand les deux garçons passèrent devant elles. Chrissie secoua la tête et contempla le fond de son verre. Son amie était décidément incorrigible !

Alors que la piste de danse se remplissait, Sylvia remarqua que les deux garçons n'avaient pas bougé de leur place près du bar. Brusquement, le plus grand des deux fit un geste dans leur direction. Elle ne perdit pas une seconde pour accrocher son regard.

« Viens, Chrissie… C'est le moment. » Elle avança dans la salle en se déhanchant et entraîna son amie dans son sillage.

Dès que les jeunes gens – Billy et Clark – se furent présentés, Sylvia entraîna le premier sur la piste.

« On va s'asseoir ? proposa Clark en tirant une chaise à l'intention de Chrissie. Tu veux un autre verre ?

— Non, merci. Je n'ai pas terminé celui-ci, répondit-elle.

— Ton amie est une super danseuse.

— Ton ami aussi.

— Billy ? Oui, il a pas mal de pratique… Je crois qu'aucune fille ne lui a jamais refusé une danse. »

Chrissie perçut la mélancolie qu'exprimait son regard. « Oublie Billy et parle-moi de toi.

— De moi ? » Clark eut l'air étonné. « Eh bien, que veux-tu savoir ? »

Chrissie se rendit compte qu'il était encore plus nerveux qu'elle, ce qui la rassura un peu. Elle haussa les épaules. « Tu viens d'où ? Pas d'ici, à ce que j'entends.

— Tu as raison. Je suis né à Birmingham, mais on est venus vivre à Manchester quand j'avais sept ans. J'ai rencontré Billy à l'école et nous sommes toujours restés amis. Les autres se moquaient de moi parce que je ne parlais pas comme eux, mais Billy me défendait, et comme il était très apprécié dans la classe, tout le monde l'écoutait. Sans lui, mes années d'école auraient été un enfer... En échange, il m'arrivait de faire ses devoirs à sa place. Pas parce qu'il ne comprenait pas, mais il était toujours tellement pris par le sport et le reste qu'il n'accordait pas une grande importance à ses études. Et en plus, sa mère le gâte trop. Ce gars peut surpasser n'importe qui. »

Chrissie regarda Billy et Syl évoluer sur la piste de danse. Billy semblait distrait et jetait sans cesse des coups d'œil du côté de leur table. Quand il s'aperçut que Chrissie le regardait, il lui adressa un petit sourire. Elle se sentit rougir et se retourna d'un air gêné.

« On dirait que ton ami a trouvé ce qu'il lui faut avec Syl.

— Oh, sûrement... Elle est superbe. Billy attire toujours les plus belles filles. »

Chrissie fixa les yeux bleus de Clark et attendit qu'il se rende compte de ce qu'il venait de dire. Il prit soudain un air mortifié. « Oh, pardon... Je ne voulais pas dire que… Tu es très jolie, et d'une façon beaucoup plus subtile, bredouilla-t-il. C'est vrai, tu n'as pas besoin de tout ce maquillage, tu es ravissante au naturel et… »

Elle l'interrompit en souriant. « Ça suffit ! Je te pardonne. »

Chrissie jeta un coup d'œil discret à sa montre.

« Je ne te retiens pas, j'espère ? demanda Clark.

— Pas du tout. Mais je dois être chez moi à minuit, ce qui veut dire que, le temps de rentrer, il faut que je parte vers onze heures et demie.

— Alors on a tout le temps, rétorqua Clark en se détendant un peu. Tu veux une cigarette ?

— Non, merci, je ne fume pas, mais toi, vas-y.

— Tu es sûre ? »

Clark ouvrit son paquet de Capstan. « Parle-moi un peu de toi.

— Il n'y a pas grand-chose à raconter. Je travaille au cabinet de mon père, le Dr Skinner. Et comme ma mère est sage-femme, je l'aide aussi de temps en temps, seulement, je suis un peu sensible… J'ai assisté à un nombre suffisant de naissances pour être dégoûtée du sexe pour de bon ! »

À peine cette phrase lui eut-elle échappée qu'elle eut envie de ramper sous terre. Chrissie se sentit devenir écarlate. Elle ne comprenait pas ce qui l'avait poussée à dire une chose pareille… Clark faillit s'étouffer dans son verre et recracha un peu de liquide ambré qui coula sur son menton.

« Je suis désolée. Je ne voulais pas… »

Il éclata de rire. Elle l'imita, et tous deux partirent d'un grand fou rire.

Lorsque Billy et Syl revinrent à la table, ils étaient de nouveau plongés en grande conversation. L'orchestre jouait un air plus lent, et Clark se leva, la main tendue. Chrissie se laissa guider sur la piste de danse. Au début, ils se montrèrent timides et empruntés. Il lui marcha plusieurs fois sur les orteils, mais ils s'habituèrent peu à peu à sentir le corps de l'autre et commencèrent à apprécier. Il n'était pas beaucoup plus grand qu'elle, de sorte qu'elle pouvait le regarder dans les yeux. Il lui sourit et la serra plus près. Chrissie sentit l'odeur de sa peau, une odeur fraîche et citronnée, à peine voilée par celle du tabac. D'un seul coup, elle s'affola en se demandant s'il allait essayer de l'embrasser. Elle se força à respirer pour se calmer. Diable, elle avait tout de même dix-neuf ans !

Les mains nouées derrière sa nuque, elle l'attira vers elle pour regarder sa montre. Il se pencha sur son cou et referma ses bras plus fort autour de sa taille. Étonnée, Chrissie vit qu'il était déjà presque onze heures et demie. Il fallait qu'elle parte, mais elle n'avait pas envie de rompre la magie de ce moment. Elle maudit son père en silence.

Quand la musique s'arrêta, ils s'écartèrent doucement l'un de l'autre.

« Je suis désolée, mais il faut vraiment que je m'en aille.

— Je comprends. Tu veux que je te raccompagne ? »

Chrissie jeta un regard vers Billy et Sylvia. Elle était en train de lui caresser le visage, d'effleurer du doigt sa cicatrice, et lui avait l'air franchement mal à l'aise.

« Ce serait très gentil, merci. Je vais juste demander à Sylvia si ça ne la dérange pas. »

Ça ne la dérangeait bien entendu pas du tout. Elle était sous le charme de Billy, et très satisfaite que Clark et Chrissie s'en aillent en les laissant en tête à tête.

Clark entraîna son ami à l'écart.

« Je n'arrive pas à le croire… Cette fille est adorable ! dit-il avec enthousiasme. Je lui ai proposé de la raccompagner. Ça ne t'ennuie pas ? De toute façon, tu as l'air d'avoir les mains occupées.

— Non, non, mon vieux, vas-y… Bonne chance ! »

Chrissie les rejoignit. « Tu es prêt à partir ? demanda-t-elle à Clark.

— Oui, je suis prêt, dit-il en la prenant par la main.

— Bonsoir, Billy. J'ai été ravie de te rencontrer. » Chrissie lui tendit son autre main, il la prit, et ils se fixèrent du regard une seconde. Elle se sentit troublée par ce qu'elle vit dans ses yeux, un mélange de grande tristesse et de désir, et ils étaient d'un brun si sombre qu'on distinguait à peine ses pupilles.

« Bonsoir, Chrissie. Prends bien soin de Clark. » Le clin d'œil qu'il lui adressa en disant cela la fit rougir ; prise soudain d'un léger vertige, elle se rattrapa au bras de Clark.

« Euh… oui. Au revoir. »

Billy soutint son regard et garda sa main encore une seconde, jusqu'à ce que Sylvia vienne le réquisitionner.

« Viens, on a le temps pour une autre danse… »

Main dans la main, Clark et Chrissie s'éloignèrent vers la sortie. Au moment où il lui tint la porte, elle résista à l'envie de se retourner. Clark était charmant, elle se sentait très à l'aise en sa compagnie, mais alors pourquoi avait-elle l'impression de ne pas partir avec le bon garçon ?

Bien que la soirée d'avril soit un peu fraîche, marcher d'un pas alerte les avait réchauffés, et au moment où ils arrivèrent chez elle, Chrissie était un peu essoufflée. Clark regarda sa montre.

« Minuit cinq. C'est plutôt pas mal. »

Chrissie était soulagée. La maison était plongée dans le noir, signe que ses parents n'étaient pas encore là. Venait maintenant le plus dur...

« Je ne peux pas te proposer d'entrer. Mes parents ne vont pas tarder à arriver et... »

Il lui posa un doigt sur les lèvres. « Ne t'en fais pas pour ça. En revanche, j'aimerais bien te revoir. »

Elle hésita en pensant à Billy et à l'abattement qu'elle avait perçu dans son regard. Elle l'imagina tournoyer avec Sylvia dans la morosité soporifique de la salle de bal. De toute façon, jamais il ne s'intéresserait à une fille naïve et innocente comme elle. C'est alors qu'elle se rendit compte que Clark attendait sa réponse.

« J'aimerais bien moi aussi, dit-elle en hochant la tête.

— Vraiment ? » fit-il, l'air étonné.

Chrissie éclata de rire. « Oui, vraiment ! Je suis libre dimanche. On pourrait aller se promener.

— Parfait. Je passerai te prendre à une heure. »

Chrissie s'affola un instant. « Euh, non... Je viendrai te retrouver dans le parc, devant le kiosque à musique. J'apporterai des sandwiches et du thé, si tu veux.

— Vivement dimanche ! » Il lui baisa la main, puis, sans ajouter le moindre mot, il se retourna et s'en alla.

À l'instant où elle ouvrit le portail, Chrissie se tétanisa d'horreur. Assis sur le perron, tremblant et gémissant, attendait Leo. Et comme elle était certaine de l'avoir laissé enfermé dans la maison, ça ne pouvait signifier qu'une chose. Ses parents étaient rentrés plus tôt que prévu.

6

Chrissie chercha sa clé au fond de son sac. Dans son affolement, elle le fouilla deux fois de suite avant de se rappeler qu'elle l'avait mise dans la poche de son manteau. Leo lui tournait autour en réclamant des caresses.

« Arrête, Leo… Il faut que je rentre. »

Retenant sa respiration, elle entra dans le vestibule. Tout était sombre et silencieux. C'était très étrange… Peut-être que ses parents n'étaient pas encore là. Peut-être qu'elle avait laissé la porte de service ouverte et que Leo s'était échappé… Elle avança à tâtons vers la cuisine et alluma la lumière, dont l'éclat soudain l'éblouit. La porte de service était verrouillée, et il y avait deux tasses de café sur la table.

Son cœur s'emballa en entendant craquer l'escalier. Sa panique se mua en réelle terreur quand elle se retourna et aperçut son père sur le pas de la porte. Il était absolument fou de rage ; le teint cramoisi et respirant rapidement, il avait à l'évidence du mal à trouver les mots qui convenaient pour exprimer sa colère. Elle resta là à trembler, Leo fila se cacher derrière elle, puis le Dr Skinner s'avança, la main levée, et la gifla. Chrissie tomba à la renverse sur son chien et se cogna la tête sur le sol en pierre. Toujours sans prononcer un seul mot, son père tourna les talons et remonta à l'étage d'un pas pesant.

Le goût du sang dans sa bouche lui donna un haut-le-cœur. Elle voulut se redresser, mais la pièce se mit à tanguer, si bien qu'elle se rallongea et se mit à pleurer. Leo lui lécha les joues avant de se rouler en boule à côté d'elle, et ils passèrent le reste de la nuit à dormir par intermittence sur le sol dur et impitoyable.

Le samedi midi, Billy et Clark se retrouvèrent au pub pour boire une pinte.

« Je suis impatient, dit Clark en lui tendant un verre.

— Tu la retrouves où ? » Billy savait qu'il aurait dû se réjouir pour son ami, qui avait attendu depuis si longtemps d'avoir un rendez-vous, mais il était jaloux et avait du mal à le cacher.

« Au parc, devant le kiosque à musique. Elle va apporter un pique-nique.

— Formidable. Tu l'as embrassée ? »

Sa question sembla décontenancer Clark. « Euh, non… enfin, juste sur la main. »

Billy parut soulagé. « Peut-être que tu le feras demain, alors ?

— Je n'ai pas envie de la bousculer. Je ne voudrais pas tout gâcher… Je crois bien que ça pourrait être elle.

— Tu ne l'as vue qu'une fois.

— Je sais, c'est ridicule, mais elle est tellement chaleureuse, tellement sympathique et…

— Comme un labrador ? »

Clark s'étrangla sur sa bière. « Tire-toi… » Puis il se fendit d'un sourire. « Tu comprends bien ce que je veux dire. »

C'était justement le problème. Billy comprenait, pour la bonne raison qu'il ressentait exactement la même chose.

Le lendemain, Clark attendit avec anxiété devant le kiosque à musique. Il était déjà une heure dix, et Chrissie n'était toujours pas là. Il n'y avait pas encore de raison de s'inquiéter, se raisonna-t-il en regardant pour la énième fois sa montre. Cette journée de printemps était d'une chaleur si exceptionnelle qu'il regrettait d'avoir mis un costume et une cravate. Il avait l'estomac noué et l'impression de devoir aller aux toilettes. Il y avait des toilettes publiques un peu plus loin, mais il n'osait pas y aller, de peur que Chrissie arrive pendant son absence et croie qu'il n'était pas venu. Basculant d'un pied sur l'autre, il tira nerveusement sur ses poignets de chemise et lissa sa cravate. De nouveau, il regarda vers les grilles du parc en espérant la voir. Il l'imagina, le teint frais et le regard rayonnant, portant un panier de pique-nique en osier et une couverture écossaise, se répandant en excuses d'être en retard. Il l'embrasserait poliment sur la joue en lui assurant que non, elle n'était pas si en retard que ça, puis il lui

dirait à quel point elle était belle. Elle serait légèrement essoufflée d'avoir couru, et ils se laisseraient
tomber sur la couverture, où ils s'allongeraient, les
doigts entrelacés, comme s'ils s'étaient connus toute
leur vie.

À une heure et demie, Clark eut la certitude absolue
que Chrissie ne viendrait pas. Comment avait-il pu
être assez stupide pour croire le contraire ? Les filles
comme elle n'avaient jamais été pour lui, rien n'avait
changé. Il se laissa tomber sur l'herbe et arracha sauvagement la tête d'une jonquille. Les pétales épais et
un peu fanés seraient bientôt flétris et affreux, très
loin de l'espoir et du bonheur éclatants qu'ils avaient
symbolisés auparavant.

Chrissie se regarda dans le miroir de sa coiffeuse.
L'entaille ne saignait plus, mais sa lèvre était encore
enflée, et elle avait mal à la tête. Le cœur serré, elle
jeta un coup d'œil à la pendule en se demandant combien de temps Clark allait attendre près du kiosque à
musique avant de renoncer. Elle fulmina en silence.
Son père n'avait pas le droit de la garder prisonnière. Elle avait passé le samedi entier enfermée dans
sa chambre avec à peine de quoi boire ou manger.
Aujourd'hui, on était dimanche, et elle avait abandonné tout espoir d'être libérée.

Le samedi matin, elle avait eu droit à un interrogatoire de ses parents sur son escapade de la veille.

« Je suis juste allée au bal avec Syl, protesta-t-elle.

— Où ça ? demanda son père, comme si ça chan-
geait quoi que ce soit.

— Au Buccaneer.

— Dans ce lieu de perdition ? Je te l'avais bien dit, Mabel, notre fille n'a aucune limite ! »

Chrissie ne put s'empêcher de rire.

« Samuel, n'exagère pas ! le rabroua Mabel avant de se tourner vers sa fille. Si tu voulais sortir, tu aurais dû nous en parler. Ce que nous trouvons intolérable, c'est le mensonge, est-ce que tu comprends ?

— Je me doutais que vous ne seriez pas d'accord…

— Qui est le garçon avec qui tu étais ? » demanda soudain Samuel Skinner. Il avait dû les voir par la fenêtre. Heureusement qu'ils ne s'étaient pas embrassés ! songea Chrissie. Son père aurait été révolté.

« Il s'appelle Clark, répondit-elle sur le ton du défi. Et comme c'est un garçon convenable et très poli, il a tenu à me raccompagner.

— Qu'est devenue Sylvia ? s'enquit sa mère.

— Je l'ai laissée au bal avec l'ami de Clark, Billy.

— Cette fille a toujours eu une très mauvaise influence », marmonna Samuel.

Chrissie voulut prendre la défense de son amie, mais elle ouvrit trop grand la bouche, et sa lèvre recommença à saigner. Elle la tamponna avec un mouchoir. Son père détourna les yeux en ayant la décence d'avoir l'air un peu honteux.

« Écoute, je suis désolé de t'avoir giflée, confessa-t-il. On se fait du souci pour toi, c'est tout. Si tu veux, nous pouvons trouver un arrangement pour te laisser sortir un peu plus souvent. Il n'empêche que, hier soir, tu as dépassé les bornes, et tu mérites pour ça d'être punie. »

Comme si une gifle et une nuit passée sur le sol de la cuisine n'étaient pas une punition suffisante ! se dit Chrissie avec amertume.

« Tu passeras le reste de la journée dans ta chambre », décida sa mère. Elle regarda par terre pour ne pas voir le ressentiment sur le visage de sa fille.

« Le reste du week-end », rectifia le Dr Skinner.

Mabel jeta un regard noir à son mari avant de répéter : « Tu passeras le reste du week-end dans ta chambre. »

Chrissie pensa à son rendez-vous avec Clark et voulut protester. Mais dès qu'elle vit son père lever la main, elle se ravisa.

« Ça suffit ! cria-t-il. File immédiatement dans ta chambre ! »

L'air malheureux, elle se leva et se dirigea vers l'escalier.

Sa mère l'interpella : « Je t'apporterai quelque chose à manger plus tard.

— N'oubliez pas de sortir Leo, rétorqua Chrissie. Et les flacons rendus doivent être lavés avant lundi. Oh, et il faut aussi désinfecter les instruments chirurgicaux... » Dire cela lui fit l'effet de remporter une petite victoire. Un sourire narquois se dessina sur ses lèvres tandis qu'elle refermait la porte de sa chambre.

Laisser tomber Clark la mettait très mal à l'aise, mais elle pria le ciel pour qu'il ne vienne pas la chercher chez elle. La colère de son père serait telle qu'elle craignait de ne plus jamais sortir des quatre murs de sa chambre. Elle n'avait aucun moyen de le contacter étant donné qu'elle ne connaissait pas son nom de famille, et encore moins son adresse. Elle aurait tant voulu s'expliquer que son impuissance et sa culpabilité la laissèrent hors d'haleine. Clark allait croire qu'elle s'était moquée de lui, et il ne méritait pas ça. Il avait l'air d'un garçon gentil et prévenant, bien que dévoré par le doute et un vrai manque de confiance en lui. Chrissie repensa à l'expression qu'il avait eue au moment où elle avait accepté de le revoir. Un air de profonde incrédulité, qui avait laissé place à une réelle allégresse dès qu'il avait compris qu'elle était d'accord. À présent, il serait tout simplement accablé.

Ce soir-là, quand Billy entra dans le pub à l'heure des dernières commandes, le barman lui montra d'un signe de tête le fond de la salle. Affalé sur une chaise, Clark était entouré de verres vides et de cendriers débordants de mégots.

« Il est là depuis l'ouverture, précisa le barman. Je l'ai trouvé en train de tambouriner sur la porte en faisant un raffut de tous les diables. »

Billy s'approcha et prit place sur un tabouret. Clark avait dénoué sa cravate et remonté ses manches. Ses paupières se fermèrent sur ses yeux injectés de sang.

« Ça va, mon vieux ? demanda Billy. Je crois comprendre que ça ne s'est pas bien passé avec Chrissie.

— Ça ne s'est pas passé du tout ! »

Le cœur de Billy s'accéléra. « Comment ça ?

— Elle n'est même pas venue. »

Clark ne parvint pas à masquer l'amertume dans sa voix. Il alluma une nouvelle cigarette et fut pris d'une violente quinte de toux.

« Regarde dans quel état tu te mets… Tu ne crois pas que ça suffit ?

— Que ça suffit quoi ? Le tabac, l'alcool… ou encore plus de déception ?

— Allons, reprends-toi et raconte-moi ce qui s'est passé. »

Clark s'adossa à sa chaise et se frotta le visage.

« Je viens de te le dire, elle n'est pas venue. Elle m'a laissé poireauter là-bas comme un imbécile… Je l'aimais vraiment bien, tu sais. Pourquoi elle m'a fait ça ?

— Il doit y avoir une explication, répondit Billy en espérant se tromper. Pourtant, l'autre soir, elle avait l'air accrochée… Elle ne peut pas avoir changé d'avis comme ça.

— Les filles, c'est terminé pour moi… Elles créent plus de problèmes qu'elles n'en valent la peine. »

Le lundi matin, Billy se planta devant le cabinet médical de Wood Gardens. Étant donné que Clark lui avait révélé le nom de famille de Chrissie et qu'elle était la fille d'un médecin, il n'avait pas été nécessaire d'avoir les talents de déduction de Sherlock Holmes pour découvrir où elle habitait. Il ne savait pas très bien ce qu'il faisait là, et encore moins ce qu'il allait lui dire, mais il se sentait dans l'obligation de la revoir. Le vendredi soir, elle avait éveillé en lui quelque chose de difficile à expliquer. Peut-être était-ce parce qu'elle avait paru s'intéresser davantage à Clark – une situation inédite pour lui. Pendant tout le temps où il s'était coltiné la belle et terrible Sylvia, il n'avait pas arrêté de penser à Chrissie. Chaque fois qu'il avait jeté un regard vers la table où elle était assise avec Clark, il avait ressenti l'aiguillon de la jalousie.

Il savait que son ami s'était toujours senti inférieur à cause de la popularité dont lui-même jouissait à l'école, alors que, à la vérité, c'était lui qui était en admiration devant Clark. Il travaillait dans une boulangerie, un boulot ni très stimulant ni très bien payé, alors que Clark était employé à la Manchester Co-Operative, pour laquelle il collectait le paiement en liquide de marchandises achetées à crédit. Un jour, il lui avait montré un énorme registre relié de cuir en lui expliquant que tous les paiements devaient y être reportés et ensuite additionnés. Émerveillé, Billy avait secoué la tête, en regrettant de ne s'être pas mieux appliqué à l'école. Son travail à la boulangerie se faisait par équipes, de sorte qu'il lui arrivait souvent de bosser la nuit et de dormir toute la journée le lendemain. Le seul avantage était qu'il avait droit à son lot de tartes à la crème gratis.

Soudain, il entendit aboyer. Un gros chien au poil frisé noir et marron surgit de la ruelle qui longeait la maison, suivi de Chrissie en train de pousser son vélo. Dissimulé derrière un buisson, Billy l'observa se débattre pour retourner le vélo, et lâcher un juron quand celui-ci bascula par terre. Il hésita un instant avant de sortir de sa cachette et d'aller ouvrir le portail.

« Tu as besoin d'aide ? » demanda-t-il.

Le chien se rua vers lui comme s'il était un vieil ami. Chrissie leva les yeux d'un air étonné. Billy vit tout de suite qu'elle l'avait reconnu.

« Merci, c'est très gentil à toi. »

Après avoir retourné le vélo sur la selle, il remarqua l'entaille sur sa lèvre et l'ecchymose jaunâtre sur sa joue.

« La chaîne a sauté… Mon père devait la réparer, mais il a oublié, expliqua-t-elle.

— Tu veux que je m'en occupe ?

— Si ça ne te dérange pas, ça me rendrait bien service. »

Billy ôta sa veste et remonta les manches de sa chemise. Au bout de quelques secondes, il avait remis la chaîne en place et retourné le vélo à l'endroit.

« Et voilà, c'est fait ! » dit-il en frottant ses mains tachées de cambouis.

Pendant qu'il réparait le vélo, il ne lui avait pas échappé que Chrissie jetait des regards anxieux alentour. Et à présent, elle semblait pressée de s'en aller.

« Tu vas bien ? lui demanda-t-il gentiment.

— Viens avec moi, s'il te plaît. »

Elle poussa son vélo au bout de l'allée et il lui ouvrit le portail. Ils marchèrent quelques minutes en silence avant d'arriver au carré de verdure auquel Wood Gardens devait son nom. Chrissie laissa son vélo contre la grille, puis ils allèrent s'asseoir sur un banc.

« Qu'est-il arrivé à ton visage ? » interrogea Billy en regardant droit devant lui.

Horrifié, il écouta son récit.

« C'est ton père qui t'a fait ça ?

— Ce n'est rien… C'est de ma faute. Je n'aurais jamais dû sortir comme ça en douce… Mes parents sont très stricts. Ils se font du souci pour moi. »

Dans son for intérieur, Billy était furieux à l'idée que le Dr Skinner ait levé la main sur sa fille et l'ait enfermée ensuite tout le week-end. Tout doucement, il prit son visage entre ses mains et effleura sa lèvre fendue du bout du pouce. Un geste audacieux de la part d'un quasi-inconnu, et qu'il n'avait pas du tout prévu. Chrissie eut l'air surpris, mais contente de le laisser la regarder dans les yeux.

Au bout de quelques secondes, elle prit la parole.

« Comment va Clark ? »

La question brisa le lien qui venait de s'établir entre eux. Billy laissa retomber ses mains et détourna le regard.

« Je suis désolée, reprit-elle. Mais je me sens affreusement mal de l'avoir laissé attendre hier.

— Tu avais une bonne raison. Tu étais prisonnière chez toi…

— Est-ce que tu l'as vu ? Je voudrais bien lui expliquer, seulement, je ne sais pas comment le contacter.

— Je l'ai vu, oui. Et pour être franc, il avait l'air plutôt contrarié… Mais j'imagine qu'il s'en remettra.

— Surtout quand je lui aurai expliqué pourquoi.

— Tu tiens vraiment à le faire ?

— Oui, pourquoi ? »

Billy savait qu'il n'était pas raisonnable, qu'il était même méchant, mais c'était plus fort que lui. Et bien qu'il ait honte de l'admettre, il voulait cette fille, fût-ce au prix du bonheur de son ami.

« Chrissie, écoute-moi… Quand je t'ai rencontrée vendredi soir, je n'ai pas pu te quitter des yeux. C'est avec toi que je voulais parler et danser, seulement, cette maudite Sylvia m'a quasiment kidnappé, et toi et Clark aviez l'air de très bien vous entendre… Quand il a dit qu'il allait te raccompagner chez toi, je me suis senti dévasté. »

Chrissie eut l'air peiné. « J'ai ressenti la même chose, mais je n'ai jamais rêvé que quelqu'un d'aussi... d'aussi, enfin... que quelqu'un d'aussi *beau* que toi s'intéresse à moi. »

Il lui prit la main et la serra doucement dans la sienne. « Tu es magnifique, Chrissie. Tu as de l'allure, de la grâce, de l'élégance... Sylvia ne t'arrive pas à la cheville. »

Elle rougit et lui adressa un sourire timide.

« Il s'est passé quoi, entre toi et Sylvia ?

— Rien. » Il haussa les épaules. « Je l'ai raccompagnée chez elle par politesse, mais je l'ai prévenue que je ne pourrais pas la revoir parce qu'il y avait quelqu'un dans ma vie.

— Et c'est vrai ? » demanda Chrissie avec nervosité.

Il lui fit un clin d'œil. « Pas encore. »

Affolée, elle se releva d'un bond.

« Il faut vraiment que j'y aille...

— Est-ce que je pourrais te revoir ?

— J'aimerais bien, mais... et Clark ? »

Billy, gêné, dut avouer qu'il avait oublié son ami.

« Je lui parlerai », promit-il.

Billy avait décidé de ne rien dire à Clark de sa romance naissante avec Chrissie, mais il se rendit compte que ce serait impossible. Qui plus est, c'eût été une solution lâche. Or il avait beau être une petite ordure et un sale fourbe, il n'était pas un lâche. La conversation aurait pu mieux se passer.

« Comment ça, tu sors avec Chrissie ? demanda Clark d'un air surpris.

— Je suis désolé, sincèrement, mais, entre Chrissie et moi, ça a fait tilt. On ressent tous les deux la même chose et… »

Il ne termina pas sa phrase pour la bonne raison que Clark le saisit à la gorge.

« Tu ne supportes pas de me voir heureux, hein ? Qu'est-ce qui te prend ? Tu sais pourtant à quel point j'étais emballé de la voir, et tu sais combien de temps j'ai attendu une fille comme elle, ou n'importe quelle fille, d'ailleurs, mais toi, tu es venu tout foutre en l'air ! Bon sang, tu es incroyable ! » Ses yeux fulminaient de rage, et de la salive écuma aux coins de ses lèvres lorsqu'il poussa Billy violemment contre le mur.

« Calme-toi, mon pote…, dit Billy, stupéfait par la réaction inhabituelle de son ami.

— Je ne suis pas ton pote ! Je ne veux plus jamais te revoir… Jamais ! »

Clark s'en alla, fou de rage, en le laissant sans voix. Et voilà… Une amitié d'enfance réduite à néant à cause d'une fille. La chose avait dû se produire d'innombrables fois un peu partout, mais cette pensée ne le consola nullement. Désormais, il était décidé à rendre Chrissie heureuse, coûte que coûte. Malheureusement, deux hommes, dont Billy ignorait encore l'existence, allaient conspirer contre lui. L'un était le Dr Skinner, le père de Chrissie, l'autre était occupé à envahir l'Europe, désirant à tout prix étendre son empire.

7

L'été 1939 fut le plus heureux de sa vie. Malgré la menace de la guerre, Billy vécut dans un état permanent d'euphorie. Son histoire avec Chrissie était devenue une réalité tangible, en dépit de la désapprobation de son père. Car, ainsi que n'importe qui aurait pu le prédire, le Dr Skinner détestait profondément le jeune homme. À ses yeux, il n'était pas digne de sa fille, n'était qu'un orphelin parasite avec un emploi sans avenir, qu'idolâtrait une mère remplie d'illusions et que négligeait un père alcoolique. Le médecin se souvenait très bien de cette famille. Alice Stirling était une femme angoissée ; après la mort de son fils, elle avait amené l'enfant qu'elle avait adopté à son cabinet avec une régularité fastidieuse. Et que sa fille se soit amourachée de ce Billy Stirling agaçait le docteur par-dessus tout.

Au moins Chrissie avait-elle eu le bon sens de lui en parler plutôt que de le fréquenter en douce. Le Dr Skinner avait été certain quant à lui que leur relation n'était que superficielle et qu'elle ne durerait pas, un jugement qui s'était avéré erroné. À présent, son seul espoir était que Billy soit appelé au service militaire dans un futur pas trop lointain et que c'en soit terminé une fois pour toutes de leur histoire.

La première rencontre entre les deux hommes ne s'était pas très bien passée. Le médecin n'avait pas revu Billy depuis l'enfance, mais il reconnut son nom et comprit sur-le-champ. La cicatrice qu'il avait au sourcil gauche se voyait toujours autant.

« Bonsoir, Dr Skinner », dit Billy en lui tendant la main.

Le médecin l'ignora et se tourna vers sa fille.

« Je veux que tu sois rentrée à la maison à dix heures et demie. »

Mabel Skinner, encore dans son uniforme de sage-femme, sortit de la cuisine.

« Vous devez être Billy, dit-elle. Je suis ravie de faire votre connaissance. »

Son mari lui lança un regard noir en la voyant serrer la main au jeune homme. Il avait fallu toute la force de persuasion de Mabel pour le convaincre qu'ils devraient laisser un peu plus de liberté à Chrissie.

« Merci, Mrs Skinner. Je veillerai sur votre fille.

— Viens, Billy, allons-y ! » le pressa celle-ci.

Mabel retourna dans la cuisine. Les jeunes gens s'éloignèrent dans l'allée, sous le regard du Dr Skinner qui les observait depuis le seuil de la porte.

Brusquement, Billy retint Chrissie par le bras. « Attends-moi une seconde, tu veux ? »

Revenant sur ses pas, il arriva devant la porte à l'instant où le médecin s'apprêtait à la refermer. Il coinça son pied dans l'embrasure et approcha son visage tout près du sien.

« Si vous levez encore une fois la main sur votre fille, je vous jure que je vous tuerai de mes mains ! »

Le Dr Skinner, qui pourtant n'était jamais à court de mots, regarda Billy d'un air stupéfait tandis qu'il repartait et enlaçait Chrissie par la taille d'un geste protecteur.

Billy n'avait encore jamais vécu de grande histoire d'amour. Les sentiments qu'il sentait s'éveiller en lui le ravissaient, et il était tellement amoureux que même l'infâme Dr Skinner ne parvenait pas à décourager ses ardeurs. Il était terrifié à l'idée que la guerre soit bientôt déclarée, et qu'on l'expédie sur quelque lointain champ de bataille pour prendre part à un conflit qu'il ne comprenait pas vraiment. Billy avait beau n'avoir été qu'un bébé à la fin de la Grande Guerre, il savait qu'elle avait détruit la vie de son père et, indirectement, celle de sa mère. Tout cela paraissait insensé, pourtant, une nouvelle guerre menaçait de saborder sa relation naissante avec Chrissie.

Ils marchaient main dans la main le long d'une rivière tranquille. Le soleil resplendissait dans le ciel bleu azur et les oiseaux – bruants jaunes, alouettes des champs et grives musiciennes – semblaient jouer à qui chanterait le plus fort. Une odeur d'ail sauvage flottait dans l'air, du cresson poussait en abondance au bord de l'eau. Chrissie avait mis sa robe d'été préférée, bleu clair à petits pois jaunes avec une ceinture blanche qui soulignait la finesse de sa taille. Billy portait sa veste sur l'épaule, tenant dans l'autre main un énorme panier de pique-nique. Leo bondissait devant eux, pourchassant tous les lapins en vue sans jamais en attraper aucun.

« Où veux-tu qu'on s'installe ? » demanda Billy.

Chrissie balaya la berge du regard. « Par là, sous ce chêne… Il y fera frais. »

Ils étalèrent la couverture dans l'herbe haute. Chrissie sortit du panier des œufs durs, des sandwiches aux rillettes, des tomates bien mûres et un cake aux fruits fait maison. Leo vint s'asseoir entre eux sans quitter des yeux les sandwiches. Au bout d'un moment, un long filet de bave s'échappa de sa gueule et dégoulina sur la couverture.

« Pour l'amour du ciel, va-t'en de là, Leo ! s'écria Chrissie.

Le chien s'éloigna à pas furtifs, la queue entre les jambes.

« C'est tellement calme, ici… Qu'il y ait à nouveau la guerre paraît impossible. »

Billy baissa les yeux sur les masques à gaz que tout le monde avait désormais pour consigne d'emporter toujours et partout.

« Je ne sais pas, dit-il d'un ton grave. Mais s'en inquiéter ne changera rien… Autant profiter du temps qu'il nous reste à passer ensemble. »

Chrissie sembla soudain affolée. « Tu parles comme si la guerre était déjà déclarée ! »

Il lui prit les mains et la regarda dans les yeux.

« J'espère qu'on n'en arrivera pas là, mais il vaut mieux être réaliste… Au minimum, je devrai aller faire mon service militaire. »

Il lui remit une boucle égarée derrière l'oreille. Les yeux embués de larmes, Chrissie baissa la tête. Billy se leva d'un bond. « Viens, allons barboter !

— Quoi ? Mais cette eau est glacée ! » s'esclaffa-t-elle.

Il était déjà en train de retirer ses chaussures et ses chaussettes et de rouler le bas de son pantalon. Leo se redressa vivement et sauta dans l'eau. Chrissie enleva à son tour ses chaussures et ses socquettes, puis, main dans la main, ils s'approchèrent du bord de la rivière.

Billy fut le premier à y plonger un orteil.

« Mon Dieu, cette eau est glacée ! »

Chrissie éclata de rire. « Je te l'avais dit !

— Je suis sûr qu'elle n'était jamais aussi froide quand on était petits. »

Chrissie s'assit sur la berge. « Tu es déjà venu ici ? »

Billy s'était avancé dans l'eau jusqu'aux chevilles et avait les pieds gelés.

Il porta le regard au loin. « Oui, avec Clark. On y allait en sortant de l'école. Et même parfois au lieu d'aller à l'école ! La rivière aux pierres, on l'appelait… Je ne me rappelle plus si c'était son nom ou si on l'avait inventé. On pêchait de la friture avec des bouts de coton attachés à un bouchon en liège. Ces petits crétins boulottaient le coton, et nous, on les sortait de l'eau… » Évoquer ce souvenir lui arracha un sourire. « Et puis il y avait aussi les écureuils… Le service des Eaux et Forêts payait deux sous pour toute queue d'écureuil qu'on lui apportait. Les pauvres, ils sont considérés pire que la peste… Mais uniquement les gris, pas les roux. On les appelait les rats des arbres. Et on avait beau passer des heures à lancer les catapultes qu'on se fabriquait pour en prendre un, on n'a jamais réussi… » Le regard triste, il se tourna vers Chrissie.

« Il te manque ? » demanda-t-elle.

Billy pataugea dans l'eau et la rejoignit sur la berge. « Plus que tu ne l'imagines… Quand je suis passé chez lui la semaine dernière, sa mère m'a dit qu'il était sorti. Mais je sais qu'il était là. Je venais de le voir rentrer. »

Il lui tendit la main et l'aida à se lever.

« Viens… Allons déjeuner. »

Chrissie ramassa un peu de cresson et le secoua pour l'égoutter. Billy la regarda d'un air intrigué.

« Ça ira très bien avec les rillettes », expliqua-t-elle.

Alors qu'ils étaient étendus côte à côte à l'ombre du chêne, le ventre lourd de sandwiches et de cake, Billy ferma les yeux. Avec Chrissie, il se sentait vraiment heureux – malgré son père. C'était une fille adorable, qui ferait une parfaite épouse. Elle était jolie, intelligente, et elle avait l'âme si belle qu'elle avait de la peine à dire du mal de qui que ce soit. Pas étonnant que Clark en soit tombé amoureux, et que découvrir leur duplicité l'ait ensuite anéanti…

Billy se redressa et observa Chrissie qui s'était assoupie. Il s'émerveilla devant ses longs cils épais, ses lèvres pleines et ses joues parsemées de taches de rousseur que le soleil avait rosies. Il cueillit un brin d'herbe et le passa doucement sur sa joue. Elle bougea et agita les mains devant son visage.

« Oh, je viens de sentir quelque chose… » Elle se redressa et vit son sourire espiègle. « Oh, c'était toi ! » Elle se rallongea sur la couverture en riant, une main derrière la tête.

Billy se pencha et l'embrassa doucement sur la bouche. Elle ouvrit les yeux, puis elle prit son visage entre ses mains en l'attirant vers elle. Il l'embrassa plus fort, avec plus de ferveur. Chrissie répondit à son baiser, et il roula sur elle. Quand il voulut lui écarter les jambes, il fut stoppé dans son élan par un grondement sourd tout près de son oreille. En relevant la tête, il aperçut Leo qui grognait doucement et montrait presque les dents. Chrissie pouffa de rire lorsqu'elle vit Billy se laisser retomber sur le dos.

« Va-t'en, le chien ! dit-il en le chassant de la main. Cet animal est un vrai tue-l'amour ! »

Il ébouriffa la tête de l'animal qui agita la queue d'un air enthousiaste.

« Seigneur, il prend ça pour une invitation à nous rejoindre ! »

Chrissie aimait Billy de tout son cœur, elle en était certaine. Les rapports avec son père étaient pénibles, pour dire le moins, mais elle espérait qu'il finirait par accepter Billy. Il était son premier petit ami, et le côté charnel de leur couple l'inquiétait. Elle n'avait rien à craindre. En parfait gentleman, il ne la forçait jamais à aller plus loin qu'elle ne se sentait prête. Toutefois, l'autre jour au bord de la rivière, s'il n'y avait pas eu Leo… Elle se rendit compte que cette pensée l'excitait et en éprouva de la honte. N'avait-elle pas été mieux élevée que ça ? Son père serait furieux s'il savait jusqu'où allait leur relation.

À mesure que les semaines s'écoulaient, les jours devenaient plus chauds, et ils passaient tous les deux des heures au bord de la rivière aux pierres. Le gargouillis de l'eau qui se déversait sur les cailloux luisants était apaisant, le spectacle du bétail broutant d'un air satisfait dans les prés était rassurant et, plus important, ils trouvaient un vrai réconfort à être ensemble loin du regard désapprobateur du docteur. C'était un endroit particulier, un havre de paix dans les faubourgs de Manchester, un monde très différent de cette immense ville largement étendue, avec ses cheminées qui crachaient de la fumée et ses véhicules à moteur pétaradants.

Ce jour-là, le ciel avait un aspect menaçant. Bien qu'il fasse une chaleur étouffante, le ciel avait une myriade de couleurs, principalement du gris, du noir et du violet – un vrai rêve d'artiste peintre paysagiste. Il y avait de l'orage dans l'air. Alors que Billy et Chrissie approchaient de leur coin favori sous le chêne, ils s'immobilisèrent en même temps. La silhouette était reconnaissable entre toutes. Là, accroupi dans l'eau et leur tournant le dos, se trouvait Clark.

« Qu'est-ce qu'on fait ? murmura Chrissie.

— Je ne sais pas… Il ne nous a pas encore vus.

— Va lui parler. Je t'attendrai ici. »

Billy n'hésita qu'une seconde avant de s'approcher sans faire de bruit, le cœur battant comme s'il voulait s'échapper de sa cage thoracique.

« Ça va, mon vieux ? »

Clark sursauta, puis se releva et le dévisagea en mettant quelques secondes à le reconnaître. Il faut dire que Billy avait les cheveux plus courts et le teint tout bronzé.

« Diable, tu m'as fait sursauter !

— Qu'est-ce que tu as, là ? »

Clark brandit un pot en verre au bout d'une corde élimée. « Des épinoches ! »

Ses yeux bleus brillèrent de joie une seconde avant de s'assombrir. Il passa sa main mouillée dans ses cheveux roux et les écarta de son visage. Ses taches de rousseur étaient plus prononcées que d'habitude, et l'espace d'un instant, Billy crut le revoir à l'âge de onze ans. Il sentit sa gorge se nouer, de sorte que sa phrase suivante ressembla à un croassement étouffé.

« On s'est bien amusés, pas vrai, Clark ? »

Celui-ci marmonna quelque chose dans sa barbe et posa le pot rempli de poissons sur une grosse pierre. Puis il sortit de l'eau et se laissa tomber de tout son poids sur la berge. Timidement, Billy vint s'asseoir à côté de lui.

« Ne te sens pas trop à l'aise, grommela Clark.

— Écoute, on ne pourrait pas redevenir amis ?

— *On ne pourrait pas redevenir amis ?* répéta Clark en l'imitant. On n'est plus au jardin d'enfants ! » Il réfléchit un instant. « Faut voir… Tiens ! » dit-il en sortant une enveloppe de sa poche.

Billy l'ouvrit et regarda ce qu'il y avait à l'intérieur.

« Tu as été appelé ?

— Je pars au service militaire. »

Billy savait que ce n'était plus pour lui qu'une question de temps. Depuis que le Parlement avait voté la loi en avril, tous les hommes âgés de vingt et vingt et un ans devaient faire six mois de service militaire.

Ne sachant quoi dire, il lui rendit l'enveloppe. « Clark, écoute…

— Comment va Chrissie ? » demanda celui-ci en le regardant droit dans les yeux.

L'entendre mentionner son nom le surprit. Il arracha un brin d'herbe.

« Elle va bien, je te remercie. En fait, elle est là avec moi. »

Clark regarda dans la direction qu'il lui montrait. Chrissie sortit de derrière un arbre. Billy lui fit signe de venir les rejoindre. C'était la première fois qu'elle revoyait Clark depuis la soirée au bal.

« Clark… Ça me fait plaisir de te voir. »

Il se leva et la salua d'un signe de tête, l'air mal à l'aise.

« Je ferais mieux d'y aller… On dirait qu'il va pleuvoir. »

À la même seconde, une grosse goutte atterrit sur l'enveloppe en laissant une tache sombre. Clark enfila sa veste et remonta son col.

« À un de ces jours ! » Il s'éloigna sur la rive, accélérant le pas à mesure que les gouttes s'intensifiaient.

Chrissie regarda Billy d'un air désespéré. Il rappela son ami. « Clark, attends ! »

Ce dernier s'immobilisa et se retourna. Billy courut vers lui en s'arrêtant à un mètre de distance. Tous deux se dévisagèrent pendant plusieurs secondes.

« Bonne chance, mon vieux ! » finit par dire Billy.

Il lui tendit sa main. Clark la fixa sans bouger. Puis, très lentement, il sortit la sienne de sa poche, la lui serra avec fermeté en le regardant droit dans les yeux et esquissa un petit sourire. Ils n'échangèrent pas un seul mot, mais ils comprirent tous les deux qu'ils venaient d'enterrer la hache de guerre.

Clark s'éloigna sans se retourner et rentra chez lui sous une pluie diluvienne. Billy revint en vitesse près de Chrissie qui s'était abritée sous un arbre.

« Tout va bien ? » s'enquit-elle d'un air anxieux.

Billy regarda le pot de confiture que Clark avait laissé sur la pierre. Deux poissons nageaient en rond et se cognaient au verre en tentant désespérément de retrouver la liberté. Il attrapa le pot et le renversa dans la rivière. Dans un éclat argenté, les petits poissons s'enfuirent chacun dans une direction. Billy se tourna vers Chrissie et lui sourit. « Maintenant, tout va bien. »

Bien que l'arbre les protège, des gouttes dégoulinaient des feuilles et tombaient sur la couverture sur laquelle ils étaient étendus. Un éclair déchira le ciel, puis le tonnerre gronda, semblable au bruit que fait le ventre d'un éléphant affamé.

« Je ne suis pas certaine que ce soit l'endroit le plus sûr pour s'abriter », dit Chrissie.

Billy jeta un regard alentour. « Ce n'est pas l'arbre le plus haut, ça devrait aller. »

Il observa le visage inquiet de Chrissie. Elle avait les cheveux trempés, des mèches bouclées étaient plaquées sur son visage. Il la prit par la main pour l'aider à se lever. « Rapproche-toi du tronc, on sera plus au sec. »

Ils s'appuyèrent contre le grand arbre en attendant que passe l'orage. Dans le pré, les vaches s'étaient rassemblées contre la haie. Le lit de la rivière gonflé coulait à toute vitesse comme pour mieux absorber ce soudain afflux d'eau.

« Nos chaussures ! s'écria Chrissie en voyant l'eau les engloutir là où ils les avaient laissées sur la berge. On va devoir rentrer chez nous pieds nus ! »

Billy courut récupérer les chaussures et les vida dans la rivière. Il resta là quelques secondes, le visage tendu vers le ciel, et, en sentant de l'eau lui couler dans le cou, il frissonna malgré lui. Il repensa à un incident survenu dans son enfance, un jour où Clark et lui s'étaient fait surprendre par l'orage ici même. La berge était si glissante que Billy était tombé sur un rocher et avait déchiré son short. Il savait que sa mère allait le disputer et avait eu peur de rentrer chez lui. Si bien que, quand Clark avait proposé qu'ils échangent leurs shorts, il lui en avait été follement reconnaissant. Une fois de plus, son ami l'avait tiré d'affaire. Ce n'était que des mois plus tard qu'il avait appris que Clark s'était fait copieusement enguirlander par sa mère lorsqu'elle avait vu l'état du short.

« Billy, reviens ! cria Chrissie. Tu es trempé ! »

Sa voix le ramena au présent, et il s'empressa de la rejoindre sous l'arbre. « Désolé, j'étais très loin d'ici…

— Tu as une mine affreuse… Qu'est-ce qu'il y a ?

— Je pensais à Clark. Je n'arrive pas à croire qu'il va partir. Parfois, je continue à le voir comme un petit garçon, et là, il part se battre ! Je ne suis pas sûr qu'il le supportera.

— Il ne part pas se battre, il part faire son service militaire. On n'est pas en guerre, ne l'oublie pas.

— Je sais, tu as raison, mais il va partir six mois et à ce moment-là, on sera peut-être déjà entrés en guerre... »

Chrissie lui plaqua la main sur la bouche.

« Tais-toi. Il n'y aura pas la guerre. Je n'ai pas envie de te perdre. »

Billy plongea son regard dans ses yeux bleus brillants de larmes, puis il la prit dans ses bras et la serra tout contre lui.

« Ta chemise est toute mouillée, dit-elle. Attends, laisse-moi faire... »

Lentement, sans le quitter des yeux, elle déboutonna le vêtement et le lâcha par terre. Billy se mit à respirer plus vite, sa langue força ses lèvres alors qu'il l'embrassait avec fougue, puis il la plaqua contre l'arbre. En sentant l'écorce rugueuse dans son dos, elle poussa un petit cri. Billy ferma les yeux en songeant à Clark. C'était lui qui aurait dû être là avec Chrissie contre ce tronc d'arbre... La seule chose qu'il avait réussi à faire avait été de prendre ce qui était à son ami. À l'école, il lui avait donné ses devoirs à terminer, et il les avait tous faits à sa place, heureux que Billy l'ait choisi pour être son ami alors que personne d'autre ne s'intéressait à lui. À cet instant, Billy se détesta si fort que ses pensées s'embrumèrent. Il se colla plus violemment contre Chrissie, qui laissa échapper un cri étouffé. Il lui releva les bras au-dessus de la tête en les maintenant d'une main contre l'arbre et souleva sa jupe de l'autre. Elle sursauta, mais quand il vit qu'elle ne cherchait pas à se dégager, il lui lâcha les bras et ouvrit sa braguette. Il enfouit son visage dans son cou, le souffle de plus en plus court, brûlant et saccadé.

Ce n'était pas de cette façon que Chrissie avait imaginé perdre sa virginité. Néanmoins, elle était rassurée de savoir qu'il était impossible de tomber enceinte quand on faisait l'amour debout.

8

Septembre 1939

Incapable de dormir, Chrissie était levée depuis environ deux heures. Assise à la table de la cuisine, elle se servit une troisième tasse de thé, puis y trempa un autre biscuit au gingembre qu'elle suçota d'un air malheureux, un remède censé faire passer la nausée. Mais il ne s'agissait sûrement que des racontars de vieilles femmes, car elle avait toujours aussi mal au cœur. Elle entendit claquer le rabat de la boîte aux lettres où le livreur de journaux venait de jeter le *Daily Telegraph*, apportant d'autres mauvaises nouvelles dans sa vie. Elle se leva péniblement et alla le chercher. Le titre de la une lui sauta au visage : DERNIER AVERTISSEMENT DE LA GRANDE-BRETAGNE. La veille, Adolf Hitler avait envahi la Pologne. La guerre paraissait désormais inévitable. Des abris antiaériens avaient été mis en place et des milliers d'enfants avaient déjà été évacués.

Chrissie se tint le ventre à deux mains et poussa un soupir. Elle portait en elle un secret qui allait générer plus de trouble et de contrariété dans cette maison que ne le ferait jamais la déclaration de la guerre. Elle tressaillit en entendant sonner de façon insistante et jeta un coup d'œil sur la pendule. Qui pouvait être là à six heures et demie du matin ? Qui que soit cette personne, elle tambourinait maintenant sur la porte.

« C'est bon, j'arrive ! » cria Chrissie, agacée.

Elle découvrit sur le seuil Mr Cutler, un voisin et un des patients de son père.

« Où est votre mère ? Maud a des contractions et elle hurle à faire s'écrouler la maison ! » Il entra dans le vestibule. « Où est-elle ? » Il appela du bas de l'escalier. « Mrs Skinner ?

— Elle est dans son lit et elle dort… du moins, elle dormait avant que vous soyez venu taper sur la porte au risque de la démolir ! »

Mabel Skinner apparut sur le palier et noua la ceinture de sa robe de chambre à la hâte.

« Mr Cutler ? s'exclama-t-elle. Que se passe-t-il ?

— Maud est sur le point d'accoucher… Je vous en supplie, venez vite ! »

Chrissie et sa mère échangèrent un regard inquiet. Le bébé de Maud Cutler n'était pas censé naître avant quatre bonnes semaines.

« Chrissie, va t'habiller et prépare ma sacoche ! ordonna Mabel. Je vais emmener Maud à l'hôpital. »

Mr Cutler s'affola. « Vous n'allez pas l'accoucher à la maison ? Vous savez bien qu'elle voulait mettre le bébé au monde dans son lit…

— Non, Mr Cutler, je ne peux pas. Étant donné que le bébé ne sera à terme que dans un mois, il se pourrait qu'il y ait des complications. Et compte tenu de l'âge de Maud, je pense qu'il serait préférable d'aller à l'hôpital. Retournez chez vous et attendez-moi. »

Chrissie demeura figée sur place. Dans quelques mois, elle se retrouverait dans la même situation, les pieds coincés dans les étriers et hurlant de douleur, en train d'endurer les regards réprobateurs des sages-femmes, la fureur de son père et la déception de sa mère. Ayant soudain du mal à respirer, elle essaya de se persuader que tout irait bien. Billy serait là auprès d'elle, et, tant qu'elle l'aurait, elle pourrait tout supporter. Elle se rattrapa au chambranle de la porte pour ne pas tomber quand la voix aiguë de sa mère la fit sursauter.

« Chrissie, dépêche-toi ! »

Le lendemain, le dimanche 3 septembre, se leva sur un temps magnifique et ensoleillé. Qu'on puisse déclarer la guerre par une aussi belle journée paraissait impensable. Les Skinner étaient assis autour de la table de la cuisine, la radio posée au milieu, chacun perdu dans ses pensées devant une tasse de thé. Chrissie songeait à son bébé à naître, car elle ne pensait à rien d'autre. Mabel songeait au bébé des Cutler, né la veille, trop tôt et trop petit, en espérant qu'il vivrait. Quant au Dr Skinner, il songeait déjà à la façon de fêter le fait que Billy Stirling serait bientôt sorti de la vie de sa fille pour de bon. Son ordre de mobilisation ne manquerait pas d'arriver au cours des prochaines semaines.

Des coups frappés à la porte brisèrent le silence. Le Dr Skinner alla ouvrir d'un air méfiant et aperçut la dernière personne au monde qu'il avait envie de voir à l'instant.

« Que voulez-vous ?

— Je voulais écouter les nouvelles avec Chrissie. Elle est là ? »

En reconnaissant la voix de Billy, celle-ci se leva d'un bond.

« Viens, assieds-toi avec nous. »

Il l'embrassa sur la joue avant de prendre place à la table. Puis il attrapa la main de Chrissie en regardant le Dr Skinner droit dans les yeux. Le médecin détourna la tête et tripota un bouton de la radio.

À onze heures quinze, le Premier ministre, Neville Chamberlain, s'adressa à la nation en s'efforçant de masquer l'anxiété dans sa voix.

« Ce matin, l'ambassadeur britannique à Berlin a remis une note au gouvernement allemand stipulant que, à moins qu'il nous assure avant onze heures ce matin être prêt à retirer sans délai ses troupes de Pologne, nos deux pays seraient en guerre. Je dois vous faire savoir que nous n'avons rien reçu de tel, et que, par conséquent, notre pays est entré en guerre contre l'Allemagne. »

Chrissie, qui avait retenu son souffle, éclata en sanglots. Billy la prit dans ses bras et elle s'accrocha à lui. Le Dr Skinner alluma tranquillement une cigarette et souffla la fumée au-dessus de la table.

« Eh bien, cette fois, ça y est, dit-il. Vous feriez mieux d'aller préparer votre paquetage, Billy.

— Samuel ! s'écria Mabel. Tais-toi... Tu ne vois pas que ta fille est bouleversée ? »

Billy se leva. « C'est bon, Mrs Skinner... Viens, Chrissie, allons faire un tour. »

Dans l'allée, elle leva les yeux en scrutant le ciel. « Tu crois que ça ne risque rien ? »

Il éclata de rire. « Je ne pense pas que la Luftwaffe va débarquer aussi vite ! »

Les rues étaient quasi désertes, en dehors de quelques mères qui serraient leur bébé dans leurs bras. Elles se rendaient à l'église pour les faire baptiser sans tarder. L'atmosphère de panique était palpable. Chrissie agrippa Billy par le bras.

« Je suis désolée pour mon père…

— Tu t'excuses pour lui depuis le jour où on s'est rencontrés. Jamais il n'acceptera de nous voir en couple, autant s'y habituer… D'ailleurs, il a raison. Je vais devoir partir. »

Elle se figea et se couvrit le visage à deux mains.

Billy l'enlaça par l'épaule. « Je ne sais pas quoi dire, Chrissie… C'est épouvantable, je sais, mais je n'y peux rien. »

Ils venaient d'arriver dans le parc. Chrissie se laissa tomber sur un banc.

« C'est encore pire que ce que tu imagines, dit-elle d'un air misérable, ses mains tremblant sur ses genoux. Je peux avoir une cigarette, s'il te plaît ? »

Étonné, Billy arrondit les yeux et sortit son paquet de Woodbine. Elle en tira une du paquet, mais ses doigts tremblaient si fort qu'elle n'arriva pas à l'attraper.

« Tu peux me l'allumer ?

— Mais oui. » Il alluma une cigarette et tira une longue bouffée avant de la lui passer.

Elle la mit entre ses lèvres et la suçota.

« Tu ne t'y prends pas comme il faut… Inspire avec les poumons. »

Chrissie aspira une grande bouffée et sentit la fumée se répandre dans sa poitrine. Aussitôt, elle se mit à étouffer et à tousser tandis que la fumée envahissait ses narines et lui piquait les yeux.

« Merci…, parvint-elle à dire, en lui redonnant la cigarette. Je me sens mieux. »

Billy éclata de rire et lui posa un baiser léger sur le front. « Tu verras, on s'en sortira. »

Chrissie demeura silencieuse et observa les enfants qui couraient dans le parc. Elle se demanda s'ils avaient compris ce qui s'était passé ce matin. Pour eux, la guerre devait représenter une aventure excitante. Cependant, bientôt, ils seraient évacués, séparés de leur famille pendant des mois et des mois, voire des années. Elle frémit à cette seule pensée.

Billy s'adossa au banc, les mains croisées derrière la tête, le visage tendu vers le soleil, les yeux fermés. Elle posa sa main sur son torse et sentit son cœur battre doucement. Sa chaleur, l'odeur de sa chemise lavée de frais et le contact rassurant de sa peau lui firent du bien. Elle ne savait pas comment elle allait supporter d'être séparée de lui.

« Billy ? finit-elle par murmurer.

— Oui ? répondit-il sans ouvrir les yeux.

— Je suis enceinte. »

Il se figea une seconde. Elle sentit les battements de son cœur s'accélérer. Puis il la repoussa un peu pour la regarder dans les yeux.

« Quoi ? Mais comment… Ce n'est pas possible ! »

Elle vit le sang se retirer de son visage tandis qu'il attendait une explication.

« Manifestement, c'est possible, parce que je le suis, répliqua-t-elle, quelque peu indignée.

— Mais la seule fois où on a fait l'amour, c'était sous ce chêne pendant l'orage... » Il se leva, les poings sur les hanches. « Comment as-tu pu laisser arriver une chose pareille ? »

Chrissie se recroquevilla sur elle-même comme s'il venait de lui flanquer une gifle. « Moi ? Je pense que tu découvriras que pour faire un bébé, il faut être deux !

— Un bébé ! répéta Billy. Je n'arrive pas à le croire... Tu le sais depuis quand ?

— Deux mois.

— Et tu ne m'en as rien dit avant aujourd'hui... Tu en es sûre ?

— Je suis la fille d'un médecin et d'une sage-femme. Naturellement, j'en suis sûre !

— C'est une catastrophe. Comment as-tu pu être aussi... aussi...

— Aussi quoi ? »

Il revint s'asseoir sur le banc et se prit la tête entre ses mains.

« Tu l'as dit à tes parents ?

— À ton avis ? railla Chrissie.

— Tu veux bien me laisser une minute ? Je ne peux pas... Écoute, j'ai besoin d'être seul le temps de digérer ça. Je suis désolé. C'est un choc complet. »

Il se leva et s'éloigna, sans même se retourner. Chrissie le vit se mettre à courir et disparaître au bout de l'allée. Jamais elle ne s'était sentie aussi seule et abandonnée de sa vie. La peur qui l'envahit se mua brusquement en colère. Comment Billy pouvait-il lui faire ça ? Elle jeta des regards alentour, espérant que quelqu'un lui vienne en aide, mais chacun était absorbé par sa propre vie. Elle aurait tout aussi bien pu être invisible. Attrapant son ventre à deux mains, elle se laissa tomber par terre à genoux, le corps secoué de soubresauts tandis qu'elle sanglotait à chaudes larmes.

Alice Stirling leva les yeux de sa couture quand son fils ouvrit la porte et entra en trombe. Elle avait mal aux doigts à force de pousser l'aiguille dans l'épais tissu opaque, mais elle avait presque terminé les rideaux pour leur minuscule maison. Les cheveux en bataille et le front en sueur, il avait l'air dans tous ses états.

« Billy ! s'exclama-t-elle. Oh, viens ici… Quelle nouvelle épouvantable… » Elle le fit asseoir devant la table de la cuisine et massa ses larges épaules. « Quel choc… Je sais bien qu'on devait s'y attendre, mais… »

Il se retourna vers sa mère d'un air surpris. « Comment le sais-tu ?

— Comment ça, comment je le sais ? Je l'ai entendu à la radio. Je suis allée chez Reg, et il m'a laissée écouter les informations avec lui.

— Oh, tu parlais de la guerre… Oui, c'est terrible. Mais, comme tu le dis, on s'y attendait. Ce n'était qu'une question de temps. » Il balaya la pièce du regard. « Où est papa ? »

Alice toussota. « Je ne sais pas. Il est sorti de bonne heure ce matin. »

Billy serra sa mère dans ses bras. Elle méritait tellement mieux…

Un rôti cuisait dans le four et, en dépit des événements, l'odeur alléchante le réconforta. Ce n'était qu'un morceau de viande de qualité médiocre, mais une fois qu'Alice l'aurait accommodé, il aurait la même texture et le même goût qu'un bon steak dans le filet. Imaginer la sauce brune en train de mijoter lui mit l'eau à la bouche. Sa mère était une excellente cuisinière. Ses pommes de terre rôties étaient légendaires, les meilleures du monde, tendres et mousseuses à l'intérieur, croustillantes et bien grillées à l'extérieur. Elle avait également préparé une tarte aux pommes, son dessert préféré, qui attendait que le rôti soit cuit pour être mise au four.

« Tu vas la servir avec de la crème ? demanda Billy.

— T'ai-je déjà servi une tarte aux pommes sans crème ? »

Il leva le regard vers sa mère, les yeux remplis de larmes. Que serait-il devenu si elle n'avait pas débarqué dans cet orphelinat et ne l'avait pas pris dans sa chaise haute en créant ce lien immédiat entre eux deux ? La guerre allait les séparer, et son cœur se serra en pensant à la souffrance que sa mère devrait endurer. Il l'observa, debout devant l'évier et le dos tremblant, alors qu'elle frottait les pommes de terre.

« Je t'aime, maman. »

Alice agrippa le bord de l'évier en s'efforçant de se ressaisir. Puis elle s'essuya les mains sur son tablier et se tourna face à son fils.

« Moi aussi, je t'aime, Billy. Ne l'oublie jamais. » Elle vint l'embrasser sur le front. Sans faire de remarque à propos de la larme qui roula sur sa joue. « À présent, tu veux bien mettre la table, s'il te plaît ?

— Bien sûr. Combien d'assiettes ? »

Alice retourna à ses pommes de terre en soupirant. « Trois. Un de ces jours, peut-être que ton père se rappellera où il habite et nous fera la grâce de sa présence au déjeuner. Mieux vaut s'y préparer. Oh, et sors des verres pour le vin…

— Le vin ?

— Oui. Et aussi des serviettes. Puisqu'on vient d'apprendre de mauvaises nouvelles, un bon déjeuner nous rasserénera ! Il y a une bouteille de rouge au fond de ce placard. Je ne me rappelle plus d'où elle vient, mais je suis persuadée que ça ira.

— Elle doit être bien cachée, si papa ne l'a pas encore trouvée !

— Allons, allons, Billy… Montre un peu de respect pour ton père.

— Oui… Désolé, maman. »

Une telle loyauté envers son irresponsable de père le dépassait.

Après qu'ils eurent fini de manger, Billy repoussa son assiette et s'appuya au dossier de sa chaise.

« J'ai une nouvelle à t'annoncer, maman. »

Alice débarrassa la table.

« Ah oui ? Laquelle ? »

Il lui prit la main. Après des années de tâches domestiques, sa peau était toute rêche, et il s'étonna de ne l'avoir encore jamais remarqué. « Assieds-toi, s'il te plaît. Laisse ça pour l'instant. »

Le regard inquiet, Alice obtempéra. « Que se passe-t-il, mon chéri ?

— Chrissie est enceinte. »

Elle porta ses mains à sa bouche. « Oh, mon Dieu, Billy… Comment as-tu pu être aussi bête ? »

Il se leva et fit les cent pas dans la cuisine. « Tu as raison. Je suis un imbécile. Qu'est-ce que je vais faire ? »

Sa mère se leva à son tour et le serra dans ses bras. « Ça va aller… On trouvera une solution, dit-elle en jetant un regard anxieux vers la porte. Mais mieux vaudrait ne pas en parler tout de suite à ton père. »

Billy acquiesça. « Pauvre Chrissie… Je n'arrive pas à croire que j'aie pu réagir avec un tel égoïsme. »

Sa mère parut horrifiée. « Billy ! Il faut que tu lui parles, elle doit être sens dessus dessous… Oh, mon Dieu, quel gâchis ! Quelle journée !

— Tu as raison. Il faut que je retourne la voir. Je me suis comporté d'une façon détestable. » Il attrapa sa veste sur le dos de la chaise et embrassa sa mère sur la joue. « À tout à l'heure. »

Il parcourut les deux kilomètres jusque chez Chrissie au pas de course, son déjeuner lui pesant sur l'estomac. Il arriva hors d'haleine, sa chemise imbibée de sueur collée à la peau. Il se dirigea d'abord vers le cabinet médical, puis se ravisa et alla à la porte d'entrée. Il appuya sur la sonnette en laissant son doigt dessus. Il ressentit soudain une hostilité incroyable à l'égard du Dr Skinner et se moquait pas mal de le déranger. En entendant Leo aboyer comme un fou, il pria pour que ce soit Chrissie qui vienne ouvrir. Malheureusement, ce fut la voix bourrue de son père qui résonna dans le vestibule.

Le Dr Skinner ouvrit la porte et le regarda du haut de la marche.

« Dr Skinner, est-ce que Chrissie est là, s'il vous plaît ?

— Non. »

Sa réponse surprit Billy.

« Ah… Et pouvez-vous me dire où elle se trouve ?

— Non.

— Savez-vous quand elle rentrera ?

— Non. »

Billy détestait cet homme. Il prit sur lui pour parler calmement. « Dans ce cas, vous voulez bien lui transmettre un message ? Non, à la réflexion, inutile de vous donner cette peine… Je vais l'attendre. »

Sans un mot, le Dr Skinner referma la porte et la verrouilla.

Cachée en haut de l'escalier, Chrissie sourit. Elle savait que Billy viendrait, seulement, il s'était comporté d'une façon monstrueuse, et elle avait besoin d'un peu de temps pour se remettre de ses émotions. Du reste, ça ne lui ferait pas de mal de réfléchir à l'attitude abominable qu'il avait eue. Elle allait le laisser mariner une demi-heure, après quoi elle irait le retrouver.

Assis au bord du trottoir, Billy fuma des cigarettes à la chaîne en contemplant son avenir. De quelque façon qu'il l'envisage, il ne s'annonçait guère prometteur. Sa petite amie était enceinte sans être mariée, son père le haïssait, et la guerre venait d'être déclarée de sorte que, qu'il le veuille ou non, il allait devoir se battre. Il sursauta en entendant des pas derrière lui. Samuel Skinner s'accroupit et lui parla d'une voix menaçante à l'oreille.

« Elle est là, mais elle ne veut pas vous voir. »

Billy se retourna vivement. « Pardon ? Je ne vous crois pas.

— Comme vous voudrez, mais, je vous assure, vous perdez votre temps. Il semblerait que vous ayez eu une dispute. Elle ne veut pas me dire à quel sujet, néanmoins, je vous suggère de rentrer chez vous et de l'oublier. »

Billy se leva pour faire face à son ennemi.

« Cela vous plairait, n'est-ce pas ? Malheureusement, vous n'êtes pas en possession de tous les faits. » Il jeta sa veste sur son épaule. « Dites à Chrissie que je repasserai demain. »

Rentré chez lui, le Dr Skinner se planta au bas de l'escalier et s'adressa à sa fille :

« Il est parti, Chrissie. Il a dit qu'il en avait assez d'attendre, qu'il ne pensait pas que tu en valais la peine et que, de toute façon, il ne serait bientôt plus là. Il a ajouté que tu ferais mieux de ne pas l'attendre et de continuer ta vie. Tu sais, je ne suis pas sûr qu'on reverra ce jeune homme. »

Sidérée, Chrissie se releva en se retenant à la rambarde de l'escalier. Elle ne pouvait pas le croire. Elle avait juste eu l'intention de le faire attendre un peu, et lui, il l'avait quittée ! Non, ce n'était pas possible… Elle courut à la salle de bains et vomit dans les toilettes, prise d'une nausée qui cette fois n'avait rien à voir avec le bébé qui grandissait en elle.

9

Le temps que Billy revienne chez lui, sa mère avait rangé la cuisine et tricotait au coin du feu, face à son père endormi dans son fauteuil. Elle lui fit signe de ne pas faire de bruit.

« Tu lui as parlé ? » demanda-t-elle tout bas.

Il l'invita d'un geste à le suivre dans le salon.

« N'allume pas, dit Alice. Je n'ai pas encore mis les rideaux obligatoires pour le couvre-feu. Il fait sombre, mais je préfère ne courir aucun risque. »

Ils restèrent debout dans la pénombre pendant que Billy lui racontait son entrevue avec le Dr Skinner.

« Cet homme est abominable… Je ne comprends pas comment il peut exercer la profession de médecin ! Tu crois que ce qu'il t'a dit est vrai, et que Chrissie ne veut plus te voir ?

— Je n'en sais rien, maman. C'est possible. J'ai été moi-même assez abominable.

— Elle changera d'avis, il le faudra bien. Elle porte ton bébé. Laisse-lui un peu de temps. N'oublie pas que ses hormones sont complètement chamboulées. Mais si elle sait que tu es venu la voir, elle t'en saura

129

gré. Elle te parlera quand elle se sentira prête. En attendant, pourquoi ne lui écris-tu pas une lettre ?

— Une lettre ? Oh, je ne sais pas…

— Réfléchis-y, Billy. Dire ce qu'on pense par écrit est beaucoup plus facile. Tu pourras t'excuser et lui faire part de tes sentiments sans te préoccuper de dire ce qu'il ne faut pas. Tu n'auras qu'à la poster, ce serait un geste délicat, qui lui montrera que tu as fait un effort. Qu'en penses-tu ?

— D'accord. Je le ferai demain. Là, je suis trop fatigué pour réfléchir… Cette journée a été horrible.

— Je suis sûre qu'on s'en souviendra le restant de notre vie… Tu m'aiderais à accrocher ces derniers rideaux ?

— Volontiers. J'ai grand besoin de m'occuper. »

Lorsqu'ils eurent terminé, la nuit était tombée, et un calme étrange régnait dans les rues.

Billy écarta légèrement le rideau en scrutant l'obscurité. Le couvre-feu avait déjà été strictement imposé.

« On n'y voit rien. »

Sa mère arriva derrière lui et jeta un coup d'œil dehors. « Je sais… Ils ont éteint tous les réverbères. Apparemment, si on s'aventure dehors après la tombée de la nuit, il faut utiliser une torche recouverte d'un sac en papier kraft. Et ceux qui se déplacent en voiture n'ont pas le droit d'allumer leurs phares.

— Et c'est pour notre propre sécurité ? rétorqua Billy d'un air sceptique.

— Il faut faire confiance aux responsables. Ils savent ce qu'ils font.

— Espérons-le ! » Il embrassa sa mère sur la joue. « Si ça ne te dérange pas, maman, je crois que je vais aller me coucher.

— Va. Bonne nuit, mon fils, dors bien... Demain, tout paraîtra différent. »

Assise par terre devant les toilettes, Chrissie replia ses bras sur le siège. Elle n'aurait pas pu imaginer une situation plus indigne. Son petit ami ne voulait plus rien avoir à faire avec elle, elle allait devoir supporter la honte et l'humiliation toute seule. L'idée de parler à ses parents lui donna de nouveau envie de vomir. Son nez et sa gorge étaient irrités par la bile et les muscles de son ventre la tiraillaient. Elle entendait ses parents discuter dans la cuisine à voix basse. Et bien qu'elle ne comprenne pas ce qu'ils se disaient, elle le devinait. Le Dr Skinner devait jubiler de savoir que Billy l'avait quittée et d'avoir vu juste à son sujet. Elle s'immobilisa en entendant quelqu'un monter l'escalier. Tendant l'oreille, elle fut soulagée de reconnaître un pas léger qui ressemblait plus à celui de sa mère qu'à celui de son père. Et soudain, on frappa un coup hésitant à la porte.

« Chrissie ? murmura Mabel. Combien de temps encore vas-tu rester dans cette salle de bains ? Tu es là depuis des heures ! »

Elle attendit une seconde. N'obtenant aucune réaction, elle revint à la charge.

« Ma chérie, tu ne peux pas y passer toute la nuit. Laisse-moi entrer... On parlera. »

Chrissie ne répondit toujours pas.

« Très bien, je vais m'asseoir devant cette porte et attendre que tu sois prête à sortir… Ton père n'est pas content, tu sais. Il a dû aller aux toilettes dans la cour. »

Cette information arracha un petit sourire à Chrissie. Son père avait horreur d'être obligé de sortir pour aller aux toilettes. Elle voulut se relever, mais ses jambes étaient si ankylosées qu'elle réussit à peine à bouger. Lentement, elle se redressa, aussi vacillante qu'un enfant qui fait ses premiers pas. Ses mains tremblaient si fort qu'elle eut du mal à faire coulisser le verrou. Dès qu'elle ouvrit la porte, elle vit le regard stupéfait de sa mère.

« Mon Dieu ! Qu'est-ce qui t'arrive, ma chérie ? Tu as une mine épouvantable ! »

Chrissie se contenta de passer devant elle et alla se jeter sur son lit. Mabel la suivit dans sa chambre, où elle la trouva étendue sur le ventre, la tête enfouie sous l'oreiller. Elle vint s'asseoir au bord du lit et lui caressa le dos.

« Allons, ce n'est pas si grave… Ce n'est pas comme si Billy était le seul garçon sur la terre ! Il est sympathique, certes, mais nous avons toujours su que tu pouvais trouver mieux. »

Chrissie se redressa, le visage luisant de transpiration et de larmes, les yeux rougis et tout gonflés. « Je l'aime, maman », dit-elle simplement.

Mabel hésita. « Je sais que c'est ce que tu crois, mais as-tu vraiment idée de ce qu'est l'amour ? Il n'a été que ton premier petit ami…

— Tu pourrais arrêter de parler de lui au passé ? Il n'est pas mort. »

Chrissie ravala la bile qui lui monta de nouveau dans la gorge. Elle recommença à frissonner et se rallongea sur son lit. Mabel l'observa avec attention, et, brusquement, elle pâlit et se mit à trembler elle aussi. Malgré sa consternation, elle articula de façon très distincte :

« Petite garce !

— Rien ne t'échappe, hein, maman ?

— C'est tout ce que tu trouves à dire ? De combien es-tu enceinte ? Je suppose que c'est Billy le père... Mon Dieu, c'est pour cette raison qu'il t'a laissée tomber ? »

Chrissie se redressa. La réaction de sa mère lui donna envie de se rebeller. « À quelle question préfères-tu que je réponde en premier ? »

Mabel se leva et marcha de long en large dans la chambre. « Pauvre petite sotte, je n'arrive pas à le croire ! Ton père avait vu juste depuis le début ! dit-elle en élevant la voix. Oh, Seigneur, ton père... » Elle s'empressa d'aller fermer la porte à laquelle elle s'adossa en prenant de longues inspirations plusieurs fois de suite. Chrissie crut qu'elle allait s'évanouir, mais sa mère dit simplement : « Il faut que je réfléchisse. »

Le lendemain, alors que la Grande-Bretagne s'efforçait d'accepter le fait qu'elle était en guerre, Billy écrivit sa lettre à Chrissie. « Maman, on est quelle date, aujourd'hui ? cria-t-il.

— Le 4 ! » répondit sa mère de la cuisine.

Il écrivit l'adresse en haut de la page et inscrivit la date au-dessous. Le plus difficile restait à faire. Dans d'autres circonstances, il aurait demandé à Clark de l'aider pour venir à bout de cette tâche ; en réalité, il aurait sans doute fini par l'écrire à sa place. Billy chassa son ami de ses pensées et essaya de se concentrer. Ne sachant pas comment il allait s'y prendre, il commença par « Ma chère Christina », en se disant qu'écrire son nom entier donnerait plus de sincérité à sa lettre. Après cela, les mots coulèrent avec une facilité surprenante, et il s'estima satisfait du résultat. Il écrivit l'adresse de Chrissie sur l'enveloppe, colla un timbre, puis mit la lettre dans la poche de sa veste.

« Je sors poster ça », dit-il à sa mère.

Il avait pensé la glisser sous sa porte, cependant il ne se sentait pas prêt à affronter de nouveau le Dr Skinner. Non, il allait la poster et, quand Chrissie aurait eu le temps de digérer ce qu'il lui disait, il irait la voir. Plein d'entrain, il marcha dans la rue en ayant soudain la certitude que tout finirait par aller bien pour eux deux. Oui, il avait agi comme un parfait imbécile, mais cette lettre allait tout arranger.

10
1973

Tina relut trois fois la lettre avant de la replier et de la poser sur la table basse. Elle but une gorgée de sa tasse de chocolat. Il était complètement froid. Cette journée éprouvante l'avait épuisée, mais les draps gris poisseux du petit lit n'étaient pas très engageants. Et bien que la lettre de Billy lui ait fait oublier Rick un instant, elle se sentit à nouveau mal en pensant à l'énormité de ce qu'elle avait fait. Elle se retrouvait entièrement livrée à elle-même et, au lieu d'éprouver un sentiment de liberté, elle se sentait affreusement seule. Tout au fond d'elle, elle savait que quitter son mari violent était l'unique solution, néanmoins, elle avait peur de ce qui l'attendait.

Elle s'allongea sur le petit canapé élimé et ferma les yeux en essayant de ne pas penser à lui. Elle imagina Billy trente-quatre ans auparavant en train d'écrire sa lettre à Chrissie. La guerre avait été déclarée la veille, et l'atmosphère générale devait être à l'incertitude, mais pourquoi ne l'avait-il pas postée ? Peut-être qu'il avait changé d'avis et préféré aller lui parler de vive voix. À moins qu'il n'ait été tué tandis qu'il se rendait à la boîte aux lettres… Tina frissonna, se reprochant d'être aussi mélodramatique.

Il était presque minuit lorsque, enfin, elle se mit au lit, se tournant et se retournant sur le matelas cabossé avant de trouver une position confortable. En cette seconde, elle aurait donné n'importe quoi pour être pelotonnée dans son propre lit, même avec Rick ronflant à ses côtés car, quand ils dormaient, sa présence avait quelque chose de réconfortant. Elle n'avait pas l'habitude de dormir sans lui, et le moindre bruit paraissait comme amplifié. Elle entendait des pas sur le palier qui semblaient s'arrêter juste devant sa porte. Le réfrigérateur bourdonnait très fort et le robinet de l'évier gouttait à un rythme régulier. Étendue les yeux grands ouverts, osant à peine respirer, elle se força à se calmer et repensa à la chanson que sa mère lui chantait le soir quand elle venait la border dans son lit.

> *Dors mon enfant, la paix t'accompagnera*
> *Tout au long de la nuit*
> *Ses anges gardiens, le Seigneur t'enverra*
> *Tout au long de la nuit.*

Cette berceuse lancinante l'avait toujours rassurée, et convaincue qu'aucun monstre ne se cachait au fond de l'armoire. Mais cette nuit, la chanson ne faisait pas du tout son effet, et bien qu'elle ait honte de se l'avouer, si Rick était venu frapper à la porte, elle l'aurait suivi sans hésitation pour retrouver la familiarité de leur chambre. *Tel un agneau partant à l'abattoir.*

Le lendemain matin, Tina avait retrouvé un peu le moral. C'était curieux comme tout paraissait aller mieux à la lumière du jour. Elle fit sa toilette, s'habilla et prit le bus pour se rendre à son bureau. Arrivée la première, comme d'habitude, elle fila brancher la bouilloire et sortir les tasses.

« Bonjour, Tina ! dit Linda, une de ses proches collègues. Tu as passé un bon week-end ?

— J'ai connu mieux », répondit-elle en la regardant accrocher son manteau.

Linda s'approcha et la regarda en face. « Rick ? »

Tina se détourna pour préparer le thé.

« Je l'ai quitté. »

Linda l'attrapa par les épaules. « Eh bien, il était temps ! Et tu es partie où ? »

Elle lui raconta les événements de la veille, et comment elle avait atterri dans cette petite chambre minable.

« Tu aurais dû venir chez moi ! Qu'est-ce que je t'ai dit ? Il y aura toujours un lit pour toi. »

Tina la serra dans ses bras. « Je sais, et je t'en remercie, mais il fallait que je me débrouille par moi-même.

— Tu es si fière, si entêtée... Tu as eu de ses nouvelles ? »

Tina jeta un regard inquiet vers l'entrée comme si elle s'attendait à voir Rick faire irruption. En voyant la porte s'ouvrir, elle sursauta, mais c'était seulement Anne qui arrivait.

« Regardez ce que j'ai trouvé sur le palier ! » dit-elle en brandissant un sac rempli de vêtements. Tina et Linda s'approchèrent. « Il y a un mot avec », dit

cette dernière. Elle l'arracha et le tendit à son amie.
« C'est pour toi. »

*Puisque tu as pris mon cœur et tout mon argent,
autant que tu prennes aussi les vêtements que j'ai sur
le dos.*

« C'est de la part de qui ? » demanda Anne.

Tina courut à la porte et regarda de part et d'autre
dans la rue. Elle aperçut Rick, vêtu seulement d'un
vieux slip kangourou gris, qui s'éloignait d'un pas
nonchalant. Elle l'imagina en train de siffloter tout
en arrachant des feuilles sur la haie.

Elle secoua la tête. *Seigneur, j'avais bien besoin de ça !*

Une semaine s'écoula, puis une deuxième, sans
qu'elle ait eu de contact avec Rick. Malgré elle, elle
s'inquiétait pour lui. Le temps qui passait émoussait
assurément les souvenirs. Ce samedi-là, elle était à la
boutique en train de mettre des prix sur des vêtements
lorsqu'elle entendit la sonnette et eut la surprise de
voir entrer sa belle-mère. Molly Craig semblait plus
vieille que son âge, en dépit de son épais maquillage
et de ses cheveux blonds au brushing impeccable.

« Molly, ça me fait plaisir de vous voir », dit Tina,
qui grimaça intérieurement en proférant un tel mensonge. Les deux femmes ne s'étaient jamais beaucoup
appréciées.

« Je t'en prie, Tina... Tu sais sans doute pourquoi
je suis là.

— Euh... Vous cherchez une nouvelle tenue ?

— Épargne-moi tes facéties. Qu'est-ce qui se passe
avec Rick ? Je viens de passer le voir et je l'ai trouvé

138

dans un état épouvantable. Il dit que tu l'as quitté et qu'il ne sait pas pourquoi.

— Il sait très bien pourquoi.

— Dans ce cas, peut-être pourrais-tu éclairer ma lanterne. »

Molly s'installa sur un tabouret et chercha ses cigarettes au fond de son immense sac, ses ongles très longs et très rouges compliquant quelque peu la tâche.

Tina soupira. « Faites comme chez vous, je vous en prie... Vous voulez une tasse de thé ?

— Tu n'as rien de plus fort ?

— Un café ? »

Molly ignora la proposition de sa belle-fille.

« Écoute, j'ignore ce qui s'est passé entre vous, mais tu devrais au moins aller le voir. Quand je suis passée ce matin, l'appartement ressemblait à une vraie porcherie. Il y avait les bouteilles de lait datant d'une semaine sur le palier, du courrier entassé derrière la porte, et une odeur fétide dans toute la maison. J'ai sincèrement cru qu'il était mort... Les rideaux étaient tirés, et il a mis dix minutes avant de venir m'ouvrir. Quand il a fini par se traîner jusqu'à la porte, j'avoue que j'ai eu un choc. Il avait l'air d'avoir quatre-vingt-dix ans et il ne portait qu'un slip... C'est un homme brisé, Tina. Quoi qu'il se soit passé entre vous, ça doit pouvoir s'arranger. »

Tina réussit enfin à placer un mot. « Est-ce qu'il vous a dit qu'il me frappait ? »

Molly eut la décence de prendre un air outré, mais rien qu'un instant. « Quel homme ne donne pas une tape à sa femme une fois de temps en temps ? Pour qu'il se soit énervé, c'est que tu as dû faire quelque chose de grave... Rick a toujours été soupe au lait, tu le sais aussi bien que moi. Depuis le temps, tu devrais savoir t'y prendre avec lui !

— Vous êtes incroyable, Molly... D'ailleurs, vous faites partie du problème. Toute sa vie, vous l'avez gâté. C'est vous qui avez fabriqué ce monstre.

— Un monstre ? Mon petit Ricky ? N'exagère pas... » Elle tira une longue bouffée sur sa cigarette en plissant les yeux. « S'il te plaît... Ça me coûte de le dire, mais tu sais bien qu'il ne jure que par toi !

— J'ai failli le croire. »

Molly parla d'un ton plus doux. « Je sais bien qu'il n'est pas toujours de tout repos, mais il t'aime, il t'aime vraiment ! »

Tina sentit qu'elle commençait à faiblir. Elle se réprimanda en silence.

« Je sais, et une partie de moi l'aimera toujours, mais je ne peux pas revenir... pas maintenant que j'ai enfin réussi à partir. » Il fallait qu'elle reste ferme, elle le savait.

« Je t'en prie, Tina, va au moins le voir. »

Elle connaissait Molly Craig depuis suffisamment longtemps pour savoir qu'elle ne décollerait pas de la boutique tant qu'elle n'aurait pas obtenu ce qu'elle voulait.

« D'accord, je passerai le voir ce soir en rentrant. De toute façon, ce serait bien que je récupère deux ou trois choses. »

Molly poussa un gros soupir. « Merci. » Puis elle lui tapota la main dans un faux geste de solidarité. Instinctivement, Tina la retira. « Je vais le prévenir que tu passeras plus tard. » Sur ces mots, elle se leva et sortit de la boutique – mission accomplie !

Tina avait conscience qu'elle venait de se faire manipuler, mais elle se dit qu'elle allait juste passer prendre quelques affaires. Elle expliquerait clairement à Rick qu'elle ne reviendrait pas, et que leur couple n'avait aucun avenir.

À la fin de la journée, Tina s'immobilisa devant le portail du jardin, le temps de rassembler son courage. Elle nota que les mauvaises herbes avaient été arrachées dans les plates-bandes, et le petit carré de pelouse tondu. Même l'abreuvoir en pierre pour les oiseaux était rempli d'eau, et les deux nains de jardin rayonnaient de propreté. Elle allait frapper à la porte quand elle remarqua que la sonnette, qui pendouillait au bout de ses fils depuis des années, avait été revissée. Visiblement, Molly Craig avait beaucoup exagéré la descente aux enfers de son fils. D'un doigt hésitant, elle appuya sur le petit bouton noir étincelant. Et elle avait beau s'y attendre, la sonnerie stridente la fit sursauter.

Sans lui laisser le temps de se reprendre, Rick ouvrit la porte. Tina le dévisagea, bouche bée. Il portait le dernier jean à pattes d'éléphant à la mode, qui soulignait sa taille étroite, et une chemise à carreaux en étamine qu'elle ne lui avait jamais vue. Ses cheveux avaient poussé, et des boucles encadraient ses pommettes. Il était rasé de près et sentait bon le citron.

« Bonjour, Rick.

— Tina… Ça me fait plaisir de te voir. Entre, je t'en prie.

— Moi aussi. Merci. »

Ils se comportaient comme deux étrangers, pas comme une femme et un mari.

La moquette de l'entrée avait conservé les traces de l'aspirateur, et elle sentit les effluves d'un plat en train de cuire au four.

« Un coq au vin… mais sans vin, précisa Rick.

— J'espère que ce n'est pas pour moi que tu t'es donné toute cette peine. » Son œil s'attarda sur le carrelage rutilant de la cuisine et les surfaces en formica étincelantes.

« Quand maman m'a prévenu que tu allais passer, j'ai décidé de me reprendre. Si tu n'as pas le temps de rester dîner, ce n'est pas grave. Je pourrai toujours le réchauffer demain. »

Tina posa son sac sur la table de la cuisine. « Eh bien, ça sent bon et ça me donne faim. »

Rick soupira, l'air soulagé, et lui avança une chaise.

« Je te sers quelque chose à boire… Un jus de fruits, c'est tout ce que j'ai à te proposer. Je me suis débarrassé de toutes les bouteilles d'alcool.

— Oh… Alors je vais prendre un sirop d'oranges, s'il te plaît.

— Je vais faire comme toi. »

Rick dévissa le bouchon de la bouteille et leur servit deux verres.

« Comment vas-tu ? demanda-t-il.

— Ça va, merci. Et toi ?

— Pareil. »

142

Un silence gêné s'abattit tandis qu'ils buvaient l'un et l'autre une gorgée de sirop.

« Depuis combien de temps tu n'as pas bu ? finit par demander Tina, en espérant avoir pris un ton suffisamment détaché.

— Depuis que tu es partie, c'est-à-dire deux semaines, bien que ça m'ait paru plus long. » Il sourit, et, un bref instant, elle retrouva l'homme dont elle était tombée amoureuse.

« C'est super. Je suis vraiment contente pour toi. » Il se leva. « Je sers le plat ?

— Oui, volontiers. Tu veux de l'aide ?

— Non, reste tranquillement assise. »

La viande était tendre et goûteuse, et le plat en rien compromis par l'absence de vin rouge. Quand ils eurent terminé de manger, Rick débarrassa les assiettes pendant qu'elle allait s'asseoir dans le salon. Il la rejoignit, un torchon à la main. « Tout est rangé. Tu veux une tasse de thé ? »

Elle regarda la pendule sur la cheminée. Elle était à l'heure, signe que Rick avait pensé à la remonter.

« Non, je te remercie. Il vaudrait mieux que j'y aille. »

Rick parut déçu, mais il se garda de protester.

« Merci d'être venue, Tina. C'était super de te voir, vraiment super.

— Pour moi aussi, Rick. » Elle s'étonna de le penser sincèrement.

Ce ne fut qu'en regagnant son meublé qu'elle s'aperçut qu'elle avait oublié de prendre des vêtements. Tant pis, elle y retournerait le lendemain. Cette fois, comme Rick ne s'y attendrait pas, elle saurait s'il avait réellement changé.

Le dimanche était sa seule journée de congé, et ce jour-là, en plus d'aller récupérer des vêtements, elle avait prévu de faire quelque chose de particulier. Elle comptait se rendre chez Chrissie Skinner pour lui remettre la lettre qu'elle aurait dû recevoir depuis tant d'années. Elle ne s'attendait pas à ce que ce soit aussi simple. Les chances que Chrissie vive encore au 33, Wood Gardens étaient pour le moins très minces, cependant, ce serait un bon début. Elle avait emprunté à Graham un vieil annuaire dans lequel elle avait repéré l'adresse. Ce n'était pas très loin en bus, dans lequel elle monta avec une légère excitation. Elle était en train de relire la lettre lorsque le contrôleur s'approcha en brandissant sa machine à tickets.

« Vous allez où, ma p'tite dame ? »

Tina reconnut la voix et leva les yeux.

« Stan, comment allez-vous ? » Stan était un ancien collègue de Rick.

« Sacré nom de nom ! Tina Craig... Vous ne prenez pas ma ligne, d'habitude. Comment ça va ? »

Elle hésita. « Pas trop mal.

— Votre homme est passé au dépôt, l'autre jour. Il cherchait du boulot. »

Cette nouvelle la surprit. « Rick ?

— Oui, il ne vous l'a pas dit ?

— C'est que... On s'est séparés.

144

— Oh, désolé de l'apprendre… Il n'en a pas parlé aux copains.

— Ça vient de se faire. Les choses sont encore un peu… à vif.

— Je comprends. Si jamais vous le voyez, vous le saluerez de ma part.

— Promis. Wood Gardens, s'il vous plaît. »

Stan pianota sur plusieurs touches avant de tourner la manivelle, et la machine cracha le ticket.

« À un de ces jours, ma belle ! Prenez bien soin de vous. »

Wood Gardens étant à l'opposé de l'endroit où elle vivait à Manchester, elle connaissait mal ce quartier. Au centre de la place se trouvait un carré de verdure entouré de grilles en fer. Tina poussa le portail rouillé et entra. Le jardin n'était pas très bien entretenu et il y avait un banc recouvert de graffitis. Autour, il ne semblait pas y avoir de maisons anciennes, rien qu'une rangée de petites maisons de style moderne qui ne pouvaient pas avoir été là dans les années 1940. Elle commençait à se dire qu'elle avait perdu sa journée lorsqu'elle aperçut une vieille dame arriver d'un pas traînant en repoussant de sa canne les ronces qui gênaient son passage. Elle vint s'asseoir à côté d'elle en soufflant et en soupirant.

« Bonjour, dit-elle.

— Bonjour.

— Je ne vous ai encore jamais vue par ici… Vous venez d'emménager ? » La vieille dame montra les maisonnettes.

« Oh, non, je viens juste rendre visite à quelqu'un… Une dame qui a habité ici il y a très longtemps. Au numéro 33.

— J'ai vécu ici toute ma vie. J'ai passé de longues heures dans ce jardin et j'y viens encore tous les jours. J'aime bien m'asseoir là pour réfléchir… Si je ferme les yeux et si je me concentre, j'entends le bruit des enfants qui jouent, et ça me plaît bien ! J'ai une très bonne mémoire des noms d'autrefois, mais je ne me rappelle plus ce qui est arrivé la veille ! » La vieille dame rit de sa blague, révélant des dents jaunies. « Et vous venez voir qui ?

— Chrissie Skinner. Elle habitait au… »

La vieille dame lui coupa la parole. « Je sais où elle habitait. » Elle se frotta les yeux avec la manche de sa veste en laine. « Je connaissais bien la famille. Le père de Chrissie était le médecin du quartier et sa mère était sage-femme. Chrissie lui donnait souvent un coup de main. Ce sont elles qui ont mis mon bébé au monde. »

Cette nouvelle prit Tina par surprise. « Oh, mon Dieu ! Alors vous devez savoir ce qui est arrivé à Chrissie ? J'ai quelque chose à lui remettre.

— Si on allait prendre une tasse de thé ? Il y a un petit café au coin de la rue… On pourra bavarder en toute tranquillité.

— Avec plaisir. » Elle tendit sa main à la vieille dame. « Tina Craig, ravie de vous rencontrer. »

La vieille dame se releva tant bien que mal et lui serra la main.

« Maud Cutler, enchantée. »

Installée devant une tasse de thé bien fort, Maud Cutler commença à parler.

« J'ai beau avoir quatre-vingts ans, j'ai l'impression que ça remonte à hier... C'était un jour avant le début de la guerre, j'étais en train d'accoucher de notre Tommy, et comme il ne devait pas arriver avant un mois, j'étais très inquiète. Jamie, mon mari, a couru chercher Mrs Skinner. Le pauvre, il était complètement affolé ! Et vu que c'était très tôt le matin, il avait peur de réveiller le médecin. C'est qu'il avait un fichu caractère, cet homme ! Chrissie lui a ouvert la porte et, malgré sa panique, Jamie a tout de suite vu qu'elle avait une mine épouvantable. D'habitude, c'était une ravissante petite, mais ce matin-là, elle avait le teint tout gris et les traits tirés. Toujours est-il que, comme le bébé était en avance, on a dû aller à l'hôpital, et Chrissie a accompagné sa mère. Pauvre Jamie, il avait tellement peur de nous perdre, moi et le bébé... J'avais alors quarante-six ans, lui seulement trente, et il était persuadé qu'on allait mourir tous les deux ! »

Maud but une gorgée de thé. Tina l'imita.

« En tout cas, quand Tommy est né, Mrs Skinner a dû l'emmener pour le ranimer. Il était tout bleu et ne respirait pas. Jamie est parti avec elle et le bébé, et Chrissie est restée avec moi. L'infirmière a été obligée de lui apporter une cuvette dans laquelle elle a vomi. Je ne comprenais pas, car elle avait assisté à de nombreuses naissances, mais j'ai fini par deviner... et je ne m'étais pas trompée ! Elle était enceinte. Et en 1939, c'était très mal vu d'avoir un enfant sans être mariée, et pour une fille avec un père comme le Dr Skinner, c'était une vraie catastrophe ! Elle était terrorisée par son père. Il détestait son petit ami. Pauvre Chrissie, elle tremblait littéralement, si bien que c'est moi qui me suis occupée d'elle au lieu du contraire... Elle n'avait même pas prévenu le père de l'enfant !

— Savez-vous ce que sont devenus Chrissie et son bébé ? »

Maud porta le regard au loin, comme si elle contemplait le passé.

« Ça a été tragique. La pauvre Mabel Skinner a été tuée pendant le couvre-feu, renversée par une voiture qui roulait tous feux éteints... Elle ne l'a pas vue arriver. Les phares étaient interdits.

— C'est affreux... Et Chrissie ?

— Son père l'a expédiée au loin. Quand sa femme est morte, je crois qu'il a perdu la tête. Il a envoyé Chrissie en Irlande chez sa belle-sœur. Il ne pouvait pas vivre avec une telle honte. Pour un homme de son standing, c'était une véritable disgrâce. Personne ne l'a jamais revue.

— Connaissiez-vous son petit ami ?

— Billy ? Non, pas vraiment. Étant donné qu'il avait un ou deux ans de plus qu'elle, il a dû partir à la guerre... Mais pourquoi voulez-vous savoir tout ça ? »

Tina lui montra la lettre. Les mains déformées de la vieille dame tremblotèrent en la lisant. « Elle avait dû lui parler... et on dirait qu'il ne l'a pas très bien pris ! Comment se fait-il que vous ayez cette lettre ?

— Je l'ai trouvée dans la poche d'un costume que quelqu'un a laissé devant la boutique caritative où je travaille. Et comme elle n'a jamais été postée, je me suis dit que Chrissie devrait l'avoir.

« — Je suis désolée de ne pas pouvoir vous être plus utile, s'excusa Maud.

— Non, vous m'avez été très utile, mais j'ai déjà abusé de votre temps.

— J'ai passé un bon moment... Parler avec vous m'a fait très plaisir. »

Tina osa poser la question suivante. « Et votre bébé ? Le petit Tommy ?

— Il doit la vie à Mabel Skinner. S'il a survécu, c'est grâce à ses compétences de sage-femme et aux soins qu'elle lui a donnés après sa naissance. Chaque année, le jour de l'anniversaire de sa mort, nous allons fleurir sa tombe. Elle est enterrée au cimetière de St Vincent. C'était une femme merveilleuse... J'espère que vous retrouverez sa fille. »

De façon inattendue, Tina sentit une boule se former dans sa gorge. « Merci, Maud. Je l'espère moi aussi. »

11

En arrivant au bureau le lendemain matin, Tina nota ce qu'elle avait appris sur Chrissie et Billy. Elle savait qu'il avait vécu au 180, Gillbent Road à Manchester, mais elle ignorait son nom de famille. Elle savait également où Chrissie avait habité, quel était le nom de ses parents, et que sa mère avait été tuée pendant le couvre-feu. Si elle se rendait sur la tombe de Mabel Skinner, elle verrait sa date de naissance. Maud Cutler avait précisé que Chrissie avait été envoyée chez la belle-sœur du Dr Skinner en Irlande – sans doute la sœur de Mabel. Tina ressentit une sorte d'excitation à l'idée de jouer les détectives. Ce serait un excellent moyen pour la distraire de ses problèmes.

« Bonjour, Tina… Qu'est-ce que tu fais ? »

La question de Linda la fit sursauter. Elle s'empressa de fourrer ses notes au fond de son sac. Sans très bien savoir pourquoi, elle tenait à garder la lettre de Chrissie pour elle.

« Rien. Je faisais une liste de courses… Comment vas-tu ? Tu as passé un bon week-end ? »

Linda se laissa tomber lourdement derrière le bureau en face de Tina, puis elle poussa sa machine à écrire et s'effondra sur le bureau, la tête dans les bras.

« Je suis crevée ! On est allés chez Bob et Caroline hier soir, et il nous a fait jouer à Party 7. On n'est pas rentrés avant deux heures du matin…

— Un dimanche soir ? Ma foi, tu ne peux en vouloir qu'à toi-même. Attention, voilà Mr Jennings ! »

Linda se redressa en râlant et remit sa machine à écrire à sa place. Mr Jennings s'arrêta devant son bureau.

« Bonjour, Linda. Vous avez une mine épouvantable.

— Merci, Mr J. »

Il déposa une liasse de documents sur son bureau. « J'ai besoin que tout ça soit tapé à dix heures. »

Linda regarda sa montre. « À dix heures ? Mais, Mr Jennings, ça me laisse seulement une heure…

— Aussi feriez-vous mieux de vous y mettre tout de suite… »

Dès qu'il se fut éloigné, Linda lui tira la langue.

Tina pouffa de rire. « Allez, donne-m'en une partie, je vais t'aider.

— Tu es sûre ? Tu as toi-même des tonnes de choses à faire.

— Passe-moi ça avant que je ne change d'avis. Et arrête de gémir. »

Au bureau, la vitesse avec laquelle Tina tapait à la machine était légendaire. Ses doigts voletaient sur les touches, et la petite sonnette qui signalait qu'elle était arrivée au bout d'une ligne tintait sans arrêt.

Elle était même capable de tenir une conversation en même temps.

« Samedi, je suis passée voir Rick. » Elle regarda sa collègue sans que ses mains quittent le clavier.

Linda arrêta de tripoter le ruban de sa machine et leva les yeux. « Est-ce que je peux te dire quelque chose ?

— Est-ce que je peux t'en empêcher ?

— J'espère que tu n'envisages pas de te remettre avec lui.

— Bien sûr que non. C'est juste que Molly est venue à la boutique et m'a demandé d'aller voir comment il allait. Elle m'a dit qu'il allait très mal, mais, quand je suis arrivée, l'appartement était d'une propreté immaculée, et il avait même préparé un dîner.

— Il savait que tu allais venir ? »

Tina l'admit sans enthousiasme. « Oui, Molly l'avait prévenu. N'empêche qu'il était en super forme... et en plus, il a arrêté de boire.

— Mmm... pour combien de temps cette fois, c'est la question que je me pose.

— Arrête, Linda... Il fait de vrais efforts, tu sais.

— Oh, je sais ! Je te dis juste de te méfier.

— J'avais prévu de passer hier, seulement j'avais autre chose à faire, si bien que je n'ai pas eu le temps. Je vais y aller ce soir. Il faut que je récupère quelques vêtements. Et puisqu'il ne sait pas que je viens, je verrai bien s'il est sincère.

— Prépare-toi à être déçue. »

La machine tinta de nouveau. Tina ramena le chariot d'un geste gracieux du poignet.

Alors qu'elle approchait de son ancienne maison, elle mit un peu de poudre sur son nez et regonfla ses cheveux.

Rick entrouvrit la porte de quelques centimètres.

« Salut, Rick… Pardon de passer à l'improviste, mais j'ai oublié d'emporter des vêtements samedi soir. Tu permets que je rentre les prendre ?

— Bien sûr, pas de problème… Entre. »

Il jeta un regard furtif par-dessus son épaule en ouvrant plus grand la porte.

« En fait, je suis avec quelqu'un. C'est juste une amie.

— Oh, je suis désolée… Si ce n'est pas le bon moment, je peux repasser une autre fois. » Elle voulait s'en aller avant qu'il ne la voie rougir.

« Ne sois pas bête ! Puisque tu es là… C'est toujours chez toi, Tina.

— Bon…

— Qui est-ce, Rick ? cria une voix aiguë dans le salon.

— Euh, c'est Tina… Elle est passée prendre des vêtements. » Il se tourna vers elle. « C'est Julie. » Il hésita avant de poursuivre. « Comme je viens de te le dire, c'est juste une amie. »

Tina balaya sa phrase d'un geste de la main. « Tu n'as pas à t'expliquer.

— Je sais, mais je ne voudrais pas que tu ailles penser que j'ai sauté sur la première fille venue. »

Cette idée la consterna. Imaginer Rick avec une autre femme lui était insupportable. Un pincement de jalousie inattendu la fit rougir plus encore.

« Je vais monter en vitesse chercher mes affaires. » Dans sa hâte, elle trébucha sur la première marche de l'escalier et lâcha son sac, dont le contenu se répandit par terre.

Rick se baissa. « Attends, laisse-moi t'aider…

— Non, ça va, retourne avec Judy.

— Julie », corrigea-t-il en esquissant un sourire.

Se réjouissait-il de la voir mal à l'aise, ou bien était-elle devenue complètement paranoïaque ?

En entrant dans la chambre, Tina remarqua que le lit était fait au carré et que tout était rangé. Pas de slip traînant par terre, pas de cendriers débordant de mégots, pas de tasses de thé refroidi oubliées. Elle souleva l'édredon et prit ce qui avait été son oreiller, le renifla tel un animal qui cherche à repérer la trace de l'ennemi. Il avait la même odeur que d'habitude – une odeur réconfortante. Des larmes lui échappèrent. Elle sortit un mouchoir de sa manche et tamponna son mascara qui menaçait de couler. Après quoi elle se ressaisit en inspirant à fond, attrapa quelques vêtements dans l'armoire et redescendit en vitesse. Des voix lui parvinrent du salon. Elle passa la tête dans l'embrasure de la porte. Rick et Julie étaient assis sur le canapé. Il lui enlaçait les épaules et elle avait posé sa grosse tête blonde sur son torse. Tina eut soudain de la peine à respirer.

« Je m'en vais, Rick », réussit-elle à dire.

Il se leva d'un bond en repoussant Julie.

« Je te raccompagne. » Il la suivit dans l'entrée. « Tu as tout ce qu'il te faut ? »

Tout ce qu'il me faut est ici. Il lui fallut une ou deux secondes avant de retrouver son bon sens. Rick était un ivrogne et une brute qui l'avait humiliée, volée, violée et frappée. Elle était décidée à ne pas faiblir.

Il l'embrassa sur la joue. « Alors… à bientôt. »

Doutant des mots qu'elle risquait de prononcer si elle répondait, elle s'en alla sans rien dire.

Un goût métallique dans la bouche : ce fut le premier signe qui l'alarma. Puis, très vite, elle ne supporta plus le goût du café et commença à avoir des nausées le matin. Et lorsqu'elle constata que ses règles ne venaient pas, ses pires craintes se confirmèrent. Elle qui avait toujours voulu un bébé, cette nouvelle aurait dû la transporter de joie, mais savoir qu'il avait été conçu dans une atmosphère de haine et de brutalité lui donnait envie de pleurer. Elle imaginait ce que Chrissie avait dû éprouver quand elle s'était rendu compte qu'elle était enceinte, et elle ressentait pour elle une immense empathie. Bien que Billy et Chrissie se soient à l'évidence aimés, leur bébé n'avait pas été programmé non plus. Rick réagirait-il de la même façon que lui ? À cette idée, elle fut prise de panique, ce qui était curieux, étant donné qu'elle préférait encore élever un enfant toute seule plutôt que retourner vivre avec son mari. Ce que serait sa réaction ne devrait pas la préoccuper.

Le bébé naîtrait à Noël, et quand elle arriva à cinq mois de grossesse, elle sut qu'elle devait dire à Rick qu'il allait être père. Ces derniers mois, ils ne s'étaient revus que de façon épisodique, néanmoins, ils s'entendaient mieux. Plus important, il ne buvait plus une seule goutte d'alcool. Il avait repris son travail à la compagnie de bus et gagnait un salaire convenable.

Tina contempla la petite chambre. Bien qu'elle y ait trouvé un peu de paix et de tranquillité, elle se sentait désespérément seule. Elle se languissait de Rick, de l'existence brève mais heureuse qu'ils avaient partagée avant que ses abus d'alcool ne viennent tout gâcher. Elle n'avait rien à faire ici dans ce décor glacial sordide aux relents de moisi, où son grand moment de la semaine consistait à coller des timbres Green Shields pour profiter de réductions à l'épicerie. Parfois, elle s'autorisait à imaginer une nouvelle vie avec Rick. Pouvait-il avoir réellement changé ? Elle se devait de le savoir, pour elle comme pour le bébé. Sa décision était prise. Le moment était venu de l'informer de sa grossesse.

Le soir même, elle alla le voir et le trouva en train de repasser ses chemises de travail dans la cuisine. En le voyant dans son uniforme de chauffeur de bus, elle se retrouva transportée aux premiers jours étourdissants de leur histoire. Il lui fit agréablement la conversation pendant qu'elle branchait la bouilloire.

« Je dois être au boulot à six heures. Je bosse en équipe de nuit.

— Oh, d'accord… C'est super. » Elle fit un effort pour dissimuler sa déception. « J'ai une nouvelle à t'annoncer. »

Il cracha sur la semelle du fer, puis appuya de tout son poids sur le col de la chemise qu'il repassait.

« C'est quoi, cette nouvelle ? » Il suspendit la chemise sur un cintre.

— Rick, tu pourrais t'asseoir une minute ?

— Oui, si tu veux. De toute façon, c'était ma dernière chemise. » Il s'assit face à elle. « Alors ? »

Brusquement, ce fut comme si elle n'avait plus de salive dans la bouche. Elle tripota son collier. « Bon, il vaut mieux que je te dise les choses simplement.

— Oui, ce serait bien », dit-il en jetant un coup d'œil à sa montre.

Il se pencha et lui prit la main.

« Excuse-moi, Tina... Vas-y, je t'écoute. De quoi s'agit-il ? »

Elle se leva et alla se poster devant la fenêtre. La pelouse était tondue, et pas une seule mauvaise herbe ne dépassait. Un petit chemin parsemé de dalles serpentait jusqu'au tas de compost au fond. Le pommier commençait à donner des fruits et, bien que les parterres ne soient plus de la première fraîcheur, le jardin offrait un havre de paix au milieu de la petite rue plutôt délabrée. Le mur en brique qui l'entourait en faisait un endroit sûr où pourrait jouer un enfant, et elle se dit qu'il y aurait même assez de place pour un petit toboggan. Il fallait absolument qu'elle quitte ce meublé.

Elle se tourna face à Rick.

« Je suis enceinte. »

Un long et lourd silence s'étira, pendant lequel aucun d'eux ne bougea. Et soudain, Rick enfouit son visage dans ses mains. Tina vit qu'elles tremblaient quand il alla devant l'évier se passer de l'eau froide sur la figure.

« Je n'arrive pas à le croire, finit-il par dire. J'ai l'impression d'avoir reçu un coup de poing en plein dans les dents... Moi qui ai fait tellement d'efforts tous ces derniers mois... Je n'ai pas touché une goutte d'alcool, j'ai trouvé un boulot convenable, j'ai tenu la maison... et pas une seule fois je ne t'ai mis la pression en te demandant de revenir. Chaque fois que je te vois, je fais tout mon possible pour ne pas me mettre à genoux en te suppliant de revenir, et pendant tout ce temps, toi, tu voyais quelqu'un d'autre ! Pourquoi tu ne m'as rien dit ? Tu as cru que je me remettrais à boire si je savais qu'il n'y avait aucun espoir que tu reviennes ? »

Tina fronça les sourcils en s'efforçant de comprendre ce qu'il venait de dire. « Je suis enceinte de cinq mois, Rick. Ce bébé est le tien. »

Peu à peu, ses traits se détendirent, ses yeux s'éclaircirent et sa bouche dessina un grand sourire incrédule.

« Quoi ? Oh, mon Dieu... Tu en es sûre ? »

Il la souleva dans ses bras, la fit tournoyer, puis la reposa par terre en se rappelant son état.

« Désolé. C'est juste que je n'arrive pas à le croire... » Il montra son ventre. « Je peux toucher ? »

Elle acquiesça en souriant. Il posa sa main au milieu et appuya légèrement.

« Je ne sens rien...

— C'est encore un peu tôt. »

Il lui avança une chaise.

« Il va naître quand ?

— À Noël.

— C'est génial ! Je n'arrive pas à le croire », répéta-t-il. Puis il s'assit et prit ses mains dans les siennes. « Et maintenant, qu'est-ce qu'on fait ? »

Tina baissa les yeux. « On ne peut pas vivre comme on vivait avant, murmura-t-elle.

— Ce ne sera pas le cas. Je ne suis plus le même. » Il lui serra les mains plus fort. « Désormais, c'est toi ma priorité, toi et le bébé. Je te promets que tout ira bien. Je t'aime, Tina. »

Elle dégagea ses mains et les posa autour du visage de son mari. « Moi aussi, je t'aime, Rick. »

Et c'était vrai. En dépit de tout ce qui s'était passé, elle n'avait jamais cessé un seul jour de l'aimer.

12

Lorsqu'elle se réveilla le lendemain matin, il lui fallut plusieurs minutes avant de se souvenir d'où elle était. Elle se redressa sur les coudes en clignant des yeux dans la pénombre. Et d'un seul coup, tout lui revint. Elle était chez elle. Rick dormait encore profondément quand elle se leva et descendit au rez-de-chaussée. Elle avait enfilé une des chemises de Rick bien trop grande pour elle. Alors qu'elle regardait par la fenêtre, elle sentit quelque chose palpiter dans son ventre. Elle ignorait si c'était le bébé, ou des papillons de pure excitation à l'idée d'être enfin de retour chez elle. Brusquement, Rick l'entoura de ses bras.

« Oh, tu m'as fait sursauter ! » Elle se retourna et lui sourit. Il l'embrassa tendrement sur les lèvres.

« Bien dormi ? » Il passa sa main sous ses longs cheveux en lui caressant la nuque et l'embrassa avec plus de fougue. Elle répondit, sans ardeur, mais sans le repousser. Ils avaient passé la nuit sagement dans les bras l'un de l'autre. Rick s'en était contenté, mais là, il semblait vouloir davantage. Juste au moment où elle commençait à se détendre, à apprécier ses caresses pour la première fois depuis des années, il s'écarta et alla brancher la bouilloire.

« Tu veux du thé ?

— Euh, oui… volontiers. » Elle resserra les pans de la chemise autour d'elle, croisa les bras pour qu'elle ne s'ouvre pas et s'assit à la table.

Rick sourit. « Ne le prends pas comme ça, Tina… On doit tous les deux aller bosser. Dis-moi, tu veux que je t'aide à transporter tes affaires, ce soir ? Je me suis porté volontaire pour faire des heures supplémentaires, du coup, je n'aurai pas terminé avant six heures, mais après, je serai tout à toi ! »

Tina s'efforça de faire correspondre le nouveau Rick, celui qui faisait des heures supplémentaires, avec le paresseux qu'elle avait connu et qui rechignait à travailler. « Non, ça ira. J'ai seulement une petite valise. Je me débrouillerai. » À la vérité, elle n'avait aucune envie qu'il voie le taudis dans lequel elle avait vécu.

Arrivée au bureau, Tina annonça la nouvelle à Linda. Et, ainsi qu'elle l'avait craint, son amie fut loin de partager sa joie.

« Tu as fait quoi ? »

Incapable de la regarder dans les yeux, Tina continua à taper à la machine. « Il a changé, tu sais, il a vraiment changé.

— Ce type va te détruire. Ivrogne un jour, ivrogne toujours !

— Tu es injuste. Il arrive que les gens changent, et en plus, il y a autre chose.

— Quoi ?

162

— Je suis enceinte. »

Linda s'adossa à sa chaise, les mains croisées derrière la tête. « Dieu du ciel… Alors il va vous détruire tous les deux…

— Comment peux-tu être aussi cruelle ? J'aimerais que tu te réjouisses pour moi. »

Linda se mit à déplacer des papiers sur son bureau. « Attention, voilà Mr J. ! »

Toutes deux se turent quand il passa en leur jetant un regard pour vérifier qu'elles travaillaient avec sérieux.

« Écoute, allons boire un verre en sortant d'ici, reprit Linda dès qu'il fut trop loin pour les entendre. On pourra en parler tranquillement.

— Tu ne me feras pas changer d'avis.

— Peut-être. Mais au moins, je ne pourrai pas me reprocher de ne pas avoir essayé. »

Dans le pub où se pressaient les premiers clients, l'atmosphère était déjà enfumée. Elles trouvèrent une table relativement tranquille un peu à l'écart. Linda apporta leurs commandes. Tina avait fait un saut jusqu'au meublé pour récupérer ses affaires et avait l'impression d'attirer tous les regards avec sa petite valise.

« Et une Lager noire ! » annonça Linda en la posant devant son amie. Le paquet de biscuits au bacon qu'elle tenait entre les dents étouffa en partie ses mots. Elle ouvrit tout grand la bouche et le laissa tomber sur la table.

« Super, dit Tina en repoussant les biscuits. C'est pile ce dont j'ai envie, des trucs séchés avec de la peau de cochon bien gras !

« — Passe-les-moi, je vais les manger. » Linda déchira le paquet d'où s'éleva une odeur de graisse salée.

Tina se boucha le nez. « Je crois que je vais vomir…

— N'exagère pas ! la gronda Linda. Bois un coup et arrête de geindre. »

Tina sourit de la franchise de son amie. « Il me semble avoir lu quelque part que boire de l'alcool quand on est enceinte peut être nocif pour le bébé, dit-elle en buvant une gorgée. Tu crois que c'est vrai ?

— Je crois surtout que c'est le cadet de tes soucis… Ce bébé va grandir avec un père qui est une brute et un ivrogne, qui t'a castagnée je ne sais combien de fois et à qui tu trouves à chaque fois des excuses !

— Il m'a seulement frappée quand il avait bu…

— Et voilà, tu recommences… Est-ce que c'est mieux pour autant ?

— Non, mais je te l'ai dit, Rick ne boit plus depuis des mois. Je ne serais pas retournée avec lui si je n'étais pas certaine qu'il avait changé. J'ai un bébé auquel penser, maintenant. » Elle se caressa le ventre en souriant.

« C'est l'autre problème. Et s'il faisait du mal au bébé ?

— Bon sang, Linda ! Tu ne me connais donc pas ? Tu crois que j'envisagerais de revivre avec lui si je pensais une seule seconde qu'il le ferait ?

— Je disais ça juste comme ça… Il est prévu pour quand ?

— À Noël. »

Linda compta sur ses doigts. « Tu en es à cinq mois ? Je me disais bien depuis quelque temps que tu avais pris un peu de bide… »

Tina sourit. « Sois heureuse pour moi. Je l'aime. »

Linda soupira. « Je suis désolée, mais je ne peux pas être heureuse pour toi. Je sais que l'amour rend aveugle, mais je ne savais pas que ça rendait aussi stupide. »

Tina arriva chez elle à sept heures passées. Elle avait raté le bus et avait dû attendre le suivant pendant vingt minutes. Rick était déjà rentré, et elle ressentit une palpitation d'excitation en mettant la clé dans la serrure.

« Désolée d'arriver aussi tard ! cria-t-elle en tirant sa petite valise dans l'entrée. J'ai loupé le bus et je… »

Elle l'aperçut sur le seuil de la cuisine, une cigarette aux lèvres.

« J'ai cru que tu avais changé d'avis », dit-il. Le ton était accusateur, vaguement menaçant.

« Mais non… » Tina se précipita vers lui et le prit par le cou en évitant habilement sa cigarette. Il resta planté là tout raide sans réagir. Elle recula d'un pas et le regarda.

« Je suis sincèrement désolée. Je suis allée boire un verre en vitesse avec Linda après le travail, et ensuite… »

Il la repoussa. « Tu es allée au pub ? »

Elle sentit les premiers signes de la panique lui crisper le ventre.

« Elle voulait me parler. Comme Mr Jennings n'aime pas qu'on bavarde au boulot, elle a proposé qu'on aille prendre un verre, et ensuite, j'ai loupé le bus. » Elle avait conscience d'avoir l'air affolé et de parler trop vite.

« Je ne pensais pas que ce serait trop demander que ma femme rentre à l'heure pour dîner le premier soir de son retour... Mais, manifestement, Linda passe d'abord !

— Pour dîner ? » Tina entra dans la cuisine.

La table était mise pour deux, avec des bougies, des serviettes en tissu et, au milieu, des freesias, ses fleurs préférées, dans un pot à confiture.

« Eh bien, mangeons... Je meurs de faim !

— J'ai tout jeté à la poubelle. »

Rick fila au salon en la laissant seule et sans voix. Elle n'avait qu'une heure de retard, il aurait pu attendre un peu... Elle s'assit sur une chaise et contempla les efforts qu'il avait faits. Peut-être avait-elle agi en égoïste... C'était le premier soir de son retour, et Rick s'était donné beaucoup de peine. Il avait raison ; elle aurait dû rentrer plus tôt. D'ailleurs, ce n'était pas lui, mais elle, qui aurait dû préparer le repas... Le cœur battant, elle alla le rejoindre sur le canapé. Il ne lui prêta aucune attention et continua à lire le journal.

« Rick, je suis désolée... Tu veux bien me pardonner ? »

Il posa le journal sur ses genoux et la regarda dans les yeux.

« Je suis déçu, Tina, c'est tout. Je croyais que c'était ce que tu voulais... Mais si tu ne peux même pas te donner la peine d'être à l'heure, je me demande si c'est vraiment ce que tu veux.

— Mais bien sûr que si ! Je veux qu'on soit tous les trois une famille... » Son menton trembla, sa voix se brisa.

166

« Dans ce cas, il faudrait que tu fasses preuve d'un peu plus d'engagement, et que tu commences par me faire passer en premier, pour changer !

— C'est promis, Rick. Excuse-moi. »

En l'espace d'une seconde, il changea d'humeur et lui sourit. « Tu es gentille, dit-il en la prenant par les épaules. Si tu faisais un saut à l'épicerie ? C'est le moins que tu puisses faire, non ? »

Soulagée, Tina soupira et l'embrassa sur la joue.

« Oui, bien sûr. Je reviens tout de suite. Repose-toi. »

Un peu plus tard, allongée dans ses bras, elle se félicita d'avoir pris la bonne décision. Auparavant, le fait qu'elle arrive en retard l'aurait mis dans une rage folle, ce qu'elle aurait payé d'une lèvre fendue ou d'un œil au beurre noir. Cette fois, ils en avaient discuté sans perdre leur calme, et Rick lui avait fait comprendre son erreur. Linda avait tort : les gens pouvaient bel et bien changer.

« Tina ?

— Oui ?

— Demain, je voudrais que tu démissionnes de ton travail.

— Mais… pourquoi ?

— Dans quatre mois, tu vas avoir un bébé. J'ai un bon boulot, et j'imagine qu'il te reste une partie de l'argent que tu m'as volé. Tu sais, l'argent du National. »

Qu'il ait dit « volé » l'agaça, mais elle lui confirma que la majeure partie de l'argent était encore à la banque. Elle n'avait pas été dépensière et n'avait puisé dedans que pour l'essentiel, notamment pour payer la nourriture et le loyer.

« Dans ce cas, c'est réglé ! Tu pourras continuer à travailler à la boutique le samedi, si tu veux. Ça te fera du bien de sortir un peu et de voir du monde. »

Tina se lova plus fort dans ses bras en se réjouissant d'avoir un mari généreux. Il était enfin prêt à être celui qui travaillerait pour les entretenir, elle et le bébé. Elle resterait à la maison et veillerait à tous leurs besoins. Tout serait parfait.

Le lendemain, Tina se présenta devant le grand bureau en acajou de Mr Jennings. La journée était terminée, et elle était pressée de rentrer chez elle. Son enveloppe dans une main, elle la tapota en rythme contre la paume de l'autre.

« Qu'est-ce que c'est, Tina ?

— Ma lettre de démission, Mr J.

— Je refuse de la prendre, dit-il en croisant les mains.

— Je crains que vous ne puissiez pas faire autrement. » Elle posa l'enveloppe sur le bureau.

« Vous êtes mon meilleur élément, Tina, vous le savez bien… Les autres ne vous arrivent pas à la cheville. Qu'est-ce qui vous amène à faire ce choix ?

— Eh bien, mon mari a un bon poste, nous avons un peu d'argent de côté et, de toute façon, je suis enceinte.

— Je vois. » Mr Jennings ouvrit l'enveloppe. « C'est vraiment ce que vous voulez ? »

Tina ne sut que répondre. L'idée venait de Rick, néanmoins, elle en voyait tout le bon sens. Comment ferait-elle pour s'occuper du bébé et travailler en même temps ? Il avait raison. Sa place était à la maison, à s'occuper de lui et de leur enfant.

« Oui, monsieur », finit-elle par répondre.

Linda fut atterrée d'apprendre la nouvelle. « Tu ne peux pas t'en aller ! J'en étais sûre... Tu n'es pas revenue avec lui depuis cinq minutes que déjà il te manipule... Tu pourrais au moins rester jusqu'à la naissance du bébé.

— Ça n'a rien à voir avec Rick. C'est mon idée. » Tina était embêtée que Linda en soit venue à cette conclusion, et encore plus qu'elle ait raison.

Elle enfila son manteau en vitesse. « Écoute, il faut que je file. Je ne veux pas arriver en retard à la maison.

— Grands dieux... Vas-y, on se verra demain. »

Tina avait décidé d'arriver la première et de faire en sorte que le repas soit fin prêt quand Rick rentrerait. En réalité, elle eut le temps de lui préparer sa tourte à la viande préférée, de prendre un bain et de remettre de l'ordre dans la maison. À huit heures, elle commença à s'inquiéter. Après la scène qu'il lui avait faite la veille, elle s'était attendue à ce qu'il soit là à l'heure. À neuf heures, elle appela le dépôt pour savoir s'il avait été retenu à son travail. La standardiste, Marie, l'informa qu'il était parti vers cinq heures. Un peu avant dix heures, Tina s'affola. La tourte était toute desséchée, elle avait les nerfs à vif... L'idée qu'il ait pu lui arriver quelque chose de grave alors qu'ils venaient de se retrouver et que tant de belles choses les attendaient lui était insupportable. Pour la centième fois, elle regarda derrière les rideaux en velours marron, le cœur serré de voir la rue toujours aussi déserte. Elle décrocha de nouveau le téléphone afin de vérifier qu'il y avait bien de la tonalité et que la ligne n'avait pas été coupée. Incapable de tenir en place, elle fit les cent pas dans la pièce en se rongeant les ongles – une manie dont elle avait réussi à se débarrasser des années auparavant. Brusquement, elle se figea en entendant du bruit derrière la porte, puis courut ouvrir. Plié en deux, sa clé à la main, Rick était en train de chercher la serrure.

« Rick ! Où étais-tu ? » Elle se jeta à son cou en se laissant gagner par le soulagement.

« Du calme… Je t'avais dit que j'allais boire un verre avec les gars. Ne t'inquiète pas, je m'en suis tenu au jus d'orange. Mitch se marie la semaine prochaine.

— Mitch ?

— Enfin, Mike. Mais on l'appelle Mitch, parce qu'il ressemble au bonhomme Michelin.

— Peu importe… Je me suis fait un sang d'encre ! Tu ne m'as jamais dit que tu devais sortir.

— Je ne te l'ai pas dit ? Je suis pourtant sûr que si. Bon, mon dîner est prêt ? Je meurs de faim. »

Il l'embrassa sur la bouche, et Tina se réjouit que son homme soit enfin rentré. Si seulement son haleine n'avait pas empesté aussi fort la bière, tout aurait été parfait.

13

Tina était perchée sur un tabouret derrière le comptoir quand Graham entra dans la boutique. Une rafale de vent fit s'engouffrer des feuilles mortes à l'intérieur en manquant arracher la porte de ses gonds. La fin de ce mois de septembre était particulièrement glaciale. Elle réprima un frisson.

« Bonjour, Graham. Comment vas-tu ? »

Comme tous les samedis, il venait bavarder avec elle avant l'ouverture du bureau des paris. Il se frotta les mains et souffla sur ses doigts. « Bonjour, ma belle ! Diable, il fait un froid mordant, là-dehors ! »

Il l'embrassa sur la joue et contempla son ventre de plus en plus rond. « Regarde-toi ! »

Tina descendit du tabouret en poussant un soupir. « Plus que trois mois… Je n'en peux plus d'attendre.

— Et à la maison, comment ça va ?

— Graham, s'il te plaît, arrête de te faire du souci pour moi… Tout va bien, je te l'ai dit.

— Tu as l'air fatigué.

— Parce que je suis enceinte de six mois. Imagine dans quel état je serais si Rick ne m'avait pas proposé d'arrêter de travailler ! Il prend bien soin de moi, tu sais.

— Et il ne boit toujours pas ? »

Elle se concentra sur la préparation du thé.

« Tina ?

— Oh, il lui arrive sûrement de boire un verre au pub de temps en temps, avec ses copains du dépôt, mais on ne peut pas lui en vouloir. Il n'y va qu'une fois par semaine, le vendredi soir, et je trouve que c'est très bien comme ça. Il travaille dur. Ce n'est plus du tout comme avant…

— Qui cherches-tu à convaincre, toi ou moi ?

— Tu es aussi terrible que Linda… Je lui fais confiance, c'est la seule chose qui compte. »

Graham s'adoucit. « D'accord, excuse-moi. » Il aperçut l'enveloppe sur le comptoir. « Ça vient d'où ? Elle a l'air ancienne. »

Instinctivement, Tina la serra contre sa poitrine. En dehors de Maud Cutler, elle n'avait parlé à personne de la lettre de Billy, et elle tenait à ce que ça reste ainsi. Sans qu'elle puisse expliquer pourquoi, c'était quelque chose qu'elle voulait faire toute seule. Elle avait longuement réfléchi sur le bien-fondé d'aller plus loin ou pas. Si Chrissie et Billy s'étaient mariés chacun de leur côté et s'ils avaient des enfants, cette lettre risquerait de les perturber de façon inutile. Et si l'un ou l'autre était mort, ou les deux, cela n'aboutirait qu'à rouvrir d'anciennes blessures.

« Ce n'est rien… Rien qui te concerne, en tout cas. »

Graham parut vexé. « Désolé. »

Aussitôt, Tina regretta de lui avoir parlé sur ce ton. Graham voulait juste faire la conversation.

« Non, c'est *moi* qui suis désolée. Je n'aurais pas dû être désagréable avec toi. Tu es un ami, un vrai, mais je vais bien, je t'assure. Buvons du thé et parlons d'autre chose que de moi, d'accord ? »

Finalement, par un vendredi après-midi venteux de la fin octobre, Tina se présenta devant la maison en brique de Gillbent Road. La lettre de Billy était au fond de sa poche. En dépit de ses réserves, elle se sentait dans l'obligation de découvrir ce qui était arrivé aux deux jeunes amoureux. Lorsqu'elle frappa à la porte, elle remarqua que la peinture bleue s'effritait, et que le heurtoir rouillé ne devait pas être souvent utilisé. À l'évidence, les visites dans cette maison étaient rares. Elle frappa une seconde fois et était sur le point de renoncer quand elle entendit du bruit à l'intérieur.

« Qui est là ? cria une voix d'homme âgé.

— Euh… mon nom est Tina Craig. Je suis à la recherche de quelqu'un qui a habité ici. » Elle se pencha et souleva le rabat de la boîte aux lettres pour mieux se faire entendre. « Il s'appelait Billy. Vous le connaissez ? »

Un long silence s'étira. Tina se demandait quoi faire quand elle entendit coulisser un verrou, puis la porte s'entrouvrit sur un homme qui devait bien avoir dans les quatre-vingts ans. Le visage très ridé, les cheveux d'un blanc de neige, il avait un nez proéminent un peu violacé, et ses dents et ses doigts étaient tachés de nicotine.

Tina se redressa.

« Oh, bonjour… Comme je vous le disais, je cherche un dénommé Billy. Je crois savoir qu'il a habité ici il y a longtemps et je me demandais si vous le connaissiez. »

Le vieil homme remonta ses lunettes sur son nez.

« Jamais entendu parler », dit-il d'une voix rauque et sans appel avant de claquer la porte.

Tina resserra son manteau sur son gros ventre pour se protéger du froid et frotta son dos douloureux. D'un seul coup, elle se sentit idiote de se retrouver là, sur le trottoir, devant la maison d'un inconnu.

Elle jeta un regard dans la rue, où elle aperçut une vieille dame qui avançait à petits pas en poussant un chariot en tissu écossais. Celle-ci la fixa et s'efforça d'accélérer l'allure, mais ses vieux os n'étant pas faits pour courir, elle lui fit signe de l'attendre. Le temps qu'elle arrive, elle était tout essoufflée.

« Puis-je… puis-je… vous aider ?

— Vous habitez ici ? demanda Tina en montrant la porte bleue.

— Mais oui. Depuis 1923. Ça fait cinquante ans ! »

Tina la regarda d'un air décontenancé. « Oh, c'est votre mari qui est à l'intérieur ? »

La vieille dame mit sa clé dans la serrure et ouvrit la porte.

« Henry, je suis là ! » Elle se tourna vers Tina. « Oui, c'est mon mari. Alors, que puis-je faire pour vous ?

— Rien. Votre mari a déjà répondu à ma question. Je cherchais quelqu'un dont je pensais qu'il avait habité ici, mais, s'il y a cinquante ans que vous vivez là, j'ai dû me tromper d'adresse. »

La vieille dame avait les yeux larmoyants à cause du froid. Elle sortit un mouchoir pour les tamponner. « Qui cherchez-vous ?

— Je vous l'ai dit, votre mari m'a déjà confirmé qu'il ne le connaissait pas…

— Quel nom ? » insista la vieille dame.

Tina regarda son inquisitrice dans les yeux. « En fait, je ne connais que son prénom… Billy. »

Les mains semblables à du parchemin agrippèrent plus fort le chariot, faisant ressortir les veines bleutées et blêmir les articulations. Puis, lentement, la vieille dame décrispa ses doigts et lui tendit la main. « Alice Stirling, ravie de vous rencontrer. »

Tina était assise dans la cuisine face à Alice, une tasse de thé noir fumante entre les mains. Henry, dans le fauteuil près du feu, regardait par la fenêtre d'un œil hagard.

« Il n'a jamais accepté Billy, commença Alice en montrant d'un signe de tête son mari.

— Il n'était pas mon fils ! » Henry avait une voix d'une force surprenante compte tenu de sa frêle apparence.

« Tais-toi ! le rabroua sa femme. Nous avons adopté Billy quand il avait dix mois. Comme ses deux parents étaient décédés, il avait été placé dans un orphelinat. On s'occupait bien de lui, mais il avait besoin d'un vrai foyer, vous comprenez, d'une mère et d'un père. Nous venions de perdre notre bébé, Edward, et mon chagrin était… » Elle se reprit et maîtrisa sa voix. « Le chagrin était trop dur à supporter, mais dès que le petit Billy est entré dans nos vies et…

— Et qu'il a pris sa place, elle n'a plus jamais repensé à Edward ! coupa son mari.

— Attention à ce que tu dis… Tu n'es qu'un méchant et un vieil imbécile ! Ne l'écoutez pas. »

Mal à l'aise, Tina sortit la lettre et la donna à Alice, qui la retira délicatement de l'enveloppe et la lut. Elle vit sa respiration s'accélérer.

Quand elle eut fini de lire, la vieille dame replia la lettre et prit la parole d'une voix posée. « Où l'avez-vous trouvée ? »

Tina le lui expliqua.

« Je ne comprends pas, dit Alice en secouant la tête. Billy a écrit cette lettre assis là où vous êtes à cette même table… C'était mon idée – il n'a jamais été très doué pour ce genre de choses –, mais quand il a eu terminé, il était content du résultat, heureux d'avoir pu exprimer ses sentiments, de dire à Chrissie ce qu'il ressentait vraiment… Et ensuite, il est sorti la poster. »

Tina retourna l'enveloppe. « Mais il ne l'a pas postée… Regardez. »

Alice examina le timbre vierge de tout tampon. « C'était il y a si longtemps… Je m'embrouille. Il me semblait pourtant qu'il avait dit qu'il allait la poster, mais il n'a pas dû le faire. Je suis sûre en tout cas qu'il est allé parler à la mère de Chrissie et qu'elle ne savait rien de la lettre. Elle lui a dit que Chrissie était partie chez sa sœur en Irlande et qu'elle accoucherait là-bas. Billy l'a suppliée de lui donner son adresse, mais elle lui a répondu qu'elle demanderait à Chrissie si elle était d'accord.

— Et ils ont fini par entrer en contact ? Billy et Chrissie se sont retrouvés ? »

Alice inclina la tête. « Hélas, non... Il n'a plus jamais entendu parler de Chrissie. Et le soir même, Mrs Skinner a été renversée par une voiture. Elle est morte sans avoir repris connaissance.

— Billy a-t-il appris ce qu'étaient devenus Chrissie et le bébé ? »

Alice secoua la tête, le regard triste. « Mon Billy a été tué au combat en 1940. Il avait vingt-deux ans. »

Tina demeura sans voix. Elle jeta un coup d'œil à Henry. Il s'était assoupi dans son fauteuil. Alice se tamponna les yeux avec un mouchoir. Tina finit par se ressaisir.

« Je suis désolée d'avoir rouvert d'anciennes blessures...

— Vous n'avez rien rouvert du tout. La mort de mon Billy est une blessure qui ne s'est jamais refermée. Tous les jours il me manque... Je sais bien que toutes les mères disent ça, mais il était le fils idéal. Et bien que je ne l'aie pas mis au monde, il était ma chair et mon sang tout autant qu'Edward. Le Dr Skinner estimait qu'il n'était pas assez bien pour sa très chère fille, mais la vérité, c'est qu'il était trop bien... » Elle baissa les yeux sur le ventre de Tina. « La vie est précieuse, Mrs Craig. Profitez de chaque instant que vous passerez avec votre bébé. Vous ne connaîtrez jamais un amour aussi fort. »

Des larmes coulèrent sur les joues de Tina. « Je le ferai. Merci. »

Alice se leva tant bien que mal et alla farfouiller dans le tiroir d'un vieux bureau. « Tenez, c'est mon

Billy… » Elle fit glisser sur la table une photo aux bords dentelés. Tina contempla le beau jeune homme en tenue de soldat. « Si jamais vous retrouvez son enfant, donnez-lui cette photo, et dites-lui que son père était l'homme le plus gentil, le plus courageux et le plus séduisant qui ait jamais existé sur cette terre. »

Tina mit la photo dans l'enveloppe avec la lettre. « Je vous le promets, Alice, je ferai tout mon possible pour que Chrissie voie cette lettre. Elle mérite de savoir que Billy voulait faire tout ce qu'il fallait. Pourquoi il n'a pas posté la lettre, nous ne le saurons sans doute jamais, mais il a fait de son mieux pour entrer en contact avec elle, et je tâcherai de faire en sorte qu'elle le sache. »

Lorsque Tina repartit de Gillbent Road, il était six heures et demie, et il faisait déjà nuit. Pendant qu'elle attendait le bus, le ciel se déchira. Elle s'empressa d'ouvrir son parapluie. Par chance, elle vit que le bus approchait et se rasséréna quelque peu. On était vendredi soir. Rick irait boire un verre avec ses collègues et rentrerait tard. Elle repensa à ce que Graham lui avait dit. Mais il se trompait. Elle ne voyait pas en quoi c'était mal que Rick aille boire une ou deux pintes une fois par semaine. Vu les heures de travail qu'il enchaînait pour elle et le bébé, il l'avait bien mérité.

Dans le bus, les vapeurs de diesel ajoutées aux cahots lui donnèrent la nausée. Elle repensa aux propos d'Alice et s'inquiéta tout à coup de ne pas être capable d'aimer assez son bébé. Puis elle se dit que c'était absurde. Alice avait aimé Billy, quand bien même il n'était pas son fils biologique. Alors, elle, qui avait désiré et porté ce bébé pendant neuf mois !

Tina arriva à sept heures passées. La maison était plongée dans l'obscurité. Elle déverrouilla la porte et chercha l'interrupteur. Dans l'entrée, le papier peint marron foncé Anaglypta était particulièrement lugubre, et elle prit note mentalement de demander à Rick s'il serait d'accord pour la repeindre d'une couleur plus claire. Elle tâtonna le mur et trouva l'interrupteur. Mais avant qu'elle ait pu l'actionner, une main brûlante se referma sur la sienne en la faisant sursauter de frayeur.

« Rick ! Pour l'amour du ciel, tu m'as fichu une de ces trouilles ! Je ne me doutais pas que tu étais là… »

Trois choses semblèrent se produire simultanément. Elle distingua tout d'abord une odeur de whisky, puis elle sentit sa tête pivoter au moment où le poing de Rick s'abattit sur sa joue. Alors, lentement, elle avala le sang qui lui remplit la bouche, en essayant de comprendre ce qui lui arrivait avant que tout ne devienne noir.

14

1939

Billy avançait dans la rue obscure en clignant des paupières et en s'efforçant d'ouvrir les yeux le plus grand possible. Le sérieux avec lequel tout le monde respectait ce couvre-feu l'étonnait. Il n'y avait pas la moindre lumière derrière les fenêtres, aucun réverbère n'était allumé, et une voiture roulait prudemment dans la rue, tous phares éteints. La nuit noire comme de l'encre menaçait de l'étouffer. Il était convaincu que cette mesure était plus dangereuse que la menace de vrais bombardements, cependant, ce n'était pas lui qui décidait des règles. Arrivé au croisement, il se sentit un peu désorienté et dut faire un effort pour se rappeler de quel côté se trouvait la boîte aux lettres la plus proche. C'était comme si le monde entier avait changé du jour au lendemain. Pendant qu'il essayait de se repérer, il perçut une présence tout près de lui. Il s'immobilisa en tendant l'oreille, puis entendit craquer une allumette. Se retournant d'un geste vif, il vit la flamme éclairer le visage reconnaissable entre tous du Dr Skinner. Billy passa immédiatement sur la défensive.

« Vous me suivez ?

— Je venais vous voir, oui. »

Le médecin tira une longue bouffée sur sa cigarette et tapota la cendre qui tomba sur le trottoir. « Où allez-vous ? Pas voir ma fille, j'espère… Je vous ai expliqué qu'elle ne voulait plus rien avoir à faire avec vous.

— Elle vous a dit ça ?

— En effet. Il semblerait qu'elle ait fini par retrouver son bon sens.

— Je peux vous demander quelque chose, *Samuel* ? » Billy savait que l'appeler par son prénom le mettrait en rage. Le médecin se contenta d'acquiescer. « Pourquoi me détestez-vous autant ? Qu'est-ce que je vous ai fait ?

— Je suis sûr que vous ferez un jour un mari convenable. Cet endroit ne manque pas de petites dévergondées qui verront en vous une bonne prise, dit-il en montrant la rue lugubre. Mais ma fille est quelqu'un de spécial. Elle mérite mieux qu'un commis de boulangerie orphelin et illettré ! »

Billy se retint de rire. Sachant qu'il disposait d'un atout, il allait prendre son temps avant de le jouer.

« Au moins, je me soucie vraiment de son bonheur. Et de ce qu'elle veut.

— Ma fille ne sait pas ce qu'elle veut. Moi je le sais, parce que je suis son père. »

Billy nota que la seule source de lumière, le bout de la cigarette, diminuait. Il sortit des allumettes de sa poche. Il tenait à voir chaque tendon, chaque muscle et chaque nerf du visage du toubib quand il entendrait ce qu'il s'apprêtait à lui dire. Il craqua l'allumette qui éclaira distinctement les traits du médecin.

Au moment où il le regarda dans les yeux, Billy ne put s'empêcher de sourire. « Vous préférez qu'on vous appelle comment ? Papi ou Grand-Père ? »

Une brève seconde, avant que l'allumette ne se soit consumée et qu'il soit obligé de la lâcher, il observa son visage. Ses yeux se rétrécirent et ses lèvres se serrèrent en une fine ligne tandis que la veine sur sa tempe gonflait en battant à toute vitesse. « Vous êtes un menteur, dit-il dans un souffle.

— Ah oui ? Vous en êtes sûr ? »

L'obscurité se referma sur eux, mais Billy n'avait pas besoin d'y voir pour savoir que le Dr Skinner était furieux. Il le sentait, entendait sa respiration saccadée. Il s'était douté qu'il ne prendrait pas bien la nouvelle, mais sa rage était tangible.

Il reprit la parole avec plus de douceur. « J'aime Chrissie, Dr Skinner. Je sais que je ne suis pas le mari que vous auriez choisi pour votre fille, mais elle porte mon bébé, et j'ai l'intention de me comporter avec honneur. Je ne fuirai pas mes responsabilités. Chrissie et le bébé pourront toujours compter sur moi. Je travaille dur et… »

Le Dr Skinner poussa un cri.

« Aidez-moi… », balbutia-t-il. Il porta la main à sa poitrine en tombant à genoux. Alors que Billy le dévisageait, les poings sur les hanches, le médecin montra la poche de sa veste. « Vite, mes cachets… »

Billy chercha dans sa poche. Et bien qu'il soit certain qu'il s'agissait d'une ruse, il en sortit un petit flacon marron. Il eut du mal à retirer le bouchon, mais finit par y arriver et renversa les cachets au creux de sa paume. « Je n'y vois pas grand-chose… Il vous en faut combien ?

— Tenez… » Le médecin sortit une petite lampe électrique de son autre poche. Le rayon jaune éclaira le petit tas de pilules.

— Les torches sont interdites, Dr Skinner.

— Il s'agit d'une urgence », rétorqua le médecin en lui jetant un regard noir. Puis il prit deux cachets entre ses doigts tremblants et les mit sous sa langue. Après quoi, il se redressa en position assise et s'adossa à un réverbère.

« Merci », murmura-t-il en fermant les yeux.

Billy ne savait pas quoi faire. La respiration du médecin semblait laborieuse. La rue était déserte et, vu sa corpulence, il ne pourrait pas le porter tout seul.

« Je suis désolé, dit-il. Les cachets vous font du bien ? »

Samuel Skinner rouvrit les yeux. « C'est vrai ? Vous avez mis ma Chrissie enceinte ? »

Billy baissa la tête. « Oui, mais je vous l'ai dit, je ferai ce qu'il faut. » Il sortit la lettre de sa poche. « Je viens de lui écrire. Hier, quand elle m'a annoncé la nouvelle, j'ai mal réagi et dit des mots que je ne pensais pas. Je suis passé pour tâcher d'arranger les choses, mais vous ne m'avez pas autorisé à la voir, alors j'ai tout mis par écrit. Je m'en allais poster ma lettre. »

Le Dr Skinner respirait plus calmement. « Aidez-moi à me relever, voulez-vous ? »

Billy l'attrapa sous les bras et le mit debout tant bien que mal. Le médecin s'épousseta et se redressa de toute sa hauteur. « Ça ne sert à rien de la poster.

— Pourquoi donc ?

— Réfléchissez... La guerre a été déclarée hier. Désormais, tout a changé. Le système postal va probablement s'effondrer, et cette lettre ne reverra jamais la lumière du jour. »

Billy en doutait, cependant, personne ne pouvait plus être sûr de rien. C'était comme si tout avait changé d'un jour à l'autre.

« Donnez-la-moi, reprit le médecin en tendant sa main. Je la lui remettrai.

— Je ne sais pas si... Et comment saurai-je que vous la lui avez donnée ? Désolé, je ne veux pas vous manquer de respect, mais je ne vous fais pas confiance.

— Je ne vous en veux pas, néanmoins, c'est pour vous la meilleure solution. »

Billy finit par lui donner la lettre. « Je passerai demain m'assurer qu'elle l'a bien reçue.

— Je n'en doute pas. »

Le Dr Skinner glissa la lettre dans la poche de sa veste.

Quand le médecin rentra chez lui, Chrissie et sa mère étaient en train de parler à voix basse dans la cuisine. Elles venaient de discuter de la meilleure façon de lui annoncer la nouvelle au sujet du bébé. À l'instant où la porte d'entrée claqua, Mabel pressa la main de sa fille sous la table. Chrissie répondit par un sourire anxieux. Entendre le docteur monter l'escalier sans même leur dire bonsoir les intrigua toutes les deux. Mabel se précipita dans l'entrée et agrippa la rambarde en appelant son mari. Chrissie demeura

185

sur le seuil de la cuisine en mordillant la peau autour de son pouce.

« Samuel ? C'est toi ? Qu'est-ce qui ne va pas ? »

Elle l'entendit faire du bruit tandis qu'elle-même montait l'escalier à son tour. Elle le trouva dans la chambre de Chrissie, où elle entra avec une certaine agitation.

« Samuel ? »

Il lui tournait le dos et était en train de sortir des vêtements en les jetant sur le lit. Puis il attrapa une vieille valise marron au sommet de l'armoire, mais, comme la poignée était cassée, elle lui échappa des mains et tomba sur le plancher.

« Bon sang, Mabel, va me chercher une autre valise ! Et ensuite, tu t'arrangeras pour envoyer un télégramme à ta sœur.

— À Kathleen ? Mais... pour quelle raison ? »

Le Dr Skinner s'immobilisa une seconde avant de se tourner vers sa femme, le teint écarlate, le front luisant de sueur et les coins des lèvres écumant de salive.

« Parce que ta fille est une petite dévergondée et qu'il n'est pas question qu'elle reste dans cette maison pour donner naissance à ce bâtard ! Elle va partir en Irlande et s'installer chez Kathleen. »

Mabel se laissa tomber sur le lit. « Samuel, calme-toi, je t'en prie... C'est un choc pour nous tous, mais...

— Tu savais ? N'essaie même pas de prendre sa défense. Elle n'a aucune excuse. Tu n'avais pas le droit de me le cacher. Et une fois que le bâtard sera né ? Tu comptais le garder dans une boîte au fond du jardin comme un animal domestique secret ? »

Mabel n'avait jamais vu son mari aussi paniqué.

Il prononça une dernière phrase qu'il cracha comme du venin. « Elle partira à la première heure demain matin. »

Le lendemain, Chrissie contempla pour la dernière fois sa chambre. Le papier peint imprimé de roses d'un rouge criard, la peinture vert vif, la coiffeuse avec son face-à-main et sa brosse à cheveux bien alignés… tout cela était familier, réconfortant. Comment sa vie avait-elle pu déraper aussi brusquement en prenant cette tournure dramatique ? Elle avait refait sa valise, que son père avait remplie n'importe comment la veille, et, quand elle la souleva, elle fut frappée de constater son insignifiance. Elle n'avait pas grand-chose à montrer de ces dix-neuf années passées sur cette terre. Malgré la douceur de la température, elle avait mis son meilleur manteau d'hiver, et ses cheveux étaient impeccablement bouclés sous son chapeau. Elle avait le teint très pâle, et dans son regard bleu éteint se lisait un profond désespoir.

Assise devant la coiffeuse, elle prit le rouge à joues qu'elle avait acheté récemment. Les doigts tremblants, elle en étala un peu sur ses pommettes tout en les pinçant. L'éclat qui en résulta la faisant se sentir un peu mieux, elle prit son rouge à lèvres. *Et puis zut !* songea-t-elle. *Puisqu'il me traite de dévergondée, autant que j'aie l'air d'en être une !* Après avoir appliqué deux couches de fard rose sur ses lèvres, elle mit du khôl noir sur ses sourcils et sous ses yeux. Elle fourra le maquillage dans son sac en entendant la voix de sa mère crier du rez-de-chaussée.

« Chrissie, il est l'heure de partir… »

Respirant un grand coup, elle attrapa sa petite valise, puis jeta un dernier regard sur sa chambre avant de descendre. Sa mère et son père l'attendaient au pied de l'escalier.

Mabel lui répéta ses instructions : « Écris-moi dès que tu seras chez tante Kathleen. Je penserai à toi, Chrissie. Je viendrai te voir dès que possible et je serai là quand le bébé naîtra. »

Le Dr Skinner émit un bruit moqueur. Mabel lui jeta un regard noir. « Je suis navrée que les choses doivent se passer ainsi, mais tu le comprends, n'est-ce pas ? Ton père est quelqu'un d'important dans cette ville, et la honte d'avoir une fille qui… »

— Maman, s'il te plaît, on pourrait ne pas revenir là-dessus ? Je suis une fille abominable qui a fait quelque chose d'abominable, et j'en paye le prix ! » Elle baissa les yeux. « J'ai cru sincèrement que Billy m'aimait, ajouta-t-elle dans un murmure. Ça prouve à quel point on peut se tromper… »

Au même instant, Leo arriva du jardin en bondissant et tourna autour de ses jambes. Chrissie s'accroupit pour lui gratter les oreilles. L'animal s'ébroua joyeusement.

« Au revoir, mon vieux… Tu vas me manquer. Sois bien sage. » Le visage enfoui dans sa fourrure, elle respira son odeur une dernière fois avant de se relever et de se tourner vers sa mère. « Promets-moi que tu veilleras sur lui. »

Mabel écrasa une larme au coin de son œil. « Bien sûr, Chrissie, je te le promets. »

Elle prit sa fille dans ses bras en la serrant de toutes ses forces. Chrissie réprima un sanglot. Elle ne voulait pas donner à son père la satisfaction de la voir pleurer. D'un seul coup, elle fut impatiente de partir. La petite entrée sombre la rendait claustrophobe, elle avait l'impression qu'il n'y avait pas assez d'air pour qu'ils puissent tous respirer. Après avoir embrassé sa mère une dernière fois, elle recula pour se tourner vers son père. Lorsqu'elle vit son regard glacial, elle comprit que les mots ne serviraient à rien et se contenta de lui adresser un vague signe de tête. Puis elle quitta la seule maison qu'elle ait jamais connue et s'en alla commencer un nouveau chapitre de sa vie.

15

Plus tard dans la soirée, alors que la pluie cinglait les vitres, Mabel était au cabinet médical en train de mettre à jour les fiches des patients. C'était une tâche dont Chrissie se serait chargée avec beaucoup plus d'efficacité, et elle se rendit compte que sa fille allait lui manquer encore plus qu'elle ne l'imaginait. La sonnette retentit, la faisant sursauter. Leo se précipita dans l'entrée en aboyant comme un fou. Mabel abandonna ses fiches et alla ouvrir. Elle n'était pas d'humeur à recevoir qui que ce soit, ce que son expression maussade, son teint gris et ses yeux rougis feraient comprendre à l'importun sans aucune ambiguïté. À cause du mauvais temps, celui-ci avait enfoncé sa casquette au ras des yeux et remonté le col de sa veste, de sorte que Mabel ne le reconnut pas immédiatement.

« Bonsoir, Mrs Skinner... Je suis désolé de vous déranger, mais je voulais savoir si je pourrais dire un mot à Chrissie. »

Leo, qui avait reconnu la voix de Billy, se mit à japper de joie dès que Mabel lâcha son collier. Il se pencha et caressa le chien.

« Euh… Est-ce qu'elle est là, Mrs Skinner ? »

Sans un mot, Mabel lui fit signe d'entrer.

« Merci, dit-il en retirant sa casquette et en se passant la main dans les cheveux.

— Suivez-moi.

Une fois dans la cuisine, en pleine lumière, Billy remarqua son air défait. « Mrs Skinner… Est-ce que ça va ? » Il jeta un regard alentour. « Il n'y a personne ?

— Mon mari a été appelé en urgence et Chrissie est en route pour l'Irlande.

— L'Irlande ? Mais pourquoi ? »

Mabel se cacha le visage et fondit en larmes.

« Mrs Skinner, je vous en prie, dites-moi ce qui s'est passé… Est-ce qu'elle a lu ma lettre ? »

Elle s'essuya les yeux et le regarda d'un air surpris. « Quelle lettre ? »

Billy parla cette fois avec plus de précipitation. « Hier soir, j'ai donné une lettre au Dr Skinner pour qu'il la remette à Chrissie. Je m'en allais la poster, mais je l'ai croisé, et il m'a persuadé de la lui confier en me disant que la poste n'allait plus fonctionner aussi bien maintenant qu'on est en guerre… Est-ce qu'il la lui a donnée ?

— Je ne sais rien de cette lettre. Tout ce que je sais, c'est que vous avez brisé le cœur de ma fille… et que ma famille se retrouve déchirée… » Mabel tapa du poing sur la table. « Vous n'avez pas pu vous empêcher de la toucher, et ensuite, vous l'avez jetée comme un vieux journal ! Heureusement pour vous que mon mari n'est pas à la maison, sans quoi je ne donnerais pas cher de vos chances de ressortir d'ici entier ! »

Billy s'efforça de la calmer. « S'il vous plaît, Mrs Skinner, écoutez-moi… »

Elle s'assit et posa la tête dans ses bras sur la table en sanglotant cette fois ouvertement.

« Écoutez, je reconnais que je n'ai pas très bien pris la nouvelle du bébé, reprit-il en marchant de long en large. C'est que… ça m'a fait un choc, vous comprenez. Chrissie et moi avons… Nous n'avons été intimes qu'une seule fois, et c'était… »

Mabel se redressa, le visage brouillé de larmes. « Épargnez-moi les détails, je vous en prie ! »

Billy poursuivit d'un air sérieux. « Ce que je veux dire, c'est que notre relation a toujours été une histoire de sentiments. Quand Chrissie m'a annoncé qu'elle était enceinte, la surprise a été telle que j'ai eu besoin d'être seul le temps de digérer la nouvelle. À ma grande honte, je l'ai laissée là, je me suis sauvé en courant… Je ne pensais plus qu'à une chose : comment faire pour élever un bébé dans un monde en guerre, alors que je devrais partir me battre en la laissant l'élever toute seule… Et si j'ai paniqué, ce n'est pas parce que je ne l'aime pas, mais bien au contraire parce que je l'aime.

— Pourquoi ne lui avez-vous pas dit tout cela ? »

Billy était tout rouge d'anxiété. « J'ai essayé. Je suis revenu le soir même, mais votre mari m'a dit qu'elle ne voulait plus me voir. »

Mabel secoua la tête. « Samuel nous a dit que vous en aviez eu assez d'attendre et que vous pensiez qu'elle n'en valait pas la peine. Je dois avouer que j'ai trouvé ça particulièrement cruel. »

Billy grinça des dents. « Ce ne sont que des mensonges ! Je ne comprends pas pourquoi votre mari me déteste à ce point...

— Il vous détestait avant même que sa fille ait des problèmes, alors, vous imaginez ce qu'il pense de vous à présent !

— Il ne lui a pas donné ma lettre ? » Billy rit avec dérision. « Je savais bien que j'avais raison de ne pas lui faire confiance... Comment ai-je pu être aussi stupide ?

— Vous avez été stupide, en effet, personne ne prétendra le contraire. Qu'y avait-il dans cette lettre ?

— Des excuses, une déclaration et une demande en mariage.

— Vous voulez épouser Chrissie ?

— Jamais de ma vie je n'ai jamais été aussi sûr de quelque chose. Je l'aime, Mrs Skinner, je l'aime de tout mon cœur... Il faut que je la voie, et tout s'arrangera.

— Il est trop tard. Elle est partie en Irlande chez ma sœur. Elle accouchera là-bas, loin des regards curieux et des commérages.

— Mais elle devrait être ici, auprès de sa famille ! Je vous en prie, Mrs Skinner, c'est mon bébé à moi aussi... N'ai-je pas le droit d'avoir mon mot à dire sur l'endroit où il naîtra ? » Il prit un ton implorant. « Je vous en prie, donnez-moi son adresse pour que je puisse lui faire part de mes sentiments avant qu'il ne soit trop tard.

— Je viens de vous le dire, Billy, il est déjà trop tard.

— Non. Ce n'est pas possible ! »

Mabel regarda ses yeux sombres et, malgré la douleur qu'elle y perçut, elle comprit pourquoi sa fille était tombée amoureuse. Billy était un très bel homme, et, dans d'autres circonstances, elle aurait été fière de l'avoir pour gendre. Elle se radoucit quelque peu.

« Écoutez, il se fait tard, mon mari va rentrer d'une minute à l'autre. S'il vous trouve ici... Tenez-vous vraiment à ce que je vous dise ce qui se passera ? Demain, j'écrirai à Chrissie, et, si elle le souhaite, elle pourra prendre contact avec vous.

— J'apprécierais, Mrs Skinner, dit-il en inclinant la tête.

— Vous devrez toutefois être patient. Ma sœur habite en pleine campagne et elle n'a pas le téléphone, par conséquent, ça prendra du temps. »

Billy poussa un soupir, l'air soulagé. « Je comprends. Merci. Je vous promets que je ne laisserai pas tomber Chrissie.

— Vous n'avez pas intérêt. Bonne nuit.

— Bonne nuit, Mrs Skinner. »

Le Dr Skinner entra dans la cuisine en secouant son imperméable ruisselant de pluie.

Mabel, qui était en train de coudre, redressa la tête. « À cette heure-ci, elle doit être à la pension à Dublin. La pauvre, faire un voyage pareil dans son état... Et demain, ce sera encore une longue journée. Dieu sait à quelle heure elle arrivera enfin chez Kathleen... »

Son mari ne lui prêta pas attention et ouvrit le journal.

Mabel reposa son ouvrage sur la table. « Pourquoi tu ne m'as pas dit que tu avais vu Billy, hier soir ?

— Ça a dû me sortir de l'esprit, répondit-il sans qu'elle puisse voir l'expression de son visage. Mais... comment le sais-tu ?

— Il est venu en demandant à parler à Chrissie. Et il a dit t'avoir remis une lettre à son intention. Où est cette lettre, Samuel ? »

Il se tourna vers sa femme en laissant s'exprimer sa fureur.

« Il ne comprend donc pas quand il faut renoncer ? Je lui ai pourtant expliqué qu'il n'était pas question qu'il fasse partie de la vie de Chrissie ! Elle est belle et intelligente, elle pourrait avoir tous les hommes qu'elle veut...

— C'est Billy qu'elle veut.

— C'est peut-être ce qu'elle croit maintenant, mais c'est uniquement à cause de ce maudit bébé... Une fois qu'il aura été adopté, elle retrouvera son bon sens.

— Adopté ? Mais de quoi parles-tu ? Elle va garder le bébé...

— Moi vivant, je veillerai à ce que ces deux-là n'aient plus rien à faire ensemble et à ce que ce bâtard soit placé dans un foyer, là où il doit être.

— Jamais Chrissie n'acceptera... Tu ne peux pas la forcer à abandonner son bébé !

— C'est ce que nous verrons. »

Mabel se leva d'un mouvement si brusque que la chaise se renversa. « Tant que je ne serai pas morte et enterrée, certainement pas ! »

Le téléphone sonna dans l'entrée. Le son strident les fit sursauter.

Mabel décrocha. « Allô, ici le cabinet médical... Oh, bonsoir, Mr Henderson... »

Après une brève conversation, Mabel revint dans la cuisine. « C'était Mr Henderson. Sa femme vient de perdre les eaux, je vais devoir y aller. Mais, dès mon retour, nous reprendrons cette discussion. Je veux lire la lettre que t'a donnée Billy. » Elle enfila sa cape bleu marine et alla chercher sa sacoche.

« Tu devrais prendre une lampe électrique, Mabel. Il fait noir comme dans un four. Veux-tu que je t'accompagne ? L'idée que tu sortes toute seule ne me plaît pas trop.

— Je l'ai déjà fait des centaines de fois, Samuel. Sans que ça ne t'ait jamais inquiété. De toute manière, les torches sont interdites pendant le couvre-feu. »

Il farfouilla dans un tiroir d'où il sortit une vieille enveloppe qu'il mit autour de la torche. « Tiens, prends ça… C'est toujours mieux que rien. »

Mabel la prit. « Tu es une vieille tête de mule, Samuel Skinner… Parfois, je te déteste ! »

C'était une nuit épouvantable. Mabel remonta sa capuche et la noua sous son menton. Tout en luttant contre le vent et la pluie qui tombait à l'horizontale, elle essaya d'éviter les immenses flaques. La torche ne lui servait quasiment à rien, et se repérer n'était pas facile. Brusquement, elle trébucha sur un pavé fendu, glissa au bord du trottoir et tomba sur la route de tout son long en lâchant sa sacoche. Elle n'eut le temps ni de voir ni d'entendre la voiture qui la heurta de plein fouet. Seulement de sentir une odeur de caoutchouc brûlé quand le conducteur tenta de freiner, puis le choc qui lui brisa la colonne vertébrale comme une simple allumette.

16

Kathleen McBride pressa le télégramme sur sa poitrine en secouant la tête d'un air incrédule.

« Sainte Vierge Marie, mère de Jésus ! » marmonnat-elle en faisant un signe de croix.

D'après ce qu'elle comprenait, sa nièce enceinte était en route pour venir s'installer chez elle, et elle ne pouvait rien y faire. Elle jeta le télégramme dans le feu avec colère. Se débarrasser de ses responsabilités était typique de son beau-frère. Cet homme était le plus détestable qu'elle ait jamais rencontré, et elle ne lui avait jamais pardonné d'avoir emmené sa sœur en Angleterre. Mabel s'était laissé subjuguer par ce protestant, et, apparemment, ils avaient élevé leur fille en faisant d'elle une petite pimbêche aux mœurs légères.

Depuis la mort de leurs parents, c'était à Kathleen qu'avait incombé de s'occuper de la ferme familiale. Deux de ses frères et sœurs étaient morts en bas âge, et ses frères survivants, deux égoïstes, avaient émigré en Amérique en quête d'une vie plus facile. Elle était l'aînée de six enfants, la seule qui se souciait de la ferme et des sacrifices auxquels avaient consenti leurs parents. Ils avaient passé toute leur existence à lutter pour qu'elle reste rentable et pour leur offrir à tous un foyer aimant, et elle était bien décidée à ce que la ferme reste dans la famille et à respecter les valeurs de ses ancêtres.

Elle vivait de façon frugale. Outre que la propriété n'avait ni l'électricité ni l'eau courante, la vie dans cette région rude et impitoyable située au pied des monts Galtee, au sud de l'Irlande, était une lutte permanente. Les bâtiments décrépissaient, une humidité implacable s'élevait de la terre marécageuse, s'infiltrant dans les murs épais qui s'effritaient et jusque dans les os. Le feu qui brûlait dans la cuisine servait à la fois à se chauffer et à cuisiner, si bien qu'il fallait prendre garde à ne jamais le laisser s'éteindre. La nuit, Kathleen étalait des cendres grises sur les braises, et après les avoir enlevées le matin, elle ranimait le feu qui continuait à brûler en dessous. Dès le lever, on allait tirer de l'eau au puits avant même de prendre le petit déjeuner. Une marmite suspendue dans la cheminée servait à la faire chauffer – un processus ennuyeux qui vous cassait le dos. Il fallait aussi aller découper des blocs de tourbe dans la tourbière et les laisser sécher le temps qu'ils soient prêts à être brûlés.

Kathleen remit une brique de tourbe sur les flammes. La pièce se remplit aussitôt d'une fumée épaisse qui la fit tousser. Lentement, elle se redressa en se frottant les reins. Elle n'avait que quarante-cinq ans, mais des années de dur labeur dans ce climat impitoyable l'avaient usée avant l'âge.

Elle ne savait pas du tout à quelle heure ou comment arriverait sa nièce, mais ce n'était pas son problème. Dans son état, il était hors de question qu'elle reste à la ferme. Bien qu'elle soit toute seule dans la pièce, Kathleen rougit rien que d'y penser. Dans ce petit village, la nouvelle que sa nièce était enceinte sans être mariée se répandrait comme une traînée de poudre. Elle imaginait déjà les membres de la paroisse se pousser du coude lorsqu'elle s'agenouillerait sur son prie-Dieu en baissant la tête de honte. Au nom du ciel, à quoi donc avait pensé sa sœur en lui envoyant sa rebelle de fille ?

Elle ouvrit la porte et appela dans la cour.

« Jackie, viens ici une minute ! »

Jackie Creevy, âgé de dix-neuf ans et pas encore brisé par des années de travail incessant, se leva d'un bond et s'écarta du cheval de trait qu'il était en train de soigner.

« Oui, Miss McBride, qu'est-ce que je peux faire pour vous ? »

Kathleen sourit – un sourire qui n'était pas loin de l'affection –, néanmoins l'inquiétude était gravée sur son visage.

« Ma nièce va arriver aujourd'hui. Je ne sais pas quand exactement, mais est-ce que tu pourrais la guetter ? Dès qu'elle sera là, je veux que tu viennes me chercher. Ne lui parle pas et ne lui pose pas de questions.

— D'accord, Miss McBride. Ça va être bien pour vous ! »

Jackie souleva sa casquette, puis retourna auprès de Sammy qui attendait patiemment. Tout en enlevant délicatement la boue sur les jambes du cheval à l'aide d'une brosse, il réfléchit à ce que venait de lui dire sa patronne. Depuis quatre ans qu'il travaillait à la ferme, Miss McBride ne lui avait jamais parlé de sa famille, et, d'un seul coup, une nièce allait arriver ! Étant donné que sa patronne ne recevait pas grand monde, la nouvelle était plutôt enthousiasmante, même s'il avait compris à l'expression de son regard que cette demoiselle n'était pas la bienvenue.

Il termina en passant de l'huile de ricin sur les jambes du cheval pour le protéger de l'humidité, après quoi il l'emmena manger son foin à l'écurie. Il siffla les chiens qui dormaient au fond, nichés au milieu de la paille. Aussitôt, ils vinrent aboyer avec enthousiasme autour de ses jambes. Jackie appela également les deux autres employés, Michael et Declan, qui étaient en train de faire une pause, puis, ensemble, ils remontèrent le chemin et allèrent chercher le bétail pour la traite du soir. Bien que ce ne soit qu'un petit troupeau, la traite leur prendrait à eux quatre deux bonnes heures. Marchant d'un bon pas, Jackie se demanda si la nièce allait rester longtemps et si elle donnerait un coup de main à la ferme. Toute aide serait la bienvenue.

Au moment où le bétail entra dans la cour, Kathleen était en train de sortir un mouton mort d'un fossé. Elle s'essuya les mains sur son tablier et rejoignit les autres dans la grange. Tandis que Michael faisait entrer les vaches une à une, elle attacha un bout de ficelle autour des pattes arrière des plus récalcitrantes. Plus d'une fois, un employé s'était retrouvé dans l'incapacité de travailler pendant des jours après avoir reçu un méchant coup de sabot d'une vache mal lunée.

En dehors du bruit du lait qui coulait dans les seaux en fer, le silence régnait. Jackie se tourna vers Kathleen, qui trayait la vache avec plus de brusquerie que d'ordinaire.

« Comment s'appelle votre nièce, Miss McBride ? »

Kathleen serra le pis plus fort. La vache protesta en frappant le sol de ses pattes arrière.

« Inutile de te soucier de ce genre de détails, Jackie. Elle ne va pas rester longtemps ici.

— Dommage… Ça vous ferait de la compagnie, sans compter qu'elle pourrait vous aider dans vos tâches.

— C'est une fille de la ville. Je doute qu'elle sache d'où vient le lait… J'imagine qu'il apparaît devant sa porte comme par magie !

— Ah… Mais vous pourriez l'éduquer, Miss McBride. »

Kathleen déplaça son tabouret derrière la vache suivante.

« Dites donc, vous êtes rapide, ce soir ! » observa Jackie, l'air admiratif. Personne ne pouvait accuser sa patronne de ne pas accomplir sa part de travail.

« Il y a un mouton mort dans le fossé. Va le mettre de côté pour Pat.

— J'y vais, Miss McBride. »

Pat était un négociant qui passait dans toutes les fermes de la vallée pour emporter les œufs, la crème, le beurre ou les légumes qu'elles produisaient et les revendre en ville. Les commerçants payaient directement les fermiers, et Pat prélevait une petite commission au passage. Kathleen lui laissait prendre les bêtes mortes de causes naturelles. Manger du mouton quand on ignorait de quoi il était mort était impossible, mais Pat en tirerait une petite somme en revendant la laine. Il ferait ensuite bouillir la carcasse, puis recueillerait la graisse et la revendrait à des fermiers qui s'en servaient pour graisser les roues de leurs charrettes. Il avait même réussi à en vendre au pharmacien de Tipperary, qui avec cette graisse immonde faisait du savon et de la crème pour le visage.

À la tombée du crépuscule, Jackie s'étendit dans la grange. Il dormait sur un lit de paille, recroquevillé contre les chiens, éclairé seulement d'une lampe à l'huile. Miss McBride lui avait donné d'épaisses couvertures et lui apportait une tasse de chocolat chaud avant qu'il ne s'endorme. Il avait vécu heureux dans cette ferme où elle l'avait accueilli à l'âge de quatorze ans quand il s'était retrouvé orphelin. Il ne gagnait pas grand-chose, mais il avait le gîte et le couvert, et, parfois, Michael et Declan l'emmenaient au pub faire une partie de cartes ou de dominos. La vie était simple et routinière, chaque jour n'était pas très différent du suivant. De sorte que, lorsqu'il entendit les sabots de l'âne trotter dans la cour, son cœur s'accéléra.

Il s'approcha de l'entrée de la grange. Le conducteur descendit de la carriole et tendit la main à la nièce de Miss McBride, qui la prit d'un geste hésitant, puis sauta à terre en jetant des regards alentour. Fasciné par ce spectacle, Jackie demeura un instant immobile avant de se rappeler les règles de la politesse. Il courut accueillir la nouvelle venue et ôta sa casquette.

« Bonsoir... Vous devez être la nièce de Miss McBride. Bienvenue à la ferme de Briar !

— En effet. Je m'appelle Chrissie... Enchantée. »

La jeune fille avait l'air épuisé. Sa peau était très pâle, ses lèvres gercées et ses cheveux blonds pendaient lamentablement. Jackie n'en pensa pas moins que c'était la plus belle fille qu'il ait jamais vue. Il y avait chez elle une douceur attachante, mais aussi quelque chose de vulnérable qui lui donna tout de suite envie de la protéger. Il prit sa petite valise et l'emmena vers la maison.

« Je m'appelle Jack Creevy, mais tout le monde m'appelle Jackie. »

Elle lui sourit. « Ravie de vous rencontrer, Jackie.

— Suivez-moi, je vais vous conduire à votre tante. »

17

La maison minuscule avait un toit en chaume qui descendait très bas et deux petites fenêtres de part et d'autre de la porte. Et elle était si ancienne qu'elle donnait l'impression de pouvoir s'écrouler d'une minute à l'autre. Mais l'éclat du feu qui brûlait à l'intérieur était accueillant, et Chrissie était contente d'être enfin arrivée.

Jackie frappa un coup timide à la porte. Il sourit à Chrissie, et tous les deux attendirent. Quand la porte s'ouvrit, elle aperçut pour la première fois sa tante. Les cheveux gris, le visage buriné et ridé, Kathleen était voûtée comme une femme qui aurait eu deux fois son âge. Elle observa Chrissie d'un œil méfiant.

« L'eau, Jackie.

— Tout de suite, Miss McBride. »

Chrissie remarqua le réceptacle dans le mur à côté de la porte d'entrée. Un petit bassin en pierre rempli d'eau.

Jackie y plongea la main et aspergea Chrissie de quelques gouttes. Celle-ci secoua la tête en les sentant lui entrer dans les yeux.

« C'est de l'eau bénite », expliqua-t-il.

Kathleen tendit la main à sa nièce, qui la prit, un peu embarrassée que ses paumes moites trahissent sa nervosité. La main de sa tante était si rêche qu'on aurait dit qu'elle portait des vieux gants en cuir.

« Tu dois être Chrissie… Entre ! Ce sera tout, Jackie, merci.

— Très bien. Bonne nuit, Miss McBride… Bonne nuit, Chrissie ! »

Kathleen lui jeta un regard noir, mais Chrissie se retourna et lui adressa un petit salut avant qu'il ne sorte.

« Bon, débarrasse-toi de ce manteau, tu veux ? »

Chrissie ôta son gros manteau et le donna à sa tante, qui le jeta sur son bras, puis recula d'un pas en la toisant de la tête aux pieds.

« Ça ne se voit pas. »

Chrissie lissa sa robe et caressa son ventre.

« Je ne suis enceinte que de deux mois. Le bébé n'arrivera pas avant le mois d'avril. »

Kathleen parut soulagée.

« Et tu es en forme ?

— Oui, merci.

— Et le père du bébé ? »

Quel que puisse être leur lien de parenté, Chrissie ne se sentait pas d'humeur à se soumettre à un interrogatoire de la part d'une parfaite inconnue. Elle se contenta de secouer la tête.

« À quoi diable as-tu pensé, ma fille ? Tes parents ne t'ont-ils donc enseigné aucune morale ? As-tu idée de la honte que tu as jetée sur cette famille ? »

Chrissie soupira. « Je commence à en avoir une, oui… » Son menton trembla.

« Nous en parlerons plus tard, dit alors Kathleen sur un ton plus doux. Tu as l'air exténuée... Va t'asseoir près du feu. Je vais faire du thé. »

Chrissie obéit volontiers et ôta ses chaussures.

« Si ça ne vous dérange pas trop, j'aimerais bien prendre un bain. Je viens de voyager pendant presque deux jours entiers.

— Un bain ? Jésus, Marie, Joseph ! Tu te crois où, petite ? »

En observant la pièce à peine meublée, Chrissie réalisa son erreur.

« On va tirer l'eau du puits là-bas dehors et on la chauffe là-dedans, expliqua sa tante en lui montrant la grande marmite noire suspendue dans la cheminée. C'est très commode, tu t'y habitueras vite... Les toilettes sont à l'extérieur, derrière la grange. »

Chrissie ravala ses larmes. « Et où vais-je dormir ?

— Ici. Il n'y a qu'une chambre. »

Elle se retourna et aperçut le petit lit préparé dans un coin.

« Bien, reprit Kathleen d'un ton solennel. Il semblerait que nous allons devoir nous supporter. Je ne sais pas laquelle de nous deux s'en sort le plus mal, mais tant que tu resteras ici, autant essayer de nous entendre. Tu n'as aucune objection contre le fait de travailler ?

— Bien sûr que non. J'aide... enfin, *j'aidais* mon père au cabinet médical. »

Kathleen eut un rire moqueur. « Je parlais de vrai travail... Tu as déjà trait une vache ? Transporté des ballots de paille ? Nettoyé une écurie ou rentré les moissons par n'importe quel temps ? »

Chrissie fit signe que non.

« C'est ce que je pensais… Mais tu n'es pas venue ici pour être en vacances. J'attends de toi que tu fasses ta part. »

Elle lui tendit du thé dans un pot à confiture.

« Tu vois, j'ai sorti ma plus belle porcelaine en ton honneur ! » observa Kathleen avant de boire une gorgée en lui faisant un clin d'œil. Chrissie esquissa un petit sourire.

Lorsque vint l'heure de se coucher, Chrissie eut l'autorisation d'accompagner sa tante dans sa chambre à l'étage. Dans un coin trônait une table recouverte d'un tissu blanc immaculé. De chaque côté était posée une bougie, et, au milieu, trois statuettes : une de Notre Dame, une de saint Joseph et une de l'Enfant Jésus de Prague. Des fleurs séchées étaient disposées devant.

« Voilà mon autel ! précisa Kathleen avec fierté. Tu peux prier ici avec moi avant d'aller au lit.

— Merci.

— Une famille qui prie ensemble reste soudée. »

Kathleen s'agenouilla. Chrissie l'imita. Le plancher dur était si impitoyable pour les genoux qu'elle chercha une position confortable. Kathleen joignit les mains et ferma les yeux.

« Père, nous te remercions d'avoir amené Chrissie indemne dans notre maison. Nous te prions de la guider dans la situation malheureuse où elle se trouve. Nous prions pour que son âme soit lavée de sa tache avant qu'elle ne quitte ce monde pour l'autre… Nous te remercions pour la moisson que nous avons rapportée de nos champs et nous prions pour que nos récoltes soient toujours abondantes... Nous te remercions de veiller sur nos bêtes qui paissent dans tes verts pâturages... Nous prions pour que tu continues à veiller sur Jackie et sur les autres, et à les protéger des maladies et des infortunes durant les mois d'hiver... Seigneur, nous prions pour que tu nous pardonnes nos péchés. Amen.

— Amen », répéta Chrissie. Elle voulut se relever, mais Kathleen la retint par le bras.

« Marie, mère de Dieu..., marmonna sa tante.

Chrissie la regarda sans comprendre ce qu'elle était censée faire.

« Priez pour nous, lui souffla Kathleen.

— Oh... Priez pour nous, répéta Chrissie.

— Saint Joseph... » Sa tante lui donna un coup de coude dans les côtes.

« Priez pour nous.

— Amen, conclut Kathleen, qui se releva enfin.

— Amen. » Chrissie se leva à son tour.

« À ce que je vois, tu ne vas pas régulièrement à l'église...

— Non. Papa est médecin. Et comme il croit plus au pouvoir de la médecine qu'à celui de la prière, je n'ai pas fréquenté beaucoup les églises. Nous allions à la messe de minuit à Noël, et puis aux mariages, aux enterrements et aux baptêmes, bien sûr, mais, en dehors de ça, non, je ne peux pas dire que j'y suis allée souvent.

— Si c'était le cas, nous ne serions pas ici en train d'avoir cette conversation ! » Kathleen pinça les lèvres en secouant la tête. « Tu peux te retirer dans ton lit. Nous nous levons à cinq heures pour réciter les

211

prières. Tu n'auras qu'à monter me rejoindre devant l'autel. Ensuite, il y a juste le temps d'aller puiser l'eau avant que les cloches de l'église ne sonnent l'angélus à six heures. Et après, c'est la traite du matin, et ensuite le petit déjeuner. Tu participeras aux tâches, mais tu ne devras en aucun cas parler de ton état à Jackie ou aux autres. C'est compris ?

— Oui, tante Kathleen, répondit Chrissie, le regard triste.

— Tu peux prendre de l'eau chaude dans la marmite pour te laver, et tu trouveras un pot de chambre au bout de ton lit. Mais c'est uniquement pour la nuit. Dans la journée, tu devras utiliser les toilettes à l'extérieur. Tu as des questions ?

— Non.

— Très bien, alors, à demain. Bonne nuit. »

Chrissie redescendit et approcha une chaise devant la cheminée. Il était impossible de se réchauffer, son souffle restait en suspens dans l'air chaque fois qu'elle exhalait. Et comme sa tante avait préparé le feu pour la nuit, il ne s'en dégageait que peu de chaleur. Toutefois, l'eau dans la marmite était encore tiède. Après en avoir versé dans une cuvette, elle prit le linge que sa tante avait laissé sur le lit et, lentement, elle entreprit de se débarrasser de la saleté accumulée au cours de ces deux longues journées de voyage. Pendant tout le temps où elle se déshabilla et se lava, elle trembla sans parvenir à s'arrêter. À cette seconde, elle aurait donné n'importe quoi pour un long bain chaud avec de la mousse.

Elle sortit de sa petite valise sa chemise de nuit. En l'enfilant, elle reconnut l'odeur familière de chez elle.

212

La maison de Wood Gardens avait une odeur très singulière – un mélange de médicaments, de cire et des effluves appétissants de la cuisine de sa mère. D'un seul coup, Chrissie se sentit au bord des larmes. Elle aurait tant voulu être dans son lit, avoir le réconfort des bras de sa mère, l'amour inconditionnel de Leo… Elle se glissa sous les draps et remonta les couvertures sous son menton. Malgré le poids des trois couvertures qui l'écrasaient, elle n'arrivait pas à se réchauffer, et, à force de trembler, elle avait mal au dos.

Elle se demanda ce que faisait Billy à l'instant. Regrettait-il de l'avoir abandonnée de façon aussi cruelle ? Elle l'avait aimé de tout son cœur et était persuadée qu'elle aurait su le rendre heureux. Sa mère aurait dû se montrer plus forte, empêcher son père de l'expédier aussi loin… Mais elle faisait encore partie de la famille, et elle était bien décidée un jour à y retourner. Avec son bébé.

Samuel Skinner agrippa la main de sa femme d'un geste désespéré, désirant de tout son être qu'elle reste en vie. Les dernières vingt-quatre heures avaient transformé la vie du médecin d'une manière irrévocable. Il avait déjà dit au revoir à sa fille unique, partie dans la honte vers une nouvelle vie en Irlande. Il l'avait éloignée juste à temps, avant que ce Billy ne vienne implorer son pardon. Apparemment, le garçon avait réussi à convaincre Mabel qu'il voulait épouser Chrissie. L'absurdité d'une telle idée le fit sourire. Non, le bébé serait adopté et disparaîtrait définitivement de leur vie. Il relâcha la main de sa femme, se leva et se lissa les cheveux. Il venait de repenser à la réaction qu'avait eue Mabel quand il lui avait fait part de ses projets concernant le bébé. *Moi vivante, jamais*, avait-elle dit d'un air de défi.

Il se pencha au-dessus d'elle et lui caressa les joues. « Mabel… Mabel… Réveille-toi, je t'en supplie ! Je te demande pardon… » Il lui secoua doucement les épaules, bien qu'il sache que cela ne changerait rien. Puis il posa la tête sur sa poitrine pour se réconforter en entendant sa respiration régulière, mais elle était parfaitement immobile. Il serra sa main dans la sienne. Déjà, il sentait son sang se glacer. « Mabel, non ! Ne me laisse pas, je t'en supplie… » Le cri déchirant qui lui échappa fit entrer l'infirmière en courant.

« Qu'y a-t-il, Dr Skinner ? »

Le médecin tomba à genoux au pied du lit. « Elle est partie, murmura-t-il d'une voix brisée. Mabel est partie. »

Il rentra chez lui à deux heures du matin. Bien qu'il eût dû être épuisé, il avait l'impression qu'il ne dormirait plus jamais. Il se versa un grand whisky et se laissa tomber dans le fauteuil dans la cuisine. Leo gratta à la porte de service en gémissant pour qu'on le laisse entrer. Le médecin l'appela. « Viens là, mon vieux… À présent, tu n'as plus que moi. »

L'animal se précipita vers lui et se laissa caresser.

« On n'est plus que tous les deux, Leo… Qu'est-ce qu'on va devenir ? »

Assis aux pieds de son maître, le chien agita la queue.

Et tout cela, c'était la faute de Billy. S'il n'avait pas mis Chrissie enceinte, elle ne serait pas en Irlande en ce moment. Mabel ne serait pas sortie hier soir dans cet état d'agitation et aurait sans doute vu à temps la voiture qui l'avait écrasée. Si seulement Chrissie n'avait pas jeté son dévolu sur ce… ce… Le Dr Skinner balança son whisky à l'autre bout de la pièce. Alors que le verre se brisait et que le liquide ambré dégoulinait sur le mur, Leo fila se réfugier sous la table. Le médecin renversa la tête en arrière en fermant les yeux. Il ne pouvait pas prévenir Chrissie de la mort de sa mère, car elle reviendrait aussitôt d'Irlande et s'empresserait de retomber dans les bras de ce Billy. Non, mieux valait laisser les choses ainsi. De toute façon, à ses yeux, sa fille était aussi morte que l'était sa femme.

18

Chrissie vivait à la ferme depuis deux mois lorsque sa tante tomba malade. Très vite elle comprit que quelque chose n'allait pas pour avoir vu plusieurs patients de son père présenter des symptômes similaires.

« Tante Kathleen, je pense que tu devrais être au lit et non ici dans la cour. Il gèle... Tu ne vas faire qu'empirer les choses.

— Comment pourrais-je rester couchée alors qu'il y a autant de travail ? Cesse de m'embêter, petite, et laisse-moi faire ce que j'ai à faire... Je n'ai jamais été malade un seul jour de ma vie ! Ce soir, je prendrai une grande cuillerée de malt et d'huile de foie de morue, et demain, je serai de nouveau en pleine forme ! »

Prise d'une violente quinte de toux, elle ravala les flegmes accumulés dans sa gorge et cracha une énorme chose verte sur le sol. Dégoûtée, Chrissie détourna la tête, non sans avoir remarqué d'alarmantes traces de sang. Puis elle attrapa sa tante tremblante par les épaules et l'emmena vers le mur contre lequel elle l'adossa le temps qu'elle reprenne son souffle. Il gelait de nouveau à pierre fendre. Dans les prés, le bétail avait un air consterné, et même les poules, qui d'ordinaire s'ébattaient en liberté, se serraient les unes contre les autres et ébouriffaient leurs plumes en essayant en vain de se réchauffer.

« Tante Kathleen, il est possible que tu sois sérieusement malade. À mon avis, tu pourrais avoir la tuberculose. J'ai déjà vu ces symptômes de nombreuses fois. »

Kathleen s'essuya les yeux avec un mouchoir grisâtre. « Qu'est-ce que tu racontes ? La tuberculose ? Jamais entendu parler ! Où voudrais-tu que j'attrape une maladie dont je n'ai jamais entendu parler ?

— Tu connais, mais tu appelles sans doute ça consomption. »

Kathleen parut douter. « Je te l'ai dit, je n'ai jamais été malade un seul jour de ma vie.

— Raison de plus pour aller te mettre tout de suite au lit ! Je terminerai le travail qui reste à faire. Tu as bien vu comme je suis devenue rapide maintenant pour traire les vaches… De plus, si je ne me trompe pas, la tuberculose est une maladie très, très contagieuse. Tu ne voudrais pas contaminer Jackie et les autres ? En tout cas, moi, je n'ai aucune envie de l'attraper. Ce ne serait pas bon pour le bébé. »

À la mention du bébé, Kathleen jeta un regard derrière elle en lui faisant signe de se taire. « Tu as peut-être raison… Je me sens affreusement mal.

— Alors, c'est décidé… Appuie-toi sur moi, je vais te ramener à la maison. »

Plus tard dans l'après-midi, Chrissie mélangeait un ragoût de bouillon de poule sur le feu quand elle entendit sa tante tousser comme une damnée. Elle versa une louche de soupe dans un bol, coupa un morceau du pain au bicarbonate qu'elle avait fait cuire le matin, puis monta l'escalier. La mauvaise mine de sa tante l'alarma. Elle avait le visage aussi blanc que de la craie, les yeux rouges et tout gonflés. Chrissie lui toucha le front, qui était brûlant de fièvre malgré le froid humide. Elle déposa la soupe et le pain sur la table de nuit, puis elle redescendit à toutes jambes et sortit dans la cour.

« Jackie ! Jackie ! » appela-t-elle.

Elle entendit le bruit que firent les outils sur le sol en pierre quand il les lâcha et arriva en courant de la grange, deux chiens sur ses talons.

« Qu'est-ce qu'il y a, Chrissie ?

— Il faudrait que tu ailles en ville chercher le Dr Byrne. Et tout de suite ! »

L'inquiétude assombrit le regard du jeune homme. « Pour Miss McBride ?

— Oui. S'il te plaît, dépêche-toi ! »

Il fila chercher Sammy, le vieux cheval de trait qui était attaché dans la cour en train de manger son foin, et, sans prendre la peine de le sceller, sauta sur le dos de l'animal stupéfait. Dès qu'il lui tapa sur les flancs, le cheval réagit au quart de tour, et ils s'éloignèrent, Jackie agitant les bras dans tous les sens en s'efforçant de maîtriser sa monture à l'aide de la longe.

Deux heures s'écoulèrent avant qu'il ne revienne avec le médecin. Chrissie lui décrivit les symptômes que présentait sa tante pendant qu'ils montaient l'escalier.

« Je pense que c'est la tuberculose », conclut-elle.

Le Dr Byrne se renfrogna. « Ici, c'est moi qui pose le diagnostic, je vous remercie.

— Oui, bien sûr, excusez-moi… Voulez-vous une tasse de thé, docteur ? J'ai mis de l'eau à chauffer. »

Le médecin acquiesça. « Avec deux sucres. » Puis il observa la silhouette assoupie dans le lit.

« Eh bien, Kathleen, qu'est-ce qui nous arrive ? »

Elle se redressa un peu et se força à ouvrir les yeux. « Dr Byrne ? Qu'est-ce que vous faites ici ? Je n'ai pas d'argent pour vous payer, je n'en ai pas ! Je parie que c'est ma nièce qui s'en est mêlée… Elle n'aurait pas dû vous faire venir.

— Permettez-moi d'en juger, rétorqua le médecin en sortant un thermomètre de sa sacoche. Et de toute façon, vous n'aurez qu'à me payer en me donnant un poulet et une douzaine d'œufs.

— Je ne me sens pas bien du tout, docteur… Et pour être franche, depuis un bon moment.

— Je sais. C'est pour cette raison que je suis là. » Il attrapa son stéthoscope.

« Non, vous ne comprenez pas, dit-elle en lui agrippant le poignet. Mais, puisque vous êtes là, j'aurais besoin que vous me rendiez un service.

— C'est ce que j'essaie de faire, si vous voulez bien me laisser vous ausculter ! » Il repoussa sa main.

« C'est là-bas, enchaîna Kathleen en montrant une petite commode. Dans le tiroir du haut, vous trouverez un mot enroulé autour de plusieurs billets. Je voudrais que vous le remettiez au père Drummond.

« Vous me prenez pour qui ? Une sorte de facteur, en plus de votre médecin ? »

Kathleen fut de nouveau prise d'une violente quinte de toux. « S'il vous plaît, Dr Byrne… C'est très important. »

Dans la soirée, après que le Dr Byrne eut été reparti en confirmant à contrecœur son diagnostic, Chrissie mélangea de la poudre de cacao dans deux tasses de lait chaud. Grâce au médicament que le médecin lui avait administré, sa tante dormait à poings fermés. Elle enfila son manteau, puis sortit sur la pointe des pieds et se dirigea vers la grange.

« Jackie… ? »

Elle aperçut la lueur de sa lampe à huile et entendit un bruissement de foin lorsqu'il remua.

« C'est toi, Chrissie ? Attends, je te rejoins dans une minute… »

Apparemment, elle l'avait réveillé. Des brindilles de foin étaient accrochées dans ses cheveux.

« J'ai préparé du chocolat chaud. Il est dans la cuisine.

— Oh, merci… Tu veux que je vienne le chercher ?

— Non, je veux que tu viennes le boire avec moi dans la maison. »

Jackie hésita. « C'est que… je ne sais pas si Miss McBride sera d'accord. Elle m'apporte toujours mon chocolat dans la grange.

— S'il te plaît, Jackie, j'aimerais bien avoir un peu de compagnie et, en plus, elle dort profondément. Le Dr Byrne lui a donné quelque chose.

— Bon, alors, je suppose que ça ira… Je file chercher ma veste. »

Chrissie avait entretenu le feu et rajouta des briques de tourbe pour que la température soit plus agréable. Une fois installés devant leur tasse de chocolat, ils commencèrent tous les deux à se détendre. Chrissie appréciait la compagnie de Jackie ; s'il n'avait pas été là, elle n'aurait sans doute pas supporté de vivre à la ferme. Depuis son arrivée, sa tante s'était plus ou moins adoucie, mais elle demeurait intraitable sur le fait qu'il ne fallait parler à personne du bébé, et Chrissie se sentait un peu solitaire. Au cours de ces deux derniers mois, elle avait écrit plusieurs fois à sa mère, et elle était déçue de ne pas avoir reçu de réponse, cependant, tante Kathleen lui avait assuré que ça n'avait rien d'inhabituel. La poste était si peu fiable qu'il fallait toujours des mois, et maintenant qu'il y avait la guerre en Angleterre, ça ne pouvait être qu'encore plus long. Chrissie avait le cœur serré en pensant à sa mère, à son foyer, à Leo, et, bien entendu, à Billy. En dépit de son comportement, elle n'avait pas réussi à se le sortir de la tête et se réjouissait de savoir que son enfant grandissait dans son ventre. Un jour ou l'autre, elle savait qu'ils se retrouveraient, et cette certitude l'aidait à tenir. Elle se tapota le ventre en souriant.

« À quoi penses-tu ? demanda soudain Jackie.

— Oh, à la maison… Ils me manquent tous tellement…

— Tu n'en parles jamais. Raconte-moi. »

Chrissie haussa les épaules. « Il n'y a pas grand-chose à raconter. Je suis née et j'ai grandi à Manches-

222

ter. Je suis fille unique, mon père est médecin et ma mère est sage-femme. C'est à peu près tout.

— Mais tu as l'air si triste… Pourquoi tu ne rentres pas chez toi, si ta famille te manque à ce point ? »

Elle soupira. « Si seulement c'était aussi simple… » Des larmes coulèrent sur ses joues. Timidement, Jackie la prit par les épaules tout en jetant un coup d'œil vers l'escalier.

« Allons, Chrissie… Pourquoi tu ne me dis pas ce qui te préoccupe ? Je ne prétends pas que j'ai la solution, mais je suis sûr que tu te sentirais mieux si tu m'en parlais.

— Je ne peux pas, murmura-t-elle.

— Tu peux me faire confiance, tu sais… On ne se connaît pas depuis très longtemps, mais on est amis, non ? »

C'était vrai. D'une certaine façon, Jackie lui rappelait Clark. Bien qu'il soit plus grand, il avait les mêmes cheveux roux et le même type de visage. Chrissie se demanda ce qu'il était devenu. Il devait être parti se battre quelque part – elle frissonna à cette idée –, et probablement que Billy aussi, pour défendre leur pays dans un endroit lointain où la menace de la mort rôdait en permanence. Sans doute aurait-elle dû s'estimer chanceuse. Elle, au moins, elle ne risquait rien. L'Irlande avait choisi de rester neutre et n'avait pas l'intention de s'engager dans le conflit.

« Chrissie ? » Le regard inquiet de Jackie la ramena à l'instant présent.

Elle se ressaisit. « Ça va, je t'assure… C'est plutôt de tante Kathleen qu'on devrait s'inquiéter.

— Tu as raison. Qu'est-ce qu'a dit le docteur ?

223

— Eh bien, il est possible d'opérer, sauf que jamais elle n'acceptera… D'ailleurs, à ce stade, ce n'est peut-être pas nécessaire. Mon père recourait à une méthode qui s'appelle la technique du plombage – on décompresse le poumon infecté pour qu'il ait le temps de se reposer et que les lésions puissent guérir –, mais quand j'en ai parlé au Dr Byrne, il n'avait pas l'air d'être au courant. À Manchester, mon père envoyait ses patients au sanatorium, parce que vivre dans un climat sain et avoir une bonne alimentation aident à combattre l'infection. Cependant, même s'il existait un endroit de ce genre ici, Kathleen refusera de quitter la ferme… Non, nous allons devoir nous occuper d'elle tous les deux. Je ferai en sorte qu'elle mange correctement et qu'elle se repose beaucoup pour qu'elle récupère des forces. Et toi, tu dirigeras la ferme pour qu'elle ne se tracasse pas trop.

— Je pourrais préparer l'Irish stew que faisait ma mère… Ça la remettra sur pied en un clin d'œil ! »

Chrissie le regarda avec tendresse. « C'est gentil. Merci, Jackie. J'aimerais bien, et je suis sûre que ma tante aussi.

— Pour Miss McBride, je ferais n'importe quoi.

— Tes parents te manquent beaucoup ?

— Oui, naturellement. J'étais fils unique, ce qui, en Irlande, est plutôt rare. Après moi, ma mère n'est jamais retombée enceinte.

— Que leur est-il arrivé ? À tes parents, je veux dire.

— Ils sont morts de consomption. À quelques jours d'intervalle. Quand ma mère a rendu son dernier soupir, je lui ai tenu la main. Elle s'est endormie paisiblement. »

Il sortit de sous son pull une chaîne en or sur laquelle étaient enfilés trois anneaux qui tintèrent et brillèrent à la lueur des flammes. « Ce sont les alliances de mes parents et la bague de fiançailles de ma mère. Je ne les enlève jamais. » Il les embrassa, remit la chaîne sous son pull, puis ferma les yeux et se tapota doucement la poitrine.

Devant sa douleur évidente, Chrissie repensa à sa mère. S'il lui arrivait quelque chose, elle ne s'en remettrait jamais. « Je suis désolée, Jackie.

— Dis-moi, cette tub… tuberclo…

— Tuberculose.

— Oui, c'est ça. Ce n'est pas aussi grave que la consomption ? Parce que je ne supporterai pas de perdre aussi Miss McBride. »

Chrissie n'eut pas le cœur de lui avouer que c'était la même chose.

« Non, Jackie, ne t'inquiète pas. Nous veillerons à ce que Miss McBride se remette sur pied. Demain, tu n'auras qu'à venir ici, et nous préparerons l'Irish stew de ta mère. J'ai comme l'impression que ça pourrait réveiller un mort ! » Elle lui prit la main et ajouta : « Je te promets que Miss McBride ne va pas mourir. »

Le lendemain, Chrissie raccommoda des sacs de jute au coin du feu. Elle avait l'habitude de repriser les chaussettes, mais ça, c'était plus difficile. Enfoncer l'aiguille incurvée, plate et très pointue, dans le tissu épais exigeait un effort. Jackie était en haut avec sa tante en train de lui faire manger du ragoût. Il n'y avait pas beaucoup de viande dedans, mais il avait coupé des tas de légumes frais pour compenser l'absence de protéines, et le résultat donnait un délicieux bouillon très nutritif qui lui ferait plus de bien que n'importe quel médicament. Il était là-haut depuis déjà un bon moment, au point que Chrissie se demanda ce qui le retenait si longtemps. Certes, sa tante était très faible et n'avalait que de minuscules bouchées à la fois, mais il aurait dû être redescendu.

Elle termina de consolider un autre sac, puis, voyant que l'eau bouillait sur le feu, elle prépara un thé à Jackie dans un pot à confiture. Bien que ce soit de la folie, elle mit dedans deux sucres, comme il aimait, et monta à l'étage.

Tout doucement, elle poussa la porte de la chambre. Jackie était allongé à côté de Kathleen, la tête sur son oreiller, un bras en travers de son corps immobile.

« Jackie ? Qu'est-ce que tu fais ? »

Il bougea vaguement, mais ne répondit pas.

L'estomac noué, Chrissie s'approcha et recula d'horreur en voyant le teint cireux de sa tante. Le peu de couleur qu'avait eu son visage avait disparu en la laissant aussi pâle qu'une vieille statue.

« Oh, Jackie… Pourquoi tu n'es pas venu me chercher ? »

Il replia son bras et enfouit son visage dans l'oreiller.

« Je suis désolée… Je sais ce qu'elle représentait pour toi. »

Chrissie posa le thé sur la table de nuit, puis remonta doucement le drap sur le visage de sa tante.

« Descends, tu veux ? Il faut aller chercher le médecin. »

Jackie se redressa en la regardant fixement. « C'est un peu tard pour ça, non ? Tu m'avais promis qu'elle ne mourrait pas », dit-il dans un sanglot étranglé.

Elle lui prit la main. « Je sais. Je suis désolée. Elle était manifestement plus malade qu'on ne le pensait.

— Pourquoi est-ce qu'il faut que ça m'arrive encore ? Tous ceux que j'aime me quittent... J'étais ici depuis quatre ans, je croyais avoir trouvé un foyer pour la vie, et maintenant... »

Chrissie regarda par la fenêtre et contempla la grisaille de cette journée de novembre. « Il faut vraiment aller en ville chercher le médecin. Il va bientôt faire nuit, et il faut aussi que je prévienne ma mère. Viens, Jackie, on va y aller ensemble. »

Timidement, il prit la main qu'elle lui tendit et se leva. Sur le seuil de la porte, il se retourna vers le corps sans vie étendu sous les couvertures et murmura : « Au revoir, Miss McBride. Jamais je n'oublierai ce que vous avez fait pour moi. »

19

Au matin de Noël, Chrissie et Jackie étaient assis devant le feu dans la cuisine. Kathleen était morte depuis presque deux mois, mais la vie à la ferme continuait sans relâche. Ils venaient de terminer la traite du matin, une tâche qui, à deux, prenait deux fois plus de temps. Michael et Declan avaient eu droit à un congé pour qu'ils puissent passer la journée en famille, un geste qu'ils avaient accepté avec enthousiasme. Désormais, Jackie était le propriétaire de la ferme. Kathleen la lui avait léguée dans son testament pour s'assurer qu'il ait un toit le restant de sa vie, comme elle le lui avait toujours promis. Car bien qu'ils n'aient eu aucun lien de parenté, elle avait fini par le considérer comme un membre de sa famille. Et comme il avait les mêmes valeurs que ses parents en ce qui concernait le travail, elle avait su que la ferme serait entre de bonnes mains.

L'enterrement s'était déroulé discrètement, avec seulement Chrissie, Jackie, Michael, Declan et le père Drummond. Après plusieurs vaines tentatives, Chrissie avait fini par réussir à téléphoner chez elle. Elle avait parlé à son père d'un ton emprunté, pour finalement apprendre que sa mère avait été appelée en urgence et que, de toute façon, elle ne pourrait pas venir à l'enterrement. Son père ne lui avait même pas demandé si elle allait bien. Ce jour-là, elle se jura de ne plus jamais lui adresser la parole. Entendre Leo aboyer dans le fond avait failli lui faire exploser le cœur de chagrin.

Le poulet que Jackie avait tué pour le déjeuner de Noël mijotait dans la marmite, et un pichet de bière tiède attendait sur la poutre au-dessus de la cheminée – un cadeau de Michael et Declan. Chrissie versa le liquide sombre et mousseux dans deux verres, puis en tendit un à Jackie.

Il leva son verre pour trinquer avec elle. Elle sourit et but une gorgée de la boisson maltée. Sa grimace fit rire Jackie. « C'est un goût qu'on apprend à aimer », dit-il.

Chrissie essuya un peu de mousse sur ses lèvres d'un revers de main. « Tu es charmant quand tu ris. »

Il fixa le sol d'un air gêné, puis alla voir où en était la cuisson du poulet. « Ça devrait être bientôt prêt.

— Jackie, assieds-toi, s'il te plaît. Il faut que je te parle. »

Il écarquilla des yeux affolés. « Tu ne vas pas t'en aller ?

— Pourquoi en arriver à cette conclusion ? Il faut que je te dise pourquoi je suis ici… et pourquoi je ne peux pas rentrer tout de suite chez moi. Ma tante tenait à ce que ça reste un secret, mais je ne vois pas comment éviter d'en parler plus longtemps. »

Elle déboutonna son cardigan en laine et tira sur son chemisier pour qu'il voie la rondeur de son ventre.

Jackie s'agita sur sa chaise d'un air gêné. « Tu es...

— Oui. De presque six mois. Mon père m'a envoyée en Irlande parce qu'il refusait de vivre avec sa traînée de fille, dit-elle avec amertume.

— Ne dis pas ça ! » Il se jeta à genoux. « Et le père de l'enfant ? »

Chrissie soupira. « Il est... il était... l'amour de ma vie. Je l'aimais de tout mon cœur, mais, quand il a appris pour le bébé, il n'a rien voulu savoir. »

Jackie serra les poings. « Le salaud...

— Chut, ce n'est pas de sa faute... Je crois qu'il a paniqué. La guerre venait d'être déclarée, nous étions tous les deux très jeunes, mon père le détestait... et nous n'étions ensemble que depuis peu de temps. » Elle essuya une larme au coin de son œil. « Mais je l'aimais vraiment, et je suis sûre qu'il m'aimait... » Elle s'éclaircit la gorge et se redressa. « Enfin, tout cela appartient au passé... Il ne sait pas où je suis, et j'ignore ce qui lui est arrivé. Il est probablement parti se battre. »

Jackie regarda ses yeux bleu clair. « Qu'est-ce que tu vas faire ?

— C'est justement ce dont je voudrais parler avec toi. Je me demandais si tu serais d'accord pour que je reste ici, au moins jusqu'à la naissance du bébé. Ensuite, je retournerai à Manchester... la tête haute ! Mon père sera bien obligé de l'accepter... Dès que ma mère aura vu son petit-fils ou sa petite-fille, tout s'arrangera. »

Jackie esquissa un pauvre sourire. « L'idée me plaît. Sauf la partie où tu repars à Manchester... » Il se releva et l'embrassa légèrement sur le front.

« Je prendrai soin de toi et du bébé. Tu seras ici chez toi tout le temps qu'il faudra.

— Merci, Jackie… Je ne sais pas ce que je ferais sans toi. Et, à propos, il serait temps que tu arrêtes de dormir dans la grange. Cette maison est la tienne. Tu devrais t'installer dans l'ancienne chambre de ma tante.

— Oh, je ne pourrais pas… Ce ne serait pas bien…

— Alors, prends au moins mon lit, là, dans le coin. Je dormirai là-haut. »

Il hésita un instant avant de reconnaître que c'était raisonnable. « D'accord, si tu en es sûre. »

Chrissie lui sourit et leva son verre. « Santé ! » La deuxième gorgée ne lui parut pas plus savoureuse. Elle frissonna en sentant la bière picoter ses papilles.

La vie à la ferme se poursuivit pendant les mois d'hiver. Chrissie et Jackie vivaient heureux, malgré le mauvais temps et le dur labeur qui étaient leur lot au quotidien. Au début du mois de mars, Jackie demanda à Declan de tuer un cochon pour fêter ses vingt ans et ceux de Chrissie. Le hasard voulait qu'ils soient nés à une semaine d'intervalle. La carcasse suspendue à l'envers dans l'établi était prête à être immergée dans l'eau bouillante, qui avait été chauffée sur un réchaud alimenté à la tourbe.

Chrissie entra dans la cabane et se faufila derrière Jackie.

« Tu travailles dur, dis-moi… Quand est-ce que ce sera prêt ? »

La vapeur qui se dégageait de l'eau avait rougi son visage, ses cheveux étaient collés sur ses tempes. Il s'essuya le front avec sa manche. « Ça va prendre encore un petit moment… » Il la prit par les épaules. « Tu te sens bien ?

— Il me tarde que le bébé soit né…, dit-elle en frottant son dos douloureux.

— Plus que quelques semaines à attendre. »

Jackie lui montra les quatre pieds de porc qu'il avait découpés.

« Pour le dîner, ça te dit ? »

Elle fronça le nez de dégoût. « Sûrement pas… Je sais dans quoi ce cochon a marché ! »

Il éclata de rire, s'obligeant à ne pas penser comme elle lui manquerait quand elle repartirait à Manchester après la naissance du bébé.

Environ quinze jours plus tard, un bruit inhabituel alarma Jackie. Les chiens se mirent à aboyer comme des fous et les poules voletèrent dans un nuage de poussière tandis qu'une carriole entrait dans la cour. Le père Drummond en descendit, puis attacha l'âne à un piquet et appela Jackie.

« Père Drummond, quelle bonne surprise ! Vous entrez prendre une tasse de thé ?

— Merci, je ne dis pas non. »

Les deux hommes poussèrent la porte du cottage. Chrissie, qui était en train de tricoter au coin du feu, leva un regard étonné.

« Père Drummond ! Quel plaisir de vous voir… Je vais mettre de l'eau à chauffer… Jackie, sors les plus belles tasses, tu veux ? » Elle n'allait quand même pas laisser un ecclésiastique boire son thé dans un pot à confiture !

Lorsqu'ils furent installés devant leur thé, le père Drummond se racla la gorge et prit la parole. « À dire vrai, les gens… eh bien… ils parlent.

— De quoi ? » demanda Chrissie, aussitôt sur ses gardes.

Le prêtre avait l'air extrêmement mal à l'aise.

« Euh… Votre tante mettait toujours une goutte de whisky dans mon thé. » Il lui tendit sa tasse. « Vous voulez bien ? »

Jackie attrapa la bouteille sur l'étagère du haut, souffla sur la poussière qui la recouvrait et en versa une dose dans sa tasse. Le père but une gorgée. « Ah, voilà qui est bien mieux ! Mais… où en étais-je ?

— Les gens parlent. » Chrissie croisa les bras d'un air crâne.

« Ah, oui… Ils parlent de votre situation. Je veux dire, du fait que vous vivez comme un homme et une femme alors que vous n'êtes pas mariés, et…

— Nous ne vivons pas comme un homme et une femme. Je dors là-haut dans l'ancienne chambre de ma tante, et Jackie ici en bas, dit-elle en montrant le lit de camp.

— Je comprends, mais le bébé…

— Le bébé n'a rien à voir avec moi, je ne suis pas le père, dit Jackie. Chrissie est mon invitée, et je prendrai soin d'elle et du bébé jusqu'au jour où elle décidera qu'il est temps pour eux de partir. Je garde espoir que ce jour n'arrivera jamais, mais elle est libre de retourner à son ancienne vie quand elle veut. Ça ne regarde personne d'autre que nous, par conséquent, je ne laisserai pas les ragots en faire une petite histoire sordide ! Chrissie compte beaucoup pour moi. Sans elle, je n'aurais jamais survécu à ces derniers mois… D'ailleurs, je ne sais pas du tout ce que je ferai si elle décide de partir. »

Il vint se placer derrière elle et l'attrapa fermement par les épaules. Elle prit une de ses mains dans la sienne. D'un air résolu, tous deux regardèrent le prêtre, qui eut la grâce d'avoir l'air mal à l'aise.

« Eh bien, je vois que vous avez hérité de l'obstination de votre tante, Chrissie ! Toutefois, des dispositions ont été prises depuis longtemps concernant la naissance de ce bébé.

— Des dispositions ? Quel genre de dispositions ? »

Le père Drummond baissa la voix. « Votre tante m'a informé de votre état…

— De ma grossesse, corrigea Chrissie.

— Oui, en effet. Et elle m'a demandé de vous trouver un endroit où accoucher, un endroit loin des regards et des commérages, où vous pourrez mettre au monde le bébé en toute tranquillité et en toute sécurité.

— Vous voulez parler d'un hôpital ?

— Euh, non… Mais c'est tout aussi bien. J'ai fait le nécessaire pour que vous vous installiez au couvent.

— Au couvent ? Mais je ne suis pas catholique… Comment serait-ce possible ?

— Je vous l'ai dit, votre tante m'a supplié de l'aider, et je lui en avais fait la promesse. Croyez-moi, c'est pour vous la meilleure solution.

— Il a peut-être raison, intervint Jackie. Tu imagines mettre le bébé au monde dans ce cottage humide où il n'y a ni chauffage ni eau courante ? Et si quelque chose se passait mal ? »

Chrissie devait reconnaître qu'il n'avait pas tort. Forte de son expérience auprès des patientes de sa mère, elle avait conscience des risques qu'encourait une femme pendant l'accouchement.

« Ça coûterait combien ?

— Rien du tout, répondit le prêtre. C'est ce qui est formidable ! Vous entrez au couvent, et on prendra soin de vous et du bébé ! En échange, vous travaillerez pour les religieuses pendant un temps.

— Quelle sorte de travail ? demanda Chrissie avec méfiance.

— Eh bien, voyons… Elles se chargent de la blanchisserie pour les hôtels de la région, les restaurants ou les presbytères… et elles ont aussi un petit potager où elles cultivent des légumes qu'elles vendent. Vous êtes habituée à ces choses-là.

— Qu'en penses-tu, Chrissie ? demanda Jackie. Ça semble être une bonne idée. On n'aura jamais de quoi payer l'hôpital, et puis Miss McBride a manifestement pensé que ce serait la meilleure solution.

— Écoutez Jackie, insista le père Drummond. Il est la voix même du bon sens…

— Et combien de temps devrais-je rester là-bas ? »

Le prêtre hésita. « Ça dépendra de vous, Chrissie. Vous pourrez rester aussi longtemps que vous le souhaiterez.

— Vous en parlez comme si c'étaient des vacances ! »

Il émit un petit rire nerveux. « En tout cas, on veillera bien sur vous.

— Je crois que tu devrais y aller », dit Jackie.

Chrissie esquissa un petit sourire. « Très bien, mon père. Vous voulez bien faire ce qu'il faut ? »

Le prêtre se leva. Les deux hommes se serrèrent la main, puis Jackie le raccompagna à la porte.

« Merci beaucoup, mon père. Sachez que nous apprécions votre aide.

— Tout a été décidé par Miss McBride, rétorqua le prêtre en baissant les yeux. Souvenez-vous-en, fiston ! »

Jackie fronça les sourcils. « Bien sûr, mon père... Bon retour ! »

En montant dans la carriole, le père Drummond tapota le mot de Kathleen McBride rangé au fond de sa poche. Comment aurait-il pu ignorer les dernières volontés d'une femme mourante, même si celles-ci ne manqueraient pas de causer le chagrin de sa jeune nièce ?

Allongée sur le canapé dans le salon, Tina ne se souvenait plus comment elle avait atterri là. Sa tête l'élançait au rythme de ses battements de cœur qui faisaient pulser le sang dans ses veines. Ses lèvres fendues lui paraissaient énormes, et un de ses yeux était fermé, comme si on avait versé de la glu sur sa paupière. De son œil valide, elle distingua vaguement la silhouette sombre de Rick lorsqu'il se pencha sur elle. Elle voulut dire quelque chose, mais sa langue demeura collée à son palais. Le goût du sang coagulé lui rappelait le jour où elle était allée se faire arracher deux dents chez le dentiste. Un souvenir si vif qu'elle sentit l'odeur du gaz avec lequel on l'avait endormie. Dormir… c'était de ça qu'elle avait besoin – elle en mourait d'envie. Si seulement elle arrivait à dormir, elle se rendrait compte à son réveil que tout cela n'était qu'un horrible cauchemar. Sentant qu'elle s'enfonçait de plus en plus dans le néant, elle accueillit ce noir réconfortant.

Un peu plus tard, elle prit conscience d'une sensation tiède sur ses lèvres. Elle se força à ouvrir un œil et aperçut le visage de Rick à quelques centimètres du sien. Il était en train d'appliquer un linge humide sur ses lèvres meurtries.

« Bonjour, ma chérie… Comment te sens-tu ? »

Tina mit quelques instants à enregistrer sa question, et davantage encore à formuler une réponse.

« Qu'est-ce qui s'est passé ? » Elle ne trouva rien d'autre à dire.

Rick se retourna pour essorer le linge dans un bol d'eau tiède avant de le poser sur sa joue.

« Tu as eu un accident. Hier soir, tu es rentrée tard – il faisait nuit. Je suis venu à ta rencontre dans l'entrée pour voir si tu allais bien, et tu as dû trébucher. J'ai essayé de te rattraper, mais tu es tombée, et ta tête a heurté la rampe d'escalier. Je me suis fait un sang d'encre ! Je suis resté près de toi toute la nuit. »

Tina avait les pensées embrouillées. Elle avait le vague souvenir d'avoir vu Rick dans l'entrée, mais après cela, elle ne se rappelait plus qu'une douleur déchirante. Elle était pourtant certaine qu'il y avait quelque chose…

« Le bébé ! s'écria-t-elle en se redressant, l'effort lui donnant instantanément le vertige.

— Calme-toi… Le bébé va bien, la rassura Rick.

— Comment le sais-tu ? Il faut que je voie un médecin…

— Non ! s'écria-t-il. Pas de médecin. »

Tina se rallongea. « J'ai mal à la tête… » Et tout doucement, elle se mit à pleurer.

Il lui caressa le front. « Je vais te chercher du paracétamol. »

Il revint quelques minutes plus tard avec deux comprimés, une tasse de thé et une tranche de pain toasté.

« Tiens, je t'ai préparé un petit déjeuner… Tu ne peux pas avaler ces cachets le ventre vide. »

Il la prit sous les bras pour l'aider à s'asseoir, puis il disposa des coussins pour qu'elle soit mieux installée. Elle grimaça en sentant le thé brûler ses lèvres.

« Je suis désolée de te donner tout ce mal…

— Tina, tu es ma femme. Dans la santé comme dans la maladie et tout ça.

— Mais… et ton travail ? »

Rick jeta un regard vers la pendule sur la cheminée. Il avait encore oublié de la remonter. « Je commence mon service dans une heure. Est-ce que ça va aller ?

— Oui, oui… Vas-y, je vais bien. Quel jour on est ?

— Samedi. Ne t'en fais pas pour la boutique, j'ai tout arrangé. »

Tina se sentait trop lasse pour protester. « D'accord, j'ai juste besoin de dormir.

— Sois bien sage ! » Le baiser qu'il lui planta sur les lèvres lui arracha une nouvelle grimace.

Rick était parti depuis plusieurs heures quand Tina commença à avoir faim. Elle balança ses jambes par terre, puis s'assit sur le canapé. Prise aussitôt de vertige, elle se ressaisit et se leva prudemment. Encore vêtue de ses habits de la veille, elle se sentait sale, poisseuse de sueur et de sang. D'un pas vacillant, elle alla à la cuisine, où elle découvrit l'étendue des dégâts. Rick avait dû se faire à manger la veille au soir, et des restes traînaient sur la moindre surface. Des haricots desséchés étaient collés au fond de la casserole, des coquilles d'œufs étaient éparpillées sur le comptoir et deux tranches de pain calciné gisaient sur une assiette luisante de gras.

Tina soupira et commença à ranger. En soulevant un verre, elle aperçut le dépôt brun qui en tapissait le fond. S'en voulant de jouer les fouineuses, elle l'approcha de son nez pour le renifler. En sentant l'odeur du whisky, les événements de la veille lui revinrent d'un coup. Elle n'avait pas du tout trébuché, et le coup sur son visage n'avait pas été causé par la rampe de l'escalier, mais par quelque chose de beaucoup plus dangereux – le poing de son mari. Elle passa dans l'entrée en titubant et se posta au pied des marches. Son mari était un alcoolique qui ne changerait jamais. Se l'avouer lui fit encore plus mal que n'importe lequel des coups qu'il lui avait jamais donnés.

Alors qu'elle se détendait dans son bain, elle se demanda que faire. Elle était enceinte de sept mois et prise au piège avec ce mari violent. Graham et Linda avaient eu raison, depuis le début. Elle avait honte de s'être mise dans cette situation. Cette fois, elle allait devoir partir une bonne fois pour toutes, autant pour son bien à elle que pour celui du bébé, seulement, l'idée de retourner dans la petite chambre meublée sordide la remplissait d'épouvante. Qui plus est, elle ne pouvait pas se montrer. On aurait dit qu'elle venait de combattre dix rounds avec le champion de boxe Henry Cooper.

Au moment où Rick rentra du travail, Tina se sentait un peu mieux, du moins physiquement, et elle avait même réussi à préparer un dîner. Ils se mirent à table dans la cuisine en s'efforçant d'avoir une conversation normale.

« Comment ça s'est passé, au boulot ?

— Pas trop mal. Deux petits voyous se sont barrés sans payer leur ticket. Le contrôleur leur a couru après, mais il n'avait aucune chance de rattraper ces crapules... Et un morveux a fait sous lui, si bien que le siège a pué la pisse toute la journée ! »

Il enfourna une nouvelle bouchée.

« Merci pour le dîner, ma chérie. Je m'en serais occupé, tu sais... Tu as besoin de te reposer.

— Ça va. » Tina repoussa son assiette sans l'avoir terminée.

« Tu n'en veux plus ? demanda Rick en prenant de sa purée avec sa fourchette.

— Je n'ai pas faim.

— Il faut que tu gardes tes forces, sinon pour toi, au moins pour le bébé. »

Tina respira un grand coup et enfouit son visage derrière ses mains.

« Rick, je sais que c'est toi. »

Un silence s'abattit après qu'il eut reposé ses couverts. Il lui retira les mains du visage et la regarda droit dans les yeux.

« Tu sais que c'est moi, *quoi* ?

— Hier soir. Je n'ai pas trébuché. Tu m'as flanqué un coup de poing dans la figure. Je me souviens de l'odeur du whisky et... »

Il se leva d'un bond.

« Quoi ? Comment peux-tu penser une chose pareille ? Te flanquer un coup dans la figure ? Jamais je ne ferais ça ! » Il vit son air sceptique. « Écoute, c'est vrai qu'il m'est arrivé de lever la main sur toi, et je le regrette plus que tout, mais j'ai changé, il faut que tu le comprennes… On va être une famille. Jamais je ne mettrais ça en danger ! »

Il se laissa tomber à genoux et posa la tête sur ses cuisses. « Que tu puisses penser ça de moi me dépasse… Il ne me viendrait jamais à l'idée de taper sur une femme enceinte ! »

Tina était troublée. Il avait l'air si contrit, si sincèrement horrifié qu'elle le croie capable d'une telle violence… Peut-être qu'elle ne se rappelait pas très bien les événements de la veille. Elle passa ses doigts dans sa tignasse brune. « Je suis désolée, Rick. Ma mémoire doit me jouer des tours. »

Il leva vers elle un regard implorant.

« S'il te plaît, Tina… Si on veut que ça marche, il faut que tu acceptes de me refaire confiance, dit-il en lui tenant solidement les poignets.

— Je sais. C'est juste que…

— Assez parlé. » Il lui posa un doigt sur les lèvres. « Oublions tout ça. »

Quand il prit ses mains dans les siennes, elle lui sourit, en faisant semblant de ne pas voir la trace violacée qui zébrait son poing.

21

Le temps était de plus en plus froid et humide, et l'ensemble du pays s'enfonçait dans la dépression à mesure que s'aggravait la crise du pétrole et que s'enchaînaient les coupures d'électricité. Rick et Tina écoutèrent le discours à la télé du Premier ministre Heath, qui avertit que l'Angleterre allait devoir faire face au Noël le plus difficile que la nation avait connu depuis la guerre. Dès le lendemain, les six cent cinquante ampoules s'éteignirent sur le sapin de Noël qui se dressait au milieu de Trafalgar Square.

Ce fut dans cette ambiance sinistre qu'ils allèrent acheter un landau à Manchester. Tina tannait Rick depuis des semaines pour qu'il l'accompagne. Elle estimait que c'était une chose qu'ils devaient faire ensemble, ce qu'il avait fini par accepter. Il lui tenait la main fermement dans les rues noires de monde. Un jeune homme qui arrivait vers eux bouscula Tina sans le faire exprès en la faisant vaciller. Rick la rattrapa par le coude et se tourna vers lui.

« Hé, mon vieux, regardez un peu où vous allez ! »

En voyant le gros ventre de Tina, l'inconnu s'excusa.

« Je suis vraiment désolé, dit-il en lui touchant doucement l'avant-bras. Est-ce que ça va ? »

Aussitôt, Rick lâcha Tina et agrippa le type par les revers de sa veste. « Ne touche pas ma femme ! Tu ne vois pas qu'elle est enceinte ? Elle ne s'intéresse pas à toi. Il n'y a que moi qui ai le droit de la toucher. Compris ? »

Le jeune homme écarta les bras en signe d'apaisement.

« Du calme, monsieur... Je ne pensais pas à mal. Je suis désolé d'avoir bousculé votre femme, d'accord ? »

Rick le poussa contre le mur en grognant.

Tina recula pour se fondre dans le petit attroupement qui s'était formé. Rick l'en extirpa en l'attrapant par la main. « Viens, ma chérie ! » Il se tourna vers les curieux. « Le spectacle est terminé, messieurs-dames, foutez le camp ! » Là-dessus, il s'éloigna à grands pas en la tirant derrière lui.

« Bon sang, Rick... Qu'est-ce qui s'est passé ?

— Ne me dis pas que tu ne l'as pas remarqué... Ce bouffon était partout sur toi ! Cette façon qu'il a eue de te mater alors que tu es enceinte de presque neuf mois, c'est à gerber ! »

Tina soupira. Elle savait qu'il était convaincu que tout homme qu'elle approchait n'avait qu'une idée en tête : la fourrer dans son lit. Une part d'elle était contente qu'il soit aussi protecteur. Cela montrait à quel point il l'aimait. Il respirait lourdement, à cause de sa colère, mais aussi parce qu'ils marchaient à grands pas. Tina dut quasiment courir pour rester derrière lui.

« Ça ne va pas… » Brusquement, Rick s'immobilisa et respira à fond. « Je ne peux pas aller faire des courses maintenant, je suis trop énervé…

— S'il te plaît, ne gâche pas tout… J'attends ça depuis je ne sais combien de temps ! »

Il lui montra un pub de l'autre côté de la rue. « Si on allait boire un coup et manger un morceau en vitesse ? »

Tina hésita. C'était une mauvaise idée, elle le savait, mais elle tenait absolument à acheter ce landau. Après avoir déjeuné et passé un moment tranquille ensemble, peut-être qu'il serait calmé.

« Bon, d'accord… Mais on ne reste pas trop longtemps. »

Soudain ragaillardi, il la reprit par la main. « Super. Allons-y ! »

Il traversa la rue en slalomant avec habileté entre les voitures et en la traînant derrière lui.

Ce soir-là, Rick s'allongea sur le canapé, d'humeur morose. Le courant ayant été une fois de plus coupé, ils restèrent là en silence, entourés de bougies. Inutile de le préciser, le déjeuner au pub n'avait pas été une bonne idée. Après plusieurs pintes, Tina avait réussi à l'extraire du pub, mais il était d'humeur belliqueuse et n'avait aucune envie d'aller choisir un landau. Quand elle avait proposé qu'ils rentrent chez eux en bus, il s'était empressé d'accepter, mais pas avant d'avoir fait lui-même un achat extravagant. L'achat en question trônait dans son carton au milieu du salon de façon tout à fait incongrue.

« Saloperie de gouvernement ! Pour qui ils se prennent, à nous couper l'électricité comme ça ?

— S'ils avaient su que tu allais acheter une télévision couleur aujourd'hui, je suis sûre qu'ils auraient fait une exception ! »

Tina fulminait de colère intérieurement. Une télé couleur, bon sang ! Le vieux poste en noir et blanc qu'ils louaient ne leur suffisait-il pas ? L'argent du landau s'était envolé. Elle savait qu'il restait encore une petite somme du Grand National, seulement Rick l'avait cachée quelque part pour qu'elle ne puisse pas la prendre. Elle soupira et se leva tant bien que mal.

« Tu veux du thé ? »

Rick la regarda d'un air perplexe. « Tu cherches à être drôle ? »

Elle réalisa l'absurdité de sa question et retourna s'asseoir. « J'avais oublié...

— On est assis là dans une quasi-obscurité, et tu as *oublié* qu'il n'y avait pas de courant ?

— S'il te plaît, arrête... Je ne suis pas d'humeur à me disputer. »

Rick se glissa sur le canapé et lui susurra à l'oreille : « Tu sais à quoi je suis d'humeur, moi ? »

Tina se figea. « Je t'en prie, tu as vu dans quel état je suis ? Je suis énorme ! »

Il faufila sa main sous son chemisier et agrippa ses seins d'un geste brusque.

« Eux aussi ! »

Le visage enfoui dans son cou, il lui mordit sauvagement l'oreille. Elle voulut lui dire d'arrêter, mais il colla sa bouche sur la sienne et força ses lèvres avec sa langue. Tina s'obligea à se laisser faire pour ne pas risquer sa colère, prenant sur elle pour ne pas se recroqueviller au moment où il se laissa tomber de tout son poids sur elle.

Le lendemain, le courant avait été rétabli. Rick déballa la télévision du carton. Lorsqu'il l'alluma, les images apparurent dans un kaléidoscope de couleurs. En voyant que tout semblait auréolé d'un éclat orange, Tina se dit que le vieil écran en noir et blanc était nettement plus naturel. Mais Rick avait l'air ravi. Il tripota les boutons pour régler les contrastes et la luminosité jusqu'à ce qu'il s'estime satisfait et ait obtenu une image parfaite.

Il recula pour admirer son nouveau jouet. « Regarde ça... Quelle netteté ! Hé, c'est tellement super que, quand je regarderai un western, j'aurai de la poussière dans les yeux ! »

Il rit de sa plaisanterie et continua à visionner les trois chaînes.

« Chérie, passe-moi le *Radio Times*, tu veux ? »

Elle attrapa le double numéro et ses promesses de spectacles fabuleux : *Morecambe and Wise*, *Look : Mike Yarwood*, *The Black and White Minstrel Show*. L'ironie qui consistait à regarder cette dernière émission en noir et blanc sur la nouvelle télé couleur n'échappa pas à Tina. Elle jeta le magazine par terre. Rick le ramassa. Sans remarquer qu'elle était exaspérée.

« Quand est-ce que tu penses qu'on ira chercher le landau ? osa-t-elle demander.

— Tu ne vas pas encore me reparler de ça ? Installons-nous confortablement et profitons de notre nouvelle télé… On ira la semaine prochaine. »

Tina se frotta le ventre. « Le bébé pourrait être arrivé, d'ici là. »

Prenant conscience de ce qu'elle venait de dire, Rick arrêta de parcourir le *Radio Times*. « Bon Dieu ! Tu as raison… Mieux vaut qu'on en profite tant qu'on peut ! Tu vas nous chercher un verre ? »

Deux jours plus tard, Tina était à la boutique lorsqu'elle vit entrer Graham.

« Quand est-ce que tu vas arrêter de venir bosser ? Tu dois être sur le point d'accoucher…

— Bonjour, Graham ! À la fin du mois, répondit-elle. Il me tarde d'y être. »

Elle regarda le vieux landau abandonné dans un coin que quelqu'un avait déposé à la boutique quelques semaines plus tôt. Tina avait plaint la pauvre mère qui n'aurait d'autre choix que de l'acheter, faute d'avoir les moyens de s'en payer un neuf. Entre-temps, elle s'était résignée à l'idée que ce vieux machin assez abîmé serait celui dans lequel elle promènerait le bébé qu'elle avait tant désiré. Elle commença à enlever les livres qu'elle avait entassés dedans. Graham se précipita pour l'aider.

« Attends, laisse-moi faire… »

Il prit la pile de livres qu'elle tenait et la posa sur le comptoir.

« Pourquoi tu vides ce truc, d'ailleurs ? Quelqu'un le veut ? » Il passa ses doigts sur le tissu élimé et fit la moue en voyant l'intérieur tout déchiré. Gênée, Tina détourna les yeux et emporta d'autres livres sur le comptoir.

« Non ! Ne me dis pas que c'est toi...

— Oh, il n'est pas si mal que ça... Après un bon coup d'Ajax, il sera comme neuf !

— Je croyais que vous alliez en acheter un.

— Oui, on y est allés ! rétorqua Tina d'un ton moqueur. C'est une longue histoire, mais on est revenus avec une télé couleur à la place. »

Graham secoua la tête en agrippant le rebord du comptoir. Puis il grinça des dents et respira un grand coup.

Tina posa sa main sur la sienne.

« Graham, ce n'est pas ton problème. Je vais bien, je t'assure... Le bébé n'aura pas besoin d'un landau très longtemps, alors que cette télé va durer des années.

— Tu es une sainte... Je ne comprends pas comment tu fais pour supporter cet homme !

— Je l'aime, dit-elle en haussant les épaules. Je sais que j'ai toutes les raisons de le détester, seulement, je n'y arrive pas. Il n'a pas été trop désagréable, depuis que... » Sans s'en rendre compte, elle se toucha la joue.

« Depuis quoi ? Il t'a encore cognée ? »

Elle s'empressa de prendre sa défense. « Non, bien sûr que non... Tout va bien. On est très impatients tous les deux d'avoir le bébé. »

Graham paraissait en douter.

« Écoute, je sais que tes intentions sont bonnes, mais je dois faire en sorte que ça marche. Je ne veux pas que tu t'imagines que je suis faible, je sais ce que je fais. Je serais incapable d'élever un enfant toute seule, et je suis sûre que Rick sera un père formidable. Si je pensais une seconde qu'il puisse faire du mal au bébé, je partirais, crois-moi ! Je ne sais pas où j'irais, mais je ne mettrai pas en danger la sécurité de mon enfant. Il faut que tu me fasses confiance, Graham. »

Tina ferma de bonne heure et se prépara à faire le long trajet à pied jusque chez elle avec le landau. Elle rangea les clés de la boutique dans sa poche en se maudissant d'être sortie sans avoir pris son sac à main.

Ce landau n'était pas si mal… La suspension était encore en bon état, si bien que les grosses roues absorbaient les creux et les bosses du trottoir. Elle songea à tous les bébés qui avaient été promenés dedans. Et soudain, elle se sentit plus vivante que jamais. Dans quelques semaines, elle pousserait son bébé à elle ; des inconnus souriraient avec tendresse en lui demandant s'ils pouvaient jeter un coup d'œil. Elle relèverait les couvertures pour leur montrer le plus beau bébé du monde. Rick le baladerait avec fierté autour du dépôt, tous les chauffeurs et les contrôleurs viendraient admirer leur enfant adorable, et ils seraient tous d'accord pour dire qu'ils n'avaient jamais vu un bébé aussi charmant.

Tournant et retournant ces scénarios dans sa tête, Tina s'étonna d'être déjà arrivée dans sa rue. Ce n'était pas si loin que ça, quand on poussait un landau… Elle le laissa devant la porte, puis entra dans la maison.

« Rick, viens voir ce que j'ai rapporté ! » cria-t-elle.

Elle ôta son manteau et l'accrocha.

« Rick… Tu es là ? »

Elle alla dans la cuisine, où elle le trouva en train de regarder par la fenêtre.

« Ah, tu es là… Tu ne m'as pas entendue entrer ? J'ai un landau ! Il est d'occasion, mais très agréable à pousser, et une fois que je l'aurai bien nettoyé, il sera… » Elle se tut en le voyant se retourner, le regard ombrageux et tous les tendons crispés. Il tenait à la main une feuille de papier qu'elle reconnut aussitôt.

« J'ai eu mal à la tête, commença-t-il en s'efforçant de maîtriser sa colère. Je n'ai pas trouvé de comprimés dans le placard, et j'ai vu que tu avais laissé ton sac sur la table de la cuisine. Il n'y avait pas de comprimés dedans non plus, en revanche, j'ai trouvé ça ! » dit-il en brandissant la lettre de Billy. L'épouvante saisit Tina au ventre.

« Alors, *Christina*, dit-il en prenant soin d'insister sur son nom complet, quand comptais-tu me parler de ce Billy ? »

Tina s'affola. « Tu te trompes complètement… Cette lettre ne m'est pas adressée… Tu n'as qu'à regarder la date ! »

Mais Rick ne l'écoutait pas. Il se jeta sur elle et empoigna ses longs cheveux bruns. Tina hurla de terreur, mais il la gifla violemment en pleine figure, puis serra le poing et lui donna un grand coup dans le ventre. Elle suffoqua et se plia en deux de douleur en s'écroulant par terre. La dernière chose qu'elle vit fut la photo jaunie de Billy Stirling qui avait voltigé sur le sol.

« Tu te trompes complètement », répéta-t-elle plusieurs fois de suite.

Mais plus personne n'était là pour l'écouter. Elle entendit claquer la porte d'entrée tandis qu'elle essayait de se relever. Et soudain, elle sentit quelque chose de chaud couler entre ses jambes.

« Le bébé », murmura-t-elle avant de s'évanouir.

22

Aveuglé de rage, Rick sortit dans la rue en fonçant droit devant lui, la lettre de Billy à la main. Dès qu'il aperçut un bus, il le héla, bien qu'il ne soit pas à proximité d'un arrêt. Le conducteur ralentit un peu, sans s'arrêter. Ce qui n'empêcha pas Rick d'attraper au vol la rampe en acier et de sauter à bord. Surpris, le conducteur réagit.

« Hé, vous ne pouvez pas monter n'importe où et… Oh, c'est toi ! s'exclama-t-il en reconnaissant Rick. Où cours-tu comme ça comme un cinglé ?

— À Gillbent Road, Frank. » Il passa devant lui et se laissa tomber sur le premier siège libre. « Et maintenant, fiche-moi la paix. »

Le temps que le bus le dépose à Gillbent Road, et de trouver le numéro 180, Rick était dans un état proche de l'apoplexie. Il avait gravement besoin de boire un verre. Il tambourina du poing sur la porte et attendit avec impatience. Au bout d'à peine deux secondes, il frappa de nouveau en criant :

« Je sais tout, Billy ! Sors de là et viens me regarder en face si tu es un homme ! »

Au troisième coup qu'il donna sur la porte, il entendit quelqu'un bouger. Lentement, la porte s'entrouvrit.

« Quel raffut… Laissez-moi le temps d'arriver ! »

Surpris de se retrouver devant une vieille dame, Rick l'écarta sans ménagement et se précipita dans le petit salon. « Où est-il ?

— Qui ? Mon mari ? »

Il la toisa d'un air moqueur. « Je ne pense pas, non… Billy. C'est votre fils ? »

La vieille dame se raidit. « Puis-je savoir qui le demande ?

— Inutile de jouer au plus fin avec moi, dit-il en la prenant par le coude. Je sais qu'il habite ici et qu'il a baisé ma femme.

— Il aurait du mal… Billy est mort depuis plus de trente ans. »

Rick se figea. « Qu'est-ce que vous dites ? »

Elle le regarda dans les yeux. « Écoutez, j'ignore qui vous êtes, mais vous ne me faites pas peur… Vous ne pouvez pas débarquer chez moi en accusant mon Billy de je ne sais quoi ! Je viens de vous le dire, mon fils est mort. Il a été tué à la guerre en 1940. »

Sans y avoir été invité, Rick se laissa tomber dans un fauteuil devant la cheminée.

« Faites comme chez vous », railla la vieille dame.

Lentement, il déplia la lettre qu'il serrait toujours dans son poing et la lut jusqu'au bout. Quand il eut terminé, il attrapa sa tête entre ses mains.

« Oh, mon Dieu… Qu'est-ce que j'ai fait ? Qu'est-ce que j'ai fait ? »

23

Si Sheila l'apprenait, Graham savait qu'elle le tuerait. Il sortit de sa poche quelques billets qu'il tendit à la vendeuse.

« Merci, monsieur. Je suis sûre que votre femme en sera très contente. »

Il hésita. « Ce n'est pas pour ma femme. »

La vendeuse lui jeta un regard entendu. « Oh, je comprends… Excusez-moi. » Elle appuya sur plusieurs touches de la caisse. Le tiroir s'ouvrit en sonnant, puis elle rangea les billets.

Graham parut troublé une seconde. « Non, ce n'est pas ce que vous pensez… C'est pour une amie. »

La vendeuse émit un petit sifflement. « Ce doit être une très chère amie…

— Oui. Une très chère amie. » Il ne savait pas très bien pourquoi il avait cette conversation avec une parfaite inconnue. Sa sincérité lui jouait des tours.

Il souhaita bonsoir à la vendeuse et sortit sur le trottoir avec le super landau Silver Cross flambant neuf. Il entendit se refermer la porte sur laquelle la vendeuse afficha la pancarte *Fermé*.

Il poussa le landau jusqu'à son van et pesta contre les rues mouillées en voyant les pneus immaculés ramasser leurs premières traces de saleté. C'était de sa part un geste extravagant, mais voir Tina pousser ce vieux machin déglingué l'avait vraiment ému. Tina l'attendrissait, il n'y pouvait rien. Il espérait seulement que Rick ne serait pas là au moment où il déposerait le landau.

Lorsqu'il se gara devant la maison des Craig, il s'étonna de voir qu'elle était plongée dans le noir. Il jeta un coup d'œil dans la rue ; les réverbères étaient allumés, signe que ce n'était donc pas une nouvelle panne de courant. Il laissa le landau dans le van et alla sonner à la porte, devant laquelle il aperçut le vieux landau.

Après avoir sonné à trois reprises, il renonça et repartit vers son van. Il venait de démarrer lorsqu'il se dit qu'il pouvait laisser le landau dans la remise à l'arrière. Il mettrait un mot sous la porte pour expliquer ce qu'il avait fait. Ce serait une belle surprise pour Tina quand elle rentrerait.

Il poussa l'énorme landau dans la petite allée qui longeait la maison. Arrivé devant la remise, il dut se faufiler entre le landau et le mur pour ouvrir la porte. Il y avait là tout un tas de vieilles choses, ainsi qu'une tondeuse et des outils de jardin inutilisés, mais, en les poussant un peu, il réussit à y caser le landau. Il hésita une seconde, puis, saisi d'un curieux pressentiment, il plaça ses mains en coupe pour regarder à travers la fenêtre de la cuisine. Ses yeux mirent un instant à s'accoutumer à la semi-pénombre, et son cerveau quelques secondes de plus avant d'enregistrer ce qu'il venait de voir. Aussitôt, il brisa la vitre de la porte d'un coup de coude, tourna la clé à l'intérieur et se précipita dans la cuisine.

« Tina ! Tina… » Un sanglot lui serra la gorge. « Mon Dieu, que t'est-il arrivé ? »

Il courut dans l'entrée appeler les urgences. Ses doigts tremblaient si fort qu'il dut s'y reprendre à trois fois.

Après quoi il revint dans la cuisine et s'agenouilla près de Tina. Ses mains tremblaient, il osait à peine la toucher. Elle avait le teint blême, les lèvres bleutées, et sa robe remontée exposait un morceau de cuisse blanche. Il la rabattit pour préserver sa pudeur, et ce fut alors qu'il aperçut la flaque. Une flaque rouge sombre s'était répandue entre ses jambes et figée sur le lino. Graham comprit immédiatement qu'elle n'aurait besoin d'aucun des deux landaus.

24

L'odeur, ce fut la première chose dont elle eut conscience. Une odeur de désinfectant, et puis une autre, moins familière, qui lui fit battre le cœur plus vite. L'odeur âcre et métallique du sang. Elle ouvrit les yeux et voulut soulever la tête de l'oreiller, mais elle était aussi lourde qu'une balle de fitness. Son bras était ankylosé et lui faisait un peu mal au niveau du coude. En tournant les yeux, elle vit qu'on lui avait mis une perfusion. Elle sentait qu'elle avait la bouche sèche, la langue pâteuse, les lèvres éclatées… et également autre chose, d'encore plus sinistre. Elle avait l'impression d'être vide.

La porte de la chambre s'ouvrit sur Graham qui lui apporta un café dans un gobelet. Voyant qu'elle avait repris connaissance, il accourut près du lit.

« Tu es réveillée ! » Il lui passa la main sur le front et caressa ses cheveux collés de transpiration.

« Graham ! Qu'est-ce que tu fais là ? Où est-ce que je suis ? »

Il l'embrassa sur la main. « Tu es à l'hôpital, ma belle. » Les yeux luisants de larmes, il détourna la tête le temps de se ressaisir.

« Graham… ? »

Il prit sa respiration. « Je suis sincèrement désolé. »

Tina leva la main pour lui épargner d'avoir à dire la suite. « Je sais. J'ai perdu mon bébé.

— Oh, Tina… » Il se pencha et l'embrassa sur le front.

« Où est Rick ? »

Graham serra les poings en prenant sur lui pour se calmer. « Loin d'ici… si toutefois il lui reste encore un minimum de bon sens ! Je suppose que tu vas porter plainte. »

Tina était épuisée. « Je ne peux pas penser à ça pour l'instant… Il faut que je le voie. »

Graham secoua la tête d'un air stupéfait. « Après ce qu'il vient de faire ? Tu n'as plus toute ta tête… »

Elle sentit des larmes brûlantes rouler sur ses joues. Elle voulut les essuyer, mais quand elle souleva la main, la poche de perfusion se balança sur le portant. « Mon bébé n'est plus là. »

Elle laissa échapper de gros sanglots tandis que Graham la prenait dans ses bras. Tout doucement, il la berça. « Vas-y, laisse-toi aller… »

Arrivant à peine à articuler, elle demanda : « C'était un garçon ou une fille ?

— Une magnifique petite fille. Un petit concentré parfait de beauté. »

Tina s'écarta pour le regarder. « Tu l'as vue ?

— Oui, je suis resté tout le temps avec toi. Enfin, pas pendant l'accouchement… J'ai attendu dans le couloir. Mais ils me l'ont montrée après. »

Elle se redressa sur les coudes. « Je veux la voir », dit-elle, d'une voix étrangement calme.

Graham n'hésita qu'une brève seconde. « Oui, bien sûr. Je vais chercher une infirmière. »

Tina regardait sa fille, émerveillée de la voir si parfaite. Ses yeux étaient fermés, et ses longs cils noirs reposaient sur ses joues. On aurait dit qu'elle dormait et que, d'une seconde à l'autre, elle allait ouvrir les yeux en regardant sa mère avec adoration.

« Tu es sûre qu'elle est...

— Elle n'avait aucune chance. Ce salaud t'a frappée avec une telle force que tu as eu ce qu'on appelle une rupture de placenta. Tu as perdu énormément de sang... C'est un miracle que tu ne sois pas morte toi aussi ! »

Tina ferma très fort les yeux. « Je regrette de ne pas l'être. » Elle serra sa fille contre sa poitrine. « C'est de ma faute. Jamais je n'aurais dû retourner vivre avec lui... Linda et toi m'avez pourtant dit que j'étais folle, mais je n'ai rien voulu entendre. Et maintenant, mon bébé en a payé le prix. Jamais je ne me le pardonnerai ! »

Graham serra le drap au creux de son poing. « Dans cette histoire, une seule personne est à blâmer, et ce n'est pas toi, Tina.

— Katy, murmura-t-elle.

— Pardon ?

— Je vais l'appeler Katy. » Elle esquissa un pauvre sourire.

« C'est un joli nom. » Graham se moucha bruyamment.

Sa petite fille serrée sur son cœur, Tina chantonna en la berçant doucement dans ses bras.

Dors mon enfant, la paix t'accompagnera
Tout au long de la nuit
Ses anges gardiens, le Seigneur t'enverra
Tout au long de la nuit.

Elle passa son doigt autour du visage de l'enfant en souriant, puis elle se tourna vers Graham. « Tu veux bien demander à l'infirmière de l'emmener ? »

Il se leva d'un bond. « Si tu en es sûre… »

Il appuya sur la sonnette. Au bout de quelques minutes, une infirmière arriva. Tina remonta la couverture rose sur le petit visage du bébé. « Je ne veux pas qu'elle prenne froid », dit-elle d'une voix assurée. Elle regarda son bébé parfait, puis l'embrassa sur le front. « Au revoir, mon petit ange… Je ne t'oublierai jamais. Dors bien. » Puis elle passa le bébé à l'infirmière, pour la dernière fois.

À minuit passé, elle se réveilla d'un sommeil agité. Assoupi sur une chaise à côté d'elle, Graham ronflait doucement. Tina le regarda avec tendresse et sourit. Il existait des hommes bien. Puis elle pensa à Rick, et un goût de bile lui monta dans la bouche. Le cœur battant plus vite, elle regretta de ne pas avoir assez d'énergie pour donner libre cours à sa colère. Le traumatisme d'avoir vu son bébé mort-né l'avait vidée de toutes ses forces. À sa demande, Graham avait appelé Rick, sans parvenir à le joindre. Tina pensa téléphoner à sa belle-mère, mais elle ne se sentait pas capable de la voir, ni de supporter les excuses qu'elle ne manquerait pas d'inventer pour justifier les actes abominables de son fils. Sans doute était-il dans les vapes quelque part, le cerveau imbibé d'alcool, incapable de faire face à la réalité. Tout ce dont elle se souvenait, en dehors de la douleur fulgurante, c'était de l'avoir vu sortir de la maison en trombe avec la lettre, son esprit tordu en proie à des pensées insensées, incapable de discerner la vérité.

Rick rentra chez lui aux premières heures du matin. Après être reparti de Gillbent Road, il était entré dans le premier pub qu'il avait aperçu pour tâcher de rassembler ses pensées. Il s'était comporté comme un abruti, et quand il relut la lettre, dans le calme et jusqu'à la fin, il comprit à quel point il avait été idiot. Le problème, c'était qu'il aimait Tina si fort que l'idée de la perdre ou qu'elle le quitte pour un autre homme le terrifiait. Sa jalousie avait tourné à la paranoïa dans des proportions épiques. Non seulement Tina était d'une beauté incroyable, mais elle était gentille, bienveillante, et d'une intelligence placide qui parfois le stupéfiait. Il savait qu'il n'était pas le meilleur mari du monde. Son comportement pouvait être inconstant, et son manque de jugement frôler la folie, mais il l'aimait immensément.

Après avoir englouti une énième pinte, il se leva en titubant. Sa décision était prise. Tina serait fière de dire qu'il était son mari. Trop souvent, il l'avait laissée tomber, mais il était décidé à se faire pardonner. Ils seraient des parents merveilleux, dévoués à leur enfant, qui ne souhaiteraient rien d'autre, et leur petite famille serait inséparable.

En mettant la clé dans la serrure, il aperçut le vieux landau et s'immobilisa. Il ne se rappelait pas l'avoir vu quand il était parti comme un fou furieux. Il avança dans l'entrée sur la pointe des pieds pour ne pas réveiller Tina. Il avait grand besoin de boire de l'eau. Le long trajet à pied jusque chez lui l'avait dégrisé, mais il mourait de soif. Il avala deux verres d'eau d'affilée avant de sentir quelque chose crisser sous ses pieds. Il se pencha et examina les éclats de verre. Étonné, il se redressa, et c'est alors qu'il aperçut le carreau cassé sur la porte.

« Qu'est-ce que… ? » Le cœur battant à tout rompre, il eut à nouveau la bouche sèche. La peur monta en lui tel du mercure. Il se retourna lentement et observa la cuisine. Quelque chose n'allait pas… Un filet de sueur glacé lui coula dans le dos tandis que son cœur s'emballait dans sa cage thoracique.

Et d'un seul coup, il comprit. Affolé, il recula et s'appuya contre l'évier. Le visage dans les mains, il se frotta les yeux de toutes ses forces avant de s'obliger à regarder encore une fois. Et comme il s'en doutait, elle était toujours là. La tache rouge sombre étalée sur le sol ne pouvait être que le sang de sa femme. Il vomit dans l'évier.

Après avoir été vérifié que leur lit était vide, Rick redescendit s'asseoir dans la cuisine. La tête posée sur la table, il ferma les yeux. Sa respiration s'accéléra, et brusquement, il sursauta, de nouveau en alerte. Il alla chercher un stylo. Il en trouva un dans l'entrée près du téléphone, puis il sortit la lettre de Billy de sa poche. Les mains tremblantes, il la défroissa, la retourna et écrivit un seul mot : *Pardon*.

Désespéré, il quitta pour la dernière fois le domicile conjugal. Tina ne lui pardonnerait jamais, il en avait la certitude absolue. Il ne l'espérait pas, pas plus d'ailleurs qu'il ne le voulait. Alors qu'il s'éloignait dans la rue d'un pas traînant, il allait enfin lui donner ce qu'elle méritait. Il allait la libérer.

25

Assise au bord du lit, Tina balançait ses jambes dans le vide d'un air absent. Depuis bientôt une semaine qu'elle était à l'hôpital, elle n'avait toujours pas de nouvelles de Rick. Graham était passé deux fois chez eux, avant tout pour nettoyer la cuisine et se débarrasser des deux landaus, mais il n'y avait trouvé personne. Pour finir, Tina avait téléphoné à Molly, qui elle non plus ne savait pas où était son fils. Elle était dévastée par la mort de sa petite-fille, et folle d'inquiétude pour Rick qui avait apparemment disparu.

« Mon Ricky aurait été un père merveilleux », avait-elle sangloté.

On frappa un coup discret à la porte. Graham avança la tête dans l'embrasure.

« Tu es prête ? »

Tina se leva et attrapa son petit sac. En la voyant vaciller, Graham la retint par le coude. « Doucement… Tiens, je t'ai apporté ton manteau. Il fait un froid de canard, dehors. »

Elle enfila le gros manteau d'hiver. Sans trop savoir quoi, quelque chose lui parut bizarre. Et d'un seul coup, elle comprit : elle pouvait le boutonner jusqu'en bas. La dernière fois qu'elle l'avait mis, elle avait été enceinte de presque neuf mois. Sentant sa lèvre inférieure trembler, elle la mordit fermement.

« Ça va ? demanda Graham.

— À ton avis ? répondit-elle d'un ton las.

— Désolé, ma question était stupide.

— Non, c'est moi qui suis désolée, mais, s'il te plaît, ne me demande pas comment je vais.

— Excuse-moi... Pourquoi tu ne viendrais pas t'installer chez nous ? Te savoir toute seule dans cette maison ne me dit rien qui vaille. Et s'il revenait ?

— S'il revenait ? J'ai besoin de le voir. Il faut qu'on parle de certaines choses.

— Je peux m'en charger. Rien ne t'oblige à le revoir. Après ce qu'il a fait !

— J'ai quelque chose à lui dire, Graham. Quelque chose que j'aurais dû lui dire il y a longtemps. »

Il comprit au ton de sa voix qu'il était inutile d'insister.

En rentrant chez elle, Tina s'étonna de trouver la maison si agréable. Graham avait fait le ménage de fond en comble et avait même installé un petit arbre de Noël dans le salon. Elle se laissa tomber sur le canapé et batailla pour enlever ses bottes.

« Attends, laisse-moi t'aider... » Il les lui ôta et les posa par terre. « Une tasse de thé ?

— Avec grand plaisir. Merci. »

Au bout de quelques minutes, Graham revint avec du thé sur un plateau. « Tiens, j'ai trouvé ça. » Il lui tendit la lettre de Billy.

Tina lissa la feuille froissée et aperçut le mot. Un seul, tracé d'une écriture enfantine. C'était tout ce qu'il pensait qu'elle méritait.

Après avoir fixé le mot une longue minute, elle murmura simplement : « Il est revenu. »

Ils étaient assis sur le canapé, dans un silence plus apaisant que gênant. Graham mordillait le bout de son crayon en réfléchissant sur une grille de mots croisés, Tina feuilletait d'un œil distrait le *Woman's Weekly* – on y trouvait des recettes de biscuits de Noël en forme d'étoiles, des instructions pour fabriquer ses propres pétards avec l'intérieur d'un rouleau de papier toilettes ou encore des suggestions de cadeaux de dernière minute. Elle laissa glisser le magazine sur le sol. En ce qui la concernait, Noël était annulé, et les pages de magazine pleines de joie festive n'y changeraient rien. C'était gentil de la part de Graham d'avoir mis l'arbre de Noël, mais elle avait beau savoir qu'il avait voulu bien faire, elle n'avait qu'une envie : le mettre en pièces et écrabouiller les petites boules minables. Tout à coup, elle eut envie d'être seule.

« Tu ne crois pas que tu devrais aller retrouver Sheila ? » Les lumières du sapin clignotaient et la cheminée électrique luisait de chaleur. « Je me sens bien, je t'assure. Tu as été un ami formidable, vraiment, mais tu as ta vie, tu devrais la reprendre.

— Tu as subi des choses terribles, Tina. Je veux juste m'assurer que tu vas bien. Je suis un vieil enquiquineur, je sais, mais l'idée que Rick pourrait revenir m'inquiète.

— Il n'en fera rien. Il va garder profil bas pendant un temps, crois-moi… Il doit se sentir trop honteux pour revenir en rampant ! »

Tous deux se figèrent en entendant sonner à la porte. Ni l'un ni l'autre n'osant bouger, ils restèrent là à se dévisager. Tina réagit la première. « J'y vais. » Elle entreprit de se lever.

« Ah, non, pas question ! » dit Graham.

Devant la porte, il regarda à travers la vitre, mais le verre dépoli empêchait de voir qui était là. Il mit la chaîne et entrouvrit la porte.

Sur le seuil se tenait une superbe rousse, un plat enveloppé d'un torchon à carreaux sur les bras.

« Oh, bonjour… Je venais voir Tina. »

Comme elle avait l'air plutôt sympathique, Graham retira la chaîne et l'invita à entrer. « Et vous êtes ?

— Linda… Linda, du bureau. Elle est là ? »

Elle passa la tête dans le salon. Tina leva les yeux. « Linda ! Oh, mon Dieu, entre… Merci d'être passée ! »

Les deux femmes s'embrassèrent avec affection, puis Linda lui prit les mains en scrutant son regard. « Comment tu te sens ? Je sais bien que c'est une question idiote, mais je ne sais pas quoi dire d'autre… Dans ce genre de situation, je suis nulle !

— Tu n'as pas besoin de dire quelque chose, dit Tina en souriant. Que tu sois là suffit. »

Graham se racla la gorge. « Qu'est-ce que vous voulez que j'en fasse ? » L'air empoté, il était là, debout, le plat dans les mains.

« Oh, pour l'instant, laissez-le dans la cuisine, s'il vous plaît, répondit Linda. Je nous ai préparé un pain de poisson sublime pour le dîner. » Elle plongea la main dans son sac d'où elle sortit une bouteille de Blue Nun. « Et mettez ça au réfrigérateur, vous voulez bien ?

— Tu as fait un pain de poisson ? s'exclama Tina, impressionnée.

— Un pain de poisson *sublime* ! rectifia Linda.

— Qu'est-ce qu'il y a de sublime dedans ?

— Des crevettes. »

Pour la première fois depuis ce qui lui semblait être une éternité, Tina éclata de rire.

Graham revint dans le salon. « Bon, vous devez avoir des tonnes de choses à vous raconter... Je vais y aller.

— Attends ! » l'arrêta Tina. Elle l'entoura de ses bras et posa la tête sur son torse. « Tu sais que, sans toi, je n'aurais pas survécu à tout ça. »

Graham l'embrassa sur le sommet du crâne.

« Je serai toujours là pour toi, Tina. Si tu as besoin de quoi que ce soit, appelle-moi. »

Elle le regarda d'un air reconnaissant. « Merci, je le ferai. »

Après le pain de poisson sublime et une demi-bouteille de vin, Tina se sentit plus détendue qu'elle ne l'avait été depuis longtemps. Elle ramena ses jambes sous elle et serra un coussin tout doux sur sa poitrine. Linda, toujours pleine de tonus, savait lui remonter le moral. Elles avaient juste eu le temps de réchauffer le pain de poisson avant qu'il n'y ait une nouvelle coupure de courant, si bien qu'elles étaient dans le salon à la lumière des bougies.

« Où penses-tu qu'il soit ? » demanda Linda.

Tina fit tourner le vin dans son verre. « Aucune idée. Il n'a pas vraiment d'amis proches, et sa mère est toujours sans nouvelles. Il titube probablement d'un pub à un autre au milieu des brumes de l'alcool… » Elle hésita une seconde avant d'ajouter : « Merci.

— De quoi ?

— De ne pas avoir dit : "Je te l'avais bien dit."

— Ma foi, je ne nierai pas que ça ne m'a pas traversé l'esprit, seulement, c'est la dernière chose que tu as besoin d'entendre en ce moment. »

Pour la seconde fois ce soir-là, Tina sursauta en entendant la sonnette déchirer le silence.

« Qui ça peut bien être ? demanda Linda. Non, laisse, j'y vais », dit-elle en voyant son amie prête à se lever.

Quelques secondes plus tard, elle revint accompagnée de deux agents de police en uniforme. Tina sentit son cuir chevelu la picoter lorsqu'elle se leva pour les accueillir.

« Mrs Craig ? s'enquit l'un d'eux avec nervosité.

— Oui, c'est moi. Que puis-je faire pour vous ? » Elle se força à garder une voix posée.

L'autre policier prit le relais. « Nous avons une mauvaise nouvelle… Votre mari, Richard Craig, a été retrouvé… On l'a retrouvé mort. »

Bien que sidérée, Tina eut de la peine pour le jeune agent chargé d'annoncer une telle nouvelle. « Mort ?

— Oui. Je suis sincèrement navré, Mrs Craig.

— Mort ? répéta-t-elle. Mais… comment ? Où ? »
Linda la prit par l'épaule.

Le policier se racla la gorge et baissa les yeux sur son carnet. « Un homme qui promenait son chien l'a découvert sur le chemin qui longe le Ship Canal. »

Tina s'accrocha à Linda en sentant ses jambes se dérober sous elle.

« Je ne comprends pas… Comment peut il être mort ? »

Les deux agents échangèrent un regard, puis le premier reprit la parole. « Il va bien entendu y avoir une autopsie, mais, d'après les premières constatations, il se serait étouffé avec son vomi. »

Tina laissa fuser un rire bref. « Vous voulez dire qu'il était fin saoul ? On l'a retrouvé mort au bord du canal parce qu'il était saoul ? »

Le policier jeta un regard embarrassé à son collègue. « Eh bien, à ce stade de l'enquête, personne ne peut l'affirmer. »

Dès que les policiers furent repartis, Linda prit les choses en main. « On va te faire boire un verre de whisky… Tu viens d'avoir un sale choc. »

L'ironie de sa proposition n'échappa pas à Tina. Dans une sorte de brouillard, elle porta le verre à ses lèvres. L'odeur de l'alcool la renvoya à de douloureux souvenirs.

« Je me sens trahie, Linda. Je voulais absolument le revoir une dernière fois. J'avais besoin de le voir, et voilà qu'il a eu le dernier mot… Je n'aurai plus jamais l'occasion de lui dire à quel point… »

Elle s'approcha de l'évier et jeta son verre qui se brisa en mille morceaux en faisant sursauter son amie.

Puis elle fondit en larmes, le corps secoué de sanglots, et se laissa glisser le long du mur à même le sol. Alors, tout en grinçant des dents de rage, elle cracha plus qu'elle ne dit : « Je n'aurai plus jamais l'occasion de lui dire à quel point je le *hais* ! »

DEUXIÈME PARTIE

26

1974

William Lane se redressa en s'étirant, les mains sur les reins. Après avoir respiré à fond, il épongea son front en sueur et but une longue rasade d'eau au goulot de sa bouteille. Le travail avait beau être pénible, cette saison était celle qu'il préférait dans l'année. La récolte de la sève d'érable démarrait vers la fin février et prenait fin six semaines plus tard, quand il allait ramasser les derniers seaux sur les arbres. Le liquide ambré et gluant serait ensuite mis à bouillir, jusqu'à ce qu'il ne reste plus que le sirop épais dont ses compatriotes américains adoraient arroser leurs pancakes au petit déjeuner.

En entendant son père qui fendait des bûches dans le garage, il éprouva soudain un élan d'affection pour le vieil homme, accompagné d'une bonne dose de culpabilité à cause de ce qu'il s'apprêtait à faire à ses parents. Tous deux travaillaient très dur pour mener une existence confortable et, bien qu'ils aient un mode de vie simple et décontracté, ils auraient mérité une plus belle récompense compte tenu de toutes les heures qu'ils y consacraient. Bien sûr, ils ne seraient sûrement pas d'accord. Sa mère adorait s'occuper des chambres d'hôte ; elle s'épanouissait en rencontrant des gens et traitait tous les clients comme s'ils étaient des membres de la famille.

William transporta le dernier seau dans la cabane à sucre. La cuve, chauffée sur un feu de bois, était à la bonne température, la sève bouillonnait en réduisant peu à peu comme il le fallait. Une fois qu'il l'aurait mise en bouteille et collé l'étiquette à leur nom – Lane's Maple Syrup –, ce serait le moment de leur parler. Du moins était-ce ce que lui soufflait la raison. Parce que, son cœur, c'était une autre affaire…

Un mois plus tard, alors que le soleil d'avril réchauffait la terre et que le sirop d'érable avait été mis en bouteilles et distribué, William s'assit sur sa valise en sautant plusieurs fois dessus pour la fermer. Après avoir attaché les sangles, il la posa près de la porte, puis tapota la poche de sa veste dans laquelle il sentit la forme rassurante de son passeport et de son billet d'avion. La voix enjouée de sa mère s'éleva du rez-de-chaussée.

« Will… Il faut que tu prennes un petit déjeuner avant de partir, mon chéri ! J'ai fait des pancakes aux myrtilles. Viens les manger tant qu'ils sont chauds ! »

Le cœur lourd d'angoisse, il traîna sa valise dans l'escalier. Ce jour, il l'avait attendu toute sa vie, pourtant il avait l'impression de trahir l'amour de sa mère. Pendant trente et un ans, ses parents l'avaient nourri, s'étaient occupés de lui, et à présent il avait l'impression de leur flanquer un coup de poing dans la figure.

Dès qu'il entra dans la cuisine, l'odeur des pancakes lui emplit les narines. Sa mère s'essuya les mains sur son tablier et lui sourit.

« Ah, te voilà... Viens t'asseoir. J'allais servir. »

William se laissa tomber sur une chaise, la tête dans les mains, les épaules voûtées comme un vieil homme. Sa mère lui passa la main dans le dos et lui ébouriffa les cheveux comme s'il avait encore neuf ans.

« Allons, Will... Tu attends ce jour depuis longtemps... » Elle réussit à garder une voix posée.

Il se redressa et la regarda dans les yeux, craignant que ses larmes jaillissent au moindre mot gentil qu'elle lui adresserait.

« J'ai l'impression de te trahir... De vous trahir, toi et papa. »

Sa mère vint s'asseoir près de lui. « On a déjà parlé de tout ça... Ton père et moi te soutenons entièrement. Nous serons toujours tes parents et nous t'aimerons toujours. Tu es notre précieux fils, ça me fait de la peine de te voir te débattre pour trouver la paix... » Elle lui tapota la main. « Je prie pour que tu la trouves. »

Une brusque rafale de vent faillit arracher la porte au moment où Donald Lane entra, son fusil en bandoulière, deux lapins morts à la main.

« Bonjour, fiston. Comment ça va, ce matin ? » Sous son accent traînant de New York, il s'efforça de prendre un ton désinvolte.

« Ça va.

— Ton avion décolle d'Idlewild à quelle heure ? »

William esquissa un sourire. « JFK, papa… Ça fait onze ans que c'est JFK. »

Donald posa son fusil sur la table en grommelant. « C'est pareil.

— L'avion décolle seulement ce soir, mais je pars plus tôt. Dirk va m'emmener en voiture. On a pas mal d'heures de route à faire, et puis je préfère arriver en avance. »

Donald se tourna vers sa femme. « Il y a du café, Martha ? »

William avait su dès son plus jeune âge qu'il avait été adopté. Et pendant l'enfance idyllique qu'il avait passée en Nouvelle-Angleterre, ça n'avait jamais eu pour lui aucune importance. Ses parents adoptifs étaient les personnes les plus adorables, les plus honnêtes et les plus pieuses que l'on puisse espérer rencontrer, au point que le fait qu'ils n'aient jamais eu d'enfant le faisait douter de l'existence de ce Dieu qu'ils vénéraient si consciencieusement. Car si une femme était née pour être mère, c'était sûrement Martha Lane.

Il avait passé les trois premières années de sa vie avec sa mère biologique dans un couvent au sud de l'Irlande, où il était né. Et bien qu'il l'ait toujours su – ses parents adoptifs n'en avaient jamais fait un secret –, il ne se rappelait pas grand-chose de sa « vraie » mère, pas plus que de l'endroit où il avait vécu petit garçon. Un jour, quand il avait environ dix ans et qu'ils avaient déménagé dans cette ferme dans le Vermont, il était rentré dans la maison et avait aperçu sa mère à genoux en train de lessiver le plancher avec du savon Sunlight. De dos, avec un vieux tablier et un foulard sur la tête, sa silhouette courbée en deux aurait pu être celle de n'importe qui, et, l'espace d'une minute, il s'était senti troublé. Puis l'odeur du savon lui avait assailli les narines, et il était resté prostré. L'odeur citronnée l'avait renvoyé d'un seul coup à ses jeunes années. Il avait brusquement revu le long couloir où des jeunes filles frottaient le sol jusqu'à ce qu'il brille comme un miroir. Il était ressorti discrètement sans faire de bruit.

Une autre fois, quelques années plus tard, sa petite amie de l'époque, Jenna, qui n'était pas connue pour ses talents de cuisinière, lui avait préparé un dîner romantique. Il avait planté sa fourchette dans le tas de purée grise, truffé de morceaux durs qui avaient échappé au presse-purée, puis l'avait reposée en regardant fixement par la fenêtre.

« Tout va bien, Will ? lui demanda Jenna.

— Du *pandy*… C'est du *pandy*. »

Jenna se vexa. « Ça n'a pas l'air d'être un compliment…

— Non, excuse-moi, ça n'a rien d'une insulte. C'est comme ça qu'on appelait la purée… Je me souviens que ma mère m'en faisait manger. » Il plissa très fort les yeux et se frotta les tempes en s'efforçant de convoquer une image plus précise. Ça ne marchait pas. Il avait beau essayer, le visage de sa mère restait toujours dans le flou, mais il gardait d'elle un souvenir de tendresse mêlée de dévouement.

À présent, il était là devant ses parents sous le porche de la ferme et s'apprêtait à leur dire au revoir.

Martha Lane serra un joli mouchoir à fleurs dans sa main et se tamponna les yeux. Donald Lane prit son fils dans ses bras pour lui donner une accolade. William la lui rendit, avec une profonde affection, puis il s'écarta et le regarda dans les yeux.

« Merci de me laisser faire ça, papa. Je sais que ce doit être difficile pour toi et maman. Je veux juste que vous sachiez que je vous aime tous les deux. Vous serez toujours mon père et ma mère, et je vous suis reconnaissant pour tout ce que vous m'avez donné… Je ne cherche pas une nouvelle maman. Seulement, j'ai besoin de comprendre d'où je viens, et ce qui m'a amené à naître dans de telles circonstances. »

Il prit la main de sa mère dans la sienne et l'embrassa sur la joue.

« Reviens-nous vite, mon fils… Tu vas nous manquer. » Martha s'empressa de tourner les talons et rentra dans la maison.

« Papa ?

— Ne t'inquiète pas, fiston. Ça va aller… Assure-toi de revenir sain et sauf, c'est tout. Et si tu retrouves ton autre mère, remercie-la.

— De quoi ? » demanda William en fronçant les sourcils.

Donald renifla un grand coup. « De nous avoir donné le plus beau cadeau qui soit… Un garçon dont on est fiers. Un garçon grâce à qui notre vie est complète.

— D'accord, papa. Merci. Et prends bien soin de maman. »

Quelques heures plus tard, lorsque William prit place à bord du vol transatlantique, il sortit la feuille que lui avait remise sa mère. Il en connaissait déjà par cœur tous les détails, mais il les relut tout de même encore une fois en suivant les mots du bout du doigt. Le nom de sa mère était Bronagh Skinner, et il était né au couvent du Sacré-Cœur de St Bridget, près de Tipperary, le 10 avril 1940. Elle était âgée de vingt ans à l'époque et en avait donc cinquante-quatre aujourd'hui. Il replia la feuille et la rangea dans la poche de sa veste. En regardant New York disparaître derrière le hublot, il éprouva une sorte d'excitation, mêlée d'appréhension. Que ce soit pour le meilleur ou pour le pire, il allait découvrir d'où il venait.

27

Il lui fallut plusieurs minutes avant de comprendre où il était. Terrassé par le décalage horaire, il avait dormi plus tard qu'il ne l'aurait voulu. Il repoussa le gros édredon et alla dans la salle de bains. Se voir dans le miroir lui fit un choc : il avait les paupières lourdes, les yeux cernés, et on aurait dit que ses cheveux n'avaient jamais vu un peigne. Après s'être aspergé le visage d'eau froide, il s'approcha de la fenêtre. Devant lui s'étendaient la ville de Tipperary et ses maisons aux couleurs pimpantes, où, d'après son guide de voyage, on était sûr de recevoir un accueil chaleureux. Et, en effet, sa logeuse l'avait accueilli de façon très sympathique. Sa mère en aurait été touchée.

William promena un regard réjoui sur sa chambre. Refaite récemment, elle sentait encore un peu la peinture, et cela malgré l'énorme vase rempli de fleurs fraîches que Mrs Flanagan avait posé sur la coiffeuse. Un coup frappé à la porte le surprit. Il enroula une serviette autour de ses reins et entrouvrit la porte.

« Ah, pardon de vous déranger, Mr Lane, mais je me demandais si vous vouliez prendre un petit déjeuner… En général, j'arrête de servir à dix heures, mais après un si long voyage, je me doute que vous devez être fatigué. » Son doux accent irlandais irradiait de gentillesse.

« Oh, oui… Très volontiers. Je suis désolé, Mrs Flanagan… Quelle heure est-il ?

— Voyons voir… » Elle remonta la manche de son chemisier et regarda sa montre. « Eh bien, il est moins le quart.

— Dix heures moins le quart ?

— Euh, non, onze heures moins le quart…

— Oh, mon Dieu ! Il est beaucoup plus tard que je ne pensais… Je ne voudrais pas vous embêter, mais, d'un seul coup, je meurs de faim ! »

Le visage rougeaud de Mrs Flanagan se fendit d'un immense sourire. « Alors, c'est d'accord ! Tout sera prêt sur la table dans quinze minutes. »

La salle à manger était petite, mais accueillante. Le tapis au motif compliqué et les meubles en acajou foncé donnaient l'impression d'encombrer la pièce. William se dit que c'était dommage que les fenêtres aient des rideaux en filet qui masquaient la vue sur cette ville magnifique. Il but une gorgée du café que sa logeuse avait déjà posé devant lui, puis sortit un plan qu'il étala sur la table. Mrs Flanagan arriva précipitamment avec son petit déjeuner.

« Voilà qui vous permettra de tenir le reste de la journée ! »

Ce qu'il aperçut sur l'assiette le fit saliver – des grosses saucisses juteuses, des tomates grillées, du boudin noir, des œufs sur le plat et deux portions de gâteau de pommes de terre fait maison.

« Mais c'est un vrai festin ! Merci, Mrs Flanagan.

— Allons, allons, ce n'est rien… Vous êtes le bienvenu. » L'air rayonnant, elle repartit en le laissant dévorer son petit déjeuner.

Dix minutes plus tard, elle revint lui demander s'il voulait qu'elle le resserve. William recula contre le dossier de sa chaise en se frottant le ventre.

« C'était absolument délicieux, Mrs Flanagan. Mais je ne pourrais rien avaler de plus.

— Bon, si vous en êtes sûr… Je ne voudrais pas qu'un de mes clients soit affamé, surtout quand ils viennent nous voir de si loin !

— Je crois que je n'aurai pas besoin de faire un autre repas de toute la journée. »

Mrs Flanagan débarrassa la table en riant. « Dites-moi, c'est la première fois que vous venez en Irlande ? »

William hésita à répondre. Il ne se sentait pas prêt à parler de son passé, et encore moins à une parfaite inconnue. Mais Mrs Flanagan attendait la réponse à sa question qu'elle ne pensait pas être particulièrement difficile.

« Eh bien, en fait, non, puisque vous voulez savoir. J'ai vécu en Amérique avec mes parents adoptifs la plus grande partie de ma vie, mais je suis né ici.

— Non ? C'est incroyable ! Vous êtes né ici, à Tipperary ?

— Pas très loin, je crois. Dans un couvent. »

Le visage de Mrs Flanagan s'assombrit, et elle s'empressa d'empiler le reste des plats en évitant son regard. « À entendre votre accent, on ne le devinerait pas. »

William décida de lui en dire davantage. « Au couvent du Sacré-Cœur de St Bridget. Vous connaissez ? »

Elle le regarda en plissant les yeux. « Mais oui… Une de mes amies qui tient l'hôtel *Cross Keys* envoie tout son linge là-bas – les draps, les nappes…

— Votre amie envoie son linge dans un couvent ? »

Mrs Flanagan reposa les plats et s'assit en face de lui.

« Qu'est-ce que vous savez de votre mère biologique ? »

Il haussa les épaules. « Peu de chose. Juste son nom.

— Et vous comptez vous rendre au couvent ?

— Oui, naturellement. C'est le but de mon voyage. »

Mrs Flanagan se tortilla, l'air mal à l'aise. « N'en espérez pas trop. Ce que je veux dire, c'est qu'il doit y avoir une bonne raison pour qu'on ait envoyé votre mère au couvent.

— Qu'est-ce qui vous fait supposer qu'on l'y a *envoyée* ? »

Mrs Flanagan émit un petit rire sec. « Croyez-moi, Mr Lane, aucune fille saine d'esprit n'entrerait dans cet établissement de son plein gré ! »

William fronça les sourcils. Elle poursuivit.

« Voyons, comment dire ça… Cet endroit accueille des filles qui sont la honte de leur famille – qui se sont déshonorées sur le plan moral, si vous préférez. Tomber enceinte sans être mariée est un péché, mais les religieuses font tout pour que les filles purifient leur âme de cette souillure grâce au travail. Elles leur offrent un refuge lorsque leurs familles ne veulent plus entendre parler d'elles, et, en échange du gîte et du couvert, les filles se chargent de la lessive, cultivent des légumes et fabriquent des chapelets.

— Mais elles sont libres de partir quand elles le veulent ? »

Mrs Flanagan haussa les épaules. « Oui, j'imagine. Écoutez, je n'en sais pas beaucoup plus… Je dis simplement que c'est une bénédiction que les sœurs soient là pour ces filles quand leur propre famille les désavoue. »

William se gratta le menton. « Si je comprends bien, vous pensez que ma mère a dû être rejetée par sa famille ? »

Mrs Flanagan se leva. « Je n'ai rien dit de tel. Je vous donnais juste un tableau d'ensemble… Le cas de chaque fille est différent. Mais tâchez de ne pas trop en attendre… Les sœurs ne communiquent pas facilement des informations. C'est un endroit très fermé. »

William se leva à son tour et reprit sa carte. « Auriez-vous la gentillesse de m'indiquer l'adresse, pour que je puisse au moins aller me rendre compte par moi-même ?

— Mais oui, volontiers… » Elle sortit un stylo de la poche de son tablier. « Je l'écris au dos de la carte ? »

Le trajet en bus avait duré plus de trente minutes, et au moment où il descendit, William était le dernier passager. Le chauffeur lui montra la route à prendre. « Je ne vais pas plus loin. Vous allez devoir marcher un peu plus de deux kilomètres et vous verrez le couvent sur votre gauche. Vous ne pouvez pas le rater ! »

William le remercia d'un signe de tête, puis sauta dans l'herbe du talus au bord de la route. Les portes se refermèrent en couinant. D'un seul coup, il se retrouva tout seul au milieu de la campagne paisible. Le temps s'était réchauffé, un beau soleil brillait à travers les arbres et des moutons gambadaient dans les prés. Quand ils ne bêlaient pas, le silence était tel qu'il les entendait quasiment brouter.

Il mit son sac à dos sur son épaule. Mrs Flanagan avait insisté pour qu'il emporte un thermos de café et une grosse part de son fameux cake, bourré de fruits secs et imbibé de Guinness. Au bout de quelques minutes, il s'arrêta pour enlever son pull et remonter les manches de sa chemise à carreaux. Il ôta sa casquette de base-ball et passa ses doigts dans ses cheveux mouillés de transpiration. Son guide promettait des températures fraîches, accompagnées d'averses d'intensité variable. Il frissonna malgré lui quand il sentit le sac à dos se presser contre sa chemise humide, mais il accéléra le pas en se concentrant sur sa destination, qui n'était plus distante que de quelques centaines de mètres.

À la sortie d'un virage, il aperçut le couvent où il avait vécu les trois premières années de sa vie. Il s'immobilisa, puis respira profondément et s'appuya contre un arbre. Le bâtiment, qu'il s'était attendu à reconnaître, ne lui rappelait aucun souvenir. Il s'avança devant les grilles. Une longue allée menait à la porte principale, mais, comme les grilles étaient fermées, il ne voyait pas par où entrer. Il fit le tour et finit par se retrouver à l'arrière du couvent. Des murs épais d'une hauteur de six mètres et hérissés de tessons de verre entouraient la cour. *Elles prennent la sécurité très au sérieux*, songea William. *Entrer ici par effraction ne doit pas être de la tarte ! Pas plus qu'en sortir !*

Il retourna devant l'entrée principale et regarda à travers les grilles. D'après ce qu'il en voyait, le couvent était en effet très imposant. Une immense bâtisse grise, avec au milieu une porte peinte en noir à laquelle on accédait par un escalier en pierre. Du lierre vert sombre grimpait sur la façade et une statue en marbre d'une blancheur éclatante se dressait à gauche de la porte.

Frustré, William se laissa tomber dans l'herbe. Il avait parcouru cinq mille kilomètres pour venir jusqu'ici, et il n'y avait apparemment pas moyen d'entrer ! Il sortit le cake de Mrs Flanagan de son papier et se régala dès la première bouchée. Le cake était charnu et bien juteux – ses papilles apprécièrent le goût de la Guinness. Il se versa une tasse de café, puis déplia sa carte. Un peu plus loin se trouvait un petit village, ou plutôt un hameau. Il envisageait de s'y rendre lorsqu'il entendit un bruit de moteur et vit une camionnette arriver sur la route. Il agita les bras pour attirer l'attention du conducteur, lequel ralentit et abaissa sa vitre.

« Je peux faire quelque chose pour vous ? »

William replia sa carte à la hâte et s'approcha.

« Est-ce que vous allez au couvent ?

— Oui, en effet.

— Ah, formidable… Je voudrais bien entrer, mais je n'arrive pas à ouvrir la grille. »

Le conducteur éclata de rire. « Cet endroit n'accepte aucun visiteur, fiston ! Vous avez à faire ici ?

— Oui, on pourrait dire ça…

— Dans ce cas, les religieuses doivent vous attendre ?

— Pas exactement. » William racla le sol de sa botte. « Écoutez, je viens de très loin, et il faut absolument que j'entre pour parler à la responsable.

— La mère supérieure ? Vous aurez de la chance si… » Il montra l'allée. « Tenez, voilà justement une sœur… Elle va me faire entrer. Mais il faut avoir rendez-vous. »

William regarda la vieille religieuse s'avancer dans sa longue robe noire qui frôlait les graviers – on aurait dit qu'elle glissait sur des roulettes.

« C'est sœur Mary. Avec elle, vous n'arriverez à rien… Sautez à l'arrière avec le linge, je vais vous amener jusqu'à la porte. Mais attention, je ne suis au courant de rien ! »

William lui sourit d'un air reconnaissant. Puis il ouvrit les portes à l'arrière et grimpa au milieu des ballots de linge. En attendant que la camionnette redémarre, il s'étendit sur des draps en riant. Il avait l'impression d'être un fugitif. Quoi qu'il en soit, il venait de franchir une étape supplémentaire pour retrouver sa mère.

28

William attendit que la camionnette soit complète-ment à l'arrêt. Il la sentit tanguer quand le livreur en descendit, puis il entendit des voix étouffées engager la conversation. Et soudain, les portes s'ouvrirent, et le soleil inonda l'intérieur de la camionnette. Il sortit en clignant des yeux.

« La voie est libre ! Vite, sortez de là et faites le tour jusqu'à la porte d'entrée... Si elles vous demandent comment vous êtes arrivé là, vous n'aurez qu'à dire que vous êtes entré derrière la camionnette du linge. Et que vous avez remonté hardiment l'allée ! Elles ne vous croiront pas, mais vous serez dans la place ! »

William récupéra son sac à dos et sortit d'un bond. Il tendit sa main au livreur. « Merci infiniment, mon-sieur. Je vous revaudrai ça. »

L'homme lui serra la main en lui faisant un clin d'œil. « J'espère que vous trouverez ce que vous cher-chez. »

William monta les marches en pierre. Ne voyant pas de sonnette près de l'imposante porte d'entrée, il tapa du poing d'un coup ferme. Le bois était d'une telle dureté qu'il se massa la main en grimaçant. Au moment où la porte s'ouvrit, il se redressa de toute sa hauteur.

« Bonjour ! Je me demandais s'il serait possible de parler à la responsable. »

La religieuse haussa les sourcils.

« Vous avez rendez-vous ?

— Eh bien, non, mais je viens de… »

Avant même qu'il ait pu terminer sa phrase, elle lui claqua la porte au nez. William demeura une seconde bouche bée avant d'éprouver une soudaine colère. Il serra les poings et s'obligea à respirer à fond. Ignorant sa main douloureuse, il frappa de nouveau et continua à le faire jusqu'à ce que la même religieuse revienne ouvrir la porte. Elle lui jeta un regard noir en plissant le front d'un air furieux.

« Quelle impolitesse ! s'exclama William. Comme je vous le disais, je souhaiterais parler à la responsable. J'ai fait un très long voyage pour venir jusqu'ici et je ne repartirai pas tant que je n'aurai pas vu quelqu'un qui puisse me renseigner. Alors, si ça ne vous dérange pas, pourriez-vous aller chercher la responsable, ou bien préférez-vous que je campe sur votre perron ? Et n'allez pas croire que je dis ça en l'air ! J'ai un thermos, du cake… et tout mon temps devant moi ! »

Sans un mot, la religieuse commença à refermer la porte, mais il fut cette fois plus rapide et coinça sa botte dans l'embrasure.

« Enlevez votre pied de là ! aboya la religieuse.

— Il n'en est pas question », répliqua William en passant devant elle. À la seconde où il se retrouva dans le vestibule, il reconnut l'odeur de citron familière. Il regarda alentour et aperçut un groupe de jeunes filles au bout du couloir. Toutes étaient vêtues de la même robe marron informe et avaient les pieds enveloppés de vieux chiffons. Il s'en étonna un instant avant de comprendre qu'elles s'en servaient pour cirer le sol. Une des filles, qui avait la tête rasée, se tourna vers lui. Quand il aperçut son gros ventre, il détourna les yeux d'un air gêné, mais pas avant toutefois de l'avoir vue esquisser un sourire timide.

« Bernadette, baissez les yeux, vile petite tentatrice ! la réprimanda la religieuse qui les surveillait. N'avez-vous donc rien appris ? Regardez dans quel état vous êtes ! Je me fais du souci pour votre âme, mon enfant, je me fais vraiment du souci ! »

Embarrassé, William se tourna vers la religieuse qui se tenait toujours là à ses côtés. Dès qu'elle eut refermé la porte, il prit conscience de l'atmosphère étouffante du couvent.

« Nous n'apprécions pas les intrus. Attendez ici le temps que j'aille voir sœur Benedicta. »

William inclina respectueusement la tête. « Merci, mais, si vous permettez, je préfère me considérer comme un visiteur que comme un intrus. »

Pendant qu'il patientait, le groupe de filles s'éloigna. Un silence sinistre régnait dans le vestibule lorsqu'une voix le fit sursauter.

« Je suis sœur Benedicta. En quoi puis-je vous être utile ? »

La mère supérieure était une grande femme aux joues rouges et aux yeux d'un bleu perçant, la bouche figée en un rictus résigné.

« Bonjour. Je m'appelle William Lane, et on peut dire que je suis revenu chez moi. Je suis né ici. »

Si la religieuse fut surprise, elle n'en laissa rien paraître.

« Je répète, en quoi puis-je vous être utile ? »

William fut déstabilisé. « C'est vous, la responsable du couvent ?

— En effet.

— Écoutez, sœur Benedicta, je ne veux pas vous déranger. Je suis seulement venu voir si vous pourriez m'aider à retrouver ma mère. Je sais qu'elle a été pensionnaire ici…

— Résidente. Pas pensionnaire.

— Oui, bien sûr, excusez-moi, dit-il en inclinant la tête. Je sais qu'elle a été résidente ici. Je suis né en avril 1940. Et comme je suppose que vous conservez des dossiers, j'apprécierais grandement toute information que vous pourriez me donner. »

Les lèvres de sœur Benedicta se relevèrent en un sourire sournois. « Vous êtes d'une naïveté stupéfiante, Mr Lane… Venez par ici, voulez-vous ? »

William la suivit dans son bureau. Au milieu de la pièce trônait une longue table en acajou encombrée de piles de papiers de hauteurs diverses. Au mur était accrochée une plaque sur laquelle était gravé : *Puis la convoitise, lorsqu'elle a conçu, enfante le péché. Jacques, 1, 15.*

La sœur lui indiqua une chaise face à son bureau. Ils s'assirent tous les deux. Puis elle posa ses deux coudes sur la table et se pencha vers William.

« Dites-moi, Mr Lane, aimez-vous vos parents ?

— Mais oui, naturellement... plus que tout ! s'indigna William.

— Et ils vous ont donné un bon foyer, n'est-ce pas ? Ils vous ont nourri ? »

Il s'agita sur sa chaise. « La question n'est pas là... Je suis à la recherche de ma vraie mère, et j'ai pour cela leur entière bénédiction.

— Votre vraie mère, c'est la femme qui vous a élevé, celle qui vous relevait quand vous tombiez, qui vous rassurait la nuit quand vous faisiez un cauchemar, qui vous...

— J'ai bien compris, ma sœur. Ce que je veux dire, c'est que j'ai leur entière bénédiction pour retrouver ma mère *biologique*. C'est mieux ?

— Inutile de prendre ce ton, Mr Lane ! Je pense que vous ne vous rendez pas compte du travail qu'on accomplit ici. Toutes celles qui passent par ce couvent sont des filles déchues, des dégénérées sur le plan de la morale, que la société a mises à l'écart et qu'ont rejetées leurs familles sur qui elles n'ont apporté que la honte ! Nous leur donnons un foyer, nous veillons sur elles pendant leur grossesse et nous faisons tout pour que leurs bébés soient recueillis par des parents aimants. Nous nous assurons qu'elles purifient leur âme en effectuant un dur labeur. Ces filles savent qu'elles sont condamnées à l'enfer si elles disent à qui que ce soit qu'elles ont eu un bébé, aussi puis-je vous garantir que rien de bon ne sortira de votre quête, Mr Lane. Je vous suggère de partir tout de suite... et de remercier le Seigneur à genoux que ce couvent ait agi dans votre meilleur intérêt en vous plaçant dans une famille gentille et aimante ! »

William avait l'impression d'être un mauvais élève en train d'être sermonné dans le bureau de la directrice ; un sentiment qui s'accentua quand il remarqua la badine suspendue au mur derrière la religieuse. Se demandant soudain si on s'en était servi pour battre sa mère, il dut prendre sur lui pour contenir sa colère.

« Sœur Benedicta, le travail que vous accomplissez n'est pas en cause, et je suis bien entendu reconnaissant d'avoir été élevé comme je l'ai été, mais il se trouve que j'ai vécu les trois premières années de ma vie dans ce couvent. J'ai même des souvenirs du temps que j'ai passé ici et de ma mère, bien que je ne me rappelle plus son visage. C'est comme s'il me manquait un pan de ma vie et, à cause de cela, je n'arrive pas à trouver la paix. Pour vous, qu'est-ce que ça change ? Je vous en prie, donnez-moi les renseignements que vous avez sur ma mère, et ensuite je m'en irai. Je ne reviendrai plus jamais vous importuner. »

La religieuse soupira. « Apparemment, vous n'avez pas écouté un seul mot de ce que je viens de vous dire… » Elle se leva et alla devant une grande armoire. À l'aide de la clé accrochée autour de son cou, elle l'ouvrit et en sortit un grand registre en cuir qu'elle lança sur le bureau. Une liasse de papiers voltigea sur le sol.

« Quel était le nom de votre mère ?

— Bronagh Skinner, répondit William avec émotion en reprenant un peu espoir.

— Et vous êtes né en 1940, dites-vous ? »

Il confirma d'un signe de tête et essuya ses paumes moites de sueur sur son pantalon.

Sœur Benedicta feuilleta le registre pendant ce qui lui sembla durer une éternité. Sur les pages étaient inscrites des centaines de noms. William se rassura vaguement en se disant qu'il n'était pas le seul dans cette situation. Puis la religieuse prit un stylo et nota un numéro sur un bout de papier. Après quoi elle alla remettre le registre dans l'armoire. D'un geste ostentatoire, elle la referma à clé et regarda William dans les yeux.

« Attendez-moi ici », ordonna-t-elle avant de sortir de la pièce.

Un quart d'heure s'écoula, et la sœur n'était toujours pas revenue. William fit les cent pas dans le bureau, puis s'arrêta devant la fenêtre qui donnait sur le jardin. Plusieurs filles, toutes très enceintes, étaient en train de bêcher un carré de légumes sous la surveillance d'une religieuse. L'une d'elles trébucha et tomba à genoux, et, en voyant qu'elle avait du mal à se relever, une autre fille lui tendit la main pour l'aider. Aussitôt, la religieuse intervint pour les séparer. William n'entendit pas ce qu'elle leur dit, mais il vit la fille qui était tombée se recroqueviller sur elle-même lorsque la religieuse leva la main sur elle. Visiblement, elle était habituée à être battue.

La porte du bureau s'ouvrit sur une femme d'âge moyen en tenue d'infirmière qui regarda William d'un air intrigué.

« Oh, je venais voir sœur Benedicta…

— Elle s'est absentée pour aller me chercher des informations.

— Ah, je comprends…

— Qu'y a-t-il, infirmière ? » La religieuse était revenue, tenant un mince dossier sous le bras.

« Il faut que je vous dise un mot, ma sœur. » Elle montra William d'un signe de tête. « En privé. »

La religieuse ne dissimula pas son impatience. « Ça ne peut pas attendre ?

— Pas vraiment. Mais ça ne prendra qu'une minute. »

Sœur Benedicta poussa l'infirmière dans le couloir et referma la porte. Curieux, William s'approcha, l'oreille collée à la porte. Et bien que les deux femmes chuchotent d'une voix affolée, il entendit ce qu'elles disaient.

« C'est au sujet de Colette, ma sœur. Je viens de l'accoucher, mais elle a une vilaine déchirure. Il lui faut absolument des points de suture.

— Vous connaissez les règles : pas de points de suture. Si déchirure il y a, c'est que telle est la volonté du Seigneur. Elle expiera ses péchés. Elle aurait dû y penser avant de se retrouver dans cette situation...

— Ma sœur ! Vous savez bien qu'elle a été violée...

— C'est ce qu'elle raconte... Cette fille est une aguicheuse ! Ce qui lui est arrivé est entièrement sa faute. Et maintenant, cessez de me faire perdre mon temps. J'ai du travail. »

William s'empressa de reculer en faisant comme si de rien n'était. La religieuse le dévisagea en fronçant les sourcils. « Asseyez-vous. »

Elle-même alla s'asseoir à son bureau et ouvrit le dossier. Après avoir mis des lunettes au bout de son nez, elle commença à passer en revue divers papiers. William se tordit le cou pour voir de quoi il s'agissait, mais il était trop loin pour distinguer autre chose qu'un numéro : 40/65. Trouvant enfin ce qu'elle cherchait, la sœur brandit une feuille de couleur jaune.

« Vous voyez la signature, là, en bas ? »

William se pencha et aperçut un nom inscrit d'une écriture un peu scolaire : Bronagh Skinner. Quand il voulut prendre la lettre, la religieuse se hâta de l'éloigner. « Votre mère a signé un document stipulant qu'elle renonçait à tous ses droits sur vous le jour où vous êtes parti de ce couvent. Vous ne devez jamais entrer en contact avec elle, et elle s'est engagée sur ce document à ne jamais vous contacter à l'avenir, ni à interférer dans votre vie ou à revendiquer quoi que ce soit vous concernant. Nous ne divulguerons jamais ses coordonnées, aussi je crains que vous ne vous soyez déplacé pour rien, Mr Lane. Et maintenant, si vous permettez, j'ai du travail. »

Le ton dédaigneux fit comprendre à William que l'entretien était terminé. Il se leva et ramassa son sac à dos. Il détestait déjà cette femme de toutes ses forces, et eut de la peine à articuler :

« Je reviendrai, ma sœur. Vous pouvez y compter.

— Je vous l'ai dit, vous perdez votre temps. »

Mais à présent qu'il avait commencé, rien, et certainement pas cette femme odieuse, ne l'empêcherait de retrouver sa mère.

29

William repartit sur la petite route. Le soleil de l'après-midi était plus pâle et la fraîcheur rappelait qu'on était seulement au début du mois d'avril. Il remit son pull et marcha à grands pas vers l'arrêt de bus. Il était si pressé de mettre de la distance entre lui et cet endroit détestable qu'il parcourut les deux kilomètres en vingt minutes à peine. De nouveau en nage, il retira son pull tout en consultant les horaires de bus cloué sur un poteau. Le prochain n'arriverait que dans cinquante minutes. Il se laissa tomber sur l'herbe du talus en maugréant. D'un seul coup, il se sentit vidé, à la fois à cause du décalage horaire et de son altercation avec la religieuse intraitable.

Son sac à dos sous la tête en guise d'oreiller, il s'allongea dans l'herbe, dont l'humidité rafraîchit sa peau en sueur. Il avait l'impression d'avoir dormi pendant des heures quand, tout à coup, il perçut un bruit de sonnette. Le soleil avait disparu, et, derrière ses paupières, il sentit le monde s'obscurcir. Il se redressa sur les coudes en se frottant les yeux. Ce qui masquait le soleil n'était pas un nuage, mais une silhouette à califourchon sur un vélo. Il ne distinguait pas ses traits, mais il devina que c'était une femme aux cheveux bouclés qui auréolaient son visage.

« J'espère que je ne vous ai pas fait peur… J'ai donné un coup de sonnette parce que vous aviez l'air endormi. »

William se releva tant bien que mal. Ce fut seulement lorsqu'il lui fit face qu'il reconnut l'infirmière du couvent.

« Non, pas du tout… Je voulais juste me reposer en attendant le bus. J'espère que je ne l'ai pas raté. » Il regarda sa montre. Il n'avait dormi qu'une dizaine de minutes.

« Le bus passe à dix de chaque heure, par conséquent, vous pouvez soit attendre celui de cinq heures dix, soit venir chez moi et prendre celui de six heures dix. C'est le dernier de la journée.

— Chez vous ? répéta William sans bien comprendre. Pourquoi est-ce que j'irais chez vous ?

— Parce qu'il va falloir que vous me racontiez tout ce que vous savez si vous voulez que je vous aide à retrouver votre maman. »

Grace Quinn avait été la sage-femme du couvent depuis aussi loin que remontaient ses souvenirs – depuis trente-six ans, pour être précis – et avait mis au monde d'innombrables bébés. Assis sur son canapé à fleurs cabossé, William était fasciné par sa voix douce et ses yeux gris très enfoncés qu'elle levait souvent au ciel pendant qu'elle parlait.

« Vous devez vous demander comment je peux travailler dans un endroit aussi triste… »

William acquiesça en gonflant les joues. « Ça n'a pas l'air de rigoler, je dois le reconnaître. Quant à cette religieuse… c'est quelque chose ! »

Grace croisa les mains sur ses genoux. « Je sais que leurs méthodes n'ont pas l'air très orthodoxes. Vu de l'extérieur, elles peuvent paraître cruelles, mais sans elles, ces filles n'auraient nulle part où aller. La honte qu'elles ont jetée sur leur famille reste pour elles une humiliation. Quel genre de vie auriez-vous eue si on avait autorisé votre mère à vous garder ?

— Je n'en sais rien, répondit William en haussant les épaules. Mais vous venez de mettre le doigt sur l'essentiel – *si* on l'y avait autorisée. Car elle n'a pas eu le choix. J'ai vécu avec ma mère les trois premières années de ma vie, après quoi on m'a arraché à elle pour m'expédier en Amérique. Ne vous méprenez pas, j'aime beaucoup mes parents adoptifs, il n'empêche que cette façon de procéder me paraît tout de même tordue. »

Grace baissa la tête. « Je sais. C'est d'ailleurs pour cette raison que je vais vous aider. » Elle alla prendre un crayon et un bloc sur le bureau. « Bon, racontez-moi tout ce que vous savez. »

William s'éclaircit la gorge. « Ma mère s'appelait Bronagh Skinner et je suis né le 10 avril 1940. »

Son crayon figé en l'air, Grace releva les yeux. « C'est tout ?

— Oh… et elle avait vingt ans. »

Elle fronça les sourcils. « Ça ne fait pas grand-chose… »

William repensa au dossier que sœur Benedicta était allée chercher.

« Son numéro de dossier est le 40/65. »

Cette précision parut étonner Grace. « Quel détective vous faites ! Ce numéro signifie que vous avez été le soixante-cinquième bébé né au couvent en 1940. » Elle le nota, puis le souligna à gros traits, comme pour ne pas oublier que c'était important. « Très bien, vous souvenez-vous de quoi que ce soit du temps que vous avez passé au couvent ? N'importe quoi qui pourrait titiller ma mémoire ? »

William se leva et marcha de long en large. « Je me souviens de l'odeur du savon… et aussi de la purée de pommes de terre pleine de grumeaux qu'on nous servait. On appelait ça du *pandy*, je crois.

— Et sur votre mère ? Au moment de votre naissance, je travaillais au couvent depuis seulement deux ans, et vu que les religieuses n'ont pas eu le droit de suivre de formation pour devenir sages-femmes avant 1950, il est presque certain que c'est moi qui vous ai mis au monde. »

William ferma les yeux et se pinça l'arête du nez. « Il y a autre chose… »

Grace se pencha en avant. « Je vous écoute.

— Ma mère me chantait des chansons… » Il commença à fredonner un air. « Je ne me rappelle plus les paroles, c'est frustrant… Pourtant, c'est presque comme si je l'entendais, même qu'il y avait dans sa voix quelque chose de particulier…

— Particulier ?

— Oui, dans sa façon de parler. Elle ne ressemblait à aucune autre. »

Il se laissa tomber sur le canapé, la tête entre les mains. Au bout de quelques secondes, il commença à se balancer doucement d'avant en arrière en chantonnant : « *Dors mon enfant, la paix t'accompagnera…* »

Grace releva les yeux de ses notes. « *Tout au long de la nuit.* »

William se redressa et sourit. « *Ses anges gardiens, le Seigneur t'enverra…*

— *Tout au long de la nuit* », chantèrent-ils d'une même voix.

Grace posa sa main sur la sienne. « Je suis gentille avec les filles, vous savez. En tout cas, j'essaie de les aider comme je peux. J'ai consacré ma vie entière à cette institution. Je n'ai jamais eu de mari ni d'enfant.

— Je ne comprends pas pourquoi sœur Benedicta fait obstruction à ce point. Que je retrouve ma mère ou pas, qu'est-ce que ça peut bien lui faire ?

— La pénitence, William ! Votre mère a eu un bébé hors des liens du mariage, ce qui aux yeux du Seigneur constitue un péché. Toutefois, grâce au travail pénible de la blanchisserie, la tache qui souillait son âme a été lavée, et son passage au ciel assuré. Je sais, ça paraît dur, mais votre mère a signé en acceptant de ne plus avoir aucun droit sur vous. Et sœur Benedicta n'est pas en mesure de divulguer ses coordonnées.

— Vous croyez sincèrement que ma mère sera pardonnée ?

— Oui. Je crois que le Seigneur est en mesure de pardonner tous les péchés. Sa place au ciel est désormais assurée. » Elle lui frotta la main. « Vous disiez que votre mère avait une façon de parler particulière… Qu'entendez-vous par là ?

— Certains mots… Je ne sais pas… Elle les prononçait d'une manière différente. Ses voyelles étaient plus plates et…

— Doux Jésus ! s'exclama soudain Grace. Je me souviens d'elle… Votre mère était anglaise ! »

William la dévisagea avec des yeux ronds. « Vous vous souvenez d'elle ? Vous voulez dire que… je suis à moitié anglais ?

— Si c'est bien la jeune fille à laquelle je pense, vous l'êtes à cent pour cent ! Et son prénom n'était pas Bronagh, mais Christina. »

30

« Vous avez de la chance, reprit Grace, les yeux brillants d'excitation. Pour être honnête avec vous, les chances que je me souvienne de votre mère étaient assez minces, mais Bronagh est difficile à oublier.

— Vous venez de me dire qu'elle s'appelait Christina, observa William.

— Dès que les filles entrent au couvent, on leur attribue un nouveau nom, que choisissent les religieuses. Un nom plus saint, si vous préférez… Sainte Bronagh était une abbesse qui a vécu au VIe siècle, et je serais prête à parier que votre mère est arrivée au couvent le jour de sa fête. C'était souvent ainsi qu'on décidait des noms à St Bridget. »

Grace posa son bloc et alla devant la bibliothèque. Après avoir feuilleté un lourd volume ancien, elle trouva ce qu'elle cherchait.

« Ah, voilà… La Sainte-Bronagh est le 2 avril. Ça correspondrait parfaitement… Votre mère est arrivée le 2, et huit jours plus tard, vous étiez né.

— Une autre pièce du puzzle se met en place… » Tout excité, William insista pour en savoir davantage.

« Vous avez dit qu'elle était quelqu'un de difficile à oublier. »

Grace revint s'asseoir et lui prit la main. « La pauvre... Toutes les filles qui entrent au couvent ont une histoire triste à raconter, mais la sienne m'a vraiment fendu le cœur. Elle venait de Manchester, il me semble. On l'avait envoyée en Irlande dans la ferme de la sœur de sa mère. Nous n'avions encore jamais eu aucune Anglaise – du reste, nous n'en avons plus jamais eu depuis. Et elle n'était pas catholique, dit-elle en esquissant un sourire proche de la grimace. Mais j'ai gardé ça pour moi... Quoi qu'il en soit, comme sa mère était sage-femme elle aussi, elle en savait plus sur l'accouchement que la plupart des filles. Pendant les années qui ont suivi votre naissance, elle m'a même assistée. Elle était très gentille avec les autres filles, elles pouvaient toujours compter sur elle.

— Mais... comment s'est-elle retrouvée dans ce couvent, si elle venait d'Angleterre ?

— Ah, c'est la partie triste... À cause d'un père draconien et d'une mère qui a capitulé. D'après ce que j'ai pu comprendre, elle avait reçu une éducation très stricte. Il lui était interdit de fréquenter des garçons qui ne convenaient pas à sa famille... ou n'importe quel garçon, d'ailleurs ! Et puis un jour, elle a rencontré Billy. Oh, elle n'arrêtait pas de parler de lui ! Billy ceci, Billy cela... Pendant qu'elle accouchait, elle n'a pas cessé de pleurer, de hurler son nom en fixant la porte, comme si elle espérait le voir entrer d'une seconde à l'autre pour la supplier de lui pardonner. »

William se redressa, médusé. Sa mère lui apparaissait enfin comme une personne, elle n'était plus seulement un nom.

« Qu'avait-elle à lui pardonner ?

— C'est ça qui est étrange… Après ce qu'il lui avait fait, je trouvais incroyable qu'elle continue à le porter aux nues, mais elle disait que le véritable amour peut tout supporter. Apparemment, quand il a appris qu'elle était enceinte, il a paniqué et a disparu. Ils ne se fréquentaient pas depuis très longtemps, et, bien entendu, son père n'était pas du tout emballé… Il était médecin, un homme respecté ; sa réputation lui importait par-dessus tout. Mais le plus incroyable, c'est qu'elle n'a jamais cessé d'aimer Billy. Ce qui explique qu'elle vous a donné son nom.

— Elle aimait donc ce Billy, mais, apparemment, ce n'était pas réciproque… Est-ce qu'ils se sont revus ? »

Grace haussa les épaules. « Je n'en ai aucune idée. Bronagh a quitté St Bridget au bout de trois ans. C'est la règle. Vous vous occupez de votre bébé pendant trois ans et vous êtes ensuite libre de partir. Mais seule, cela va de soi. Aucune fille n'a jamais été autorisée à emmener son enfant. Si vous voulez partir avant ce délai, il faut qu'un parent en fasse la demande et paye une grosse somme d'argent en échange de votre liberté. Or pour la majorité des filles, cette somme est impossible à réunir, d'autant plus que leurs familles les ont en général désavouées. Le souhait le plus cher de votre mère était de vous élever elle-même, mais elle a été victime des circonstances. On l'avait privée de tous ses droits, elle était impuissante. Ce système n'est pas parfait, mais telles étaient les règles à St Bridget. »

313

William frissonna en pensant à ce régime cruel et en se demandant quel genre de religion permettait de laisser faire une telle chose. Ses parents, très croyants tous les deux, l'avaient élevé dans le respect de la Bible, mais traiter quelqu'un de cette façon était inacceptable. Il était persuadé que sa mère adoptive n'imaginait même pas l'ampleur de cette cruauté.

« Où est-elle allée, quand elle est partie ?

— Malheureusement, je l'ignore. En revanche, je sais que la ferme de sa tante n'était pas très loin du couvent. » Grace poussa un soupir. « Toutes ces informations doivent figurer dans ce dossier, seulement, mettre la main dessus va être difficile, pour ne pas dire impossible.

— Je vous en supplie, l'implora William. Je suis venu jusqu'ici et je me sens maintenant si proche d'elle… Je ne peux pas abandonner comme ça. » Il s'appliqua à dissimuler son impatience. Après tout, Grace n'était en rien obligée de l'aider.

L'infirmière se mordilla la lèvre. Un silence s'étira tandis qu'elle s'efforçait de se remémorer le passé. « C'était il y a trente-quatre ans, William », dit-elle d'un air désolé. Elle ferma les yeux pour mieux se concentrer et leva la tête vers le plafond. Brusquement, la vieille horloge de grand-père sonna six heures en les faisant sursauter.

« Le bus ! s'écria William en se levant d'un bond. Je vais rater mon bus !

— Oh, mon Dieu… Le temps a filé à toute vitesse ! Écoutez, vous n'avez qu'à prendre mon vélo et le laisser contre la haie devant l'arrêt de bus. Je le récupérerai demain matin. »

William mit son sac sur l'épaule.

« Je ne sais pas comment vous remercier, Grace...

— Oh, allez, ouste ! Vous me remercierez quand vous aurez retrouvé votre mère... Demain, c'est mon jour de congé. Vous pourriez venir boire le thé, comme ça je vous raconterai ce que j'aurai réussi à découvrir. Mais n'espérez pas trop, William... Vous avez vu comme sœur Benedicta peut être têtue ! »

En arrivant chez Mrs Flanagan, William fut accueilli par un fumet appétissant de jambon bouilli. Aussitôt, son estomac se mit à crier famine.

« Oh, vous êtes rentré ! s'exclama Mrs Flanagan. Alors ?

— Vous aviez raison... au sujet des religieuses, dit-il en soupirant. Elles ne m'ont été d'aucune aide. » Il se laissa tomber sur le canapé et ferma les yeux.

« Vous avez l'air épuisé. Voulez-vous faire un somme avant le dîner ? Je vous garderai votre repas au chaud.

— Vous êtes très gentille, Mrs Flanagan, mais si je m'endors maintenant, je risque de manger ce dîner au petit déjeuner !

— Très bien, montez vous rafraîchir en vitesse... Je vais vous servir. Ce sera prêt dans cinq minutes. »

Après s'être régalé avec le jambon bouilli accompagné de pommes de terre et de choux, William se sentit rassasié, mais les émotions de la journée l'avaient totalement vidé. Il remercia Mrs Flanagan, puis monta se coucher. Il savait que s'allonger avant de s'être déshabillé et brossé les dents était une erreur.

Il avait juste voulu fermer les yeux cinq minutes, mais le décalage horaire eut raison de lui, de sorte que, lorsqu'il les rouvrit, le soleil filtrait à travers les rideaux en velours rouge, des particules de poussière dansant dans ses rayons. Il se frotta les yeux et, en sentant sa bouche pâteuse, il fila dans la salle de bains se laver les dents.

Il arriva chez Grace le cœur rempli d'espoir. Elle avait toutefois bien fait de lui dire de ne pas trop espérer... Sans la clé – celle que sœur Benedicta gardait en permanence sur elle –, il lui avait été impossible de prendre le dossier. Ils s'installèrent dans la cuisine autour de la petite table en bois. Du linge séchait sur un fil à côté du poêle, et l'odeur de la tarte aux pommes qui cuisait dans le four lui rappela la cuisine fabuleuse de sa mère. Sentant monter la culpabilité, il s'efforça de la faire taire.

« Qu'y a-t-il, William ? demanda Grace.

— Je pensais à ma mère... À ma mère aux États-Unis. »

Elle lui tapota la main. « Elle vous a donné sa bénédiction, non ? Vouloir savoir d'où vous venez ne veut pas dire que vous l'aimez moins. Elle m'a l'air d'être une femme merveilleuse, et sur ce point, sœur Benedicta avait raison. Vous avez des parents merveilleux, non ? »

Craignant que sa voix ne trahisse son émotion, William se contenta de confirmer d'un signe de tête.

« Bien. Voulez-vous une tasse de thé en attendant que la tarte soit prête ? »

316

William sourit. « Avec grand plaisir. Merci. »

Grace remplit la bouilloire, puis mit deux sachets de thé dans la vieille théière. « C'est très agaçant de savoir où est le coffre-fort qui renferme ce dossier et de ne pas pouvoir l'ouvrir... Je me sens impuissante.

— Ne vous en faites pas. C'est déjà très gentil à vous d'avoir essayé. Je vous en suis reconnaissant. Sincèrement. »

Elle versa l'eau bouillante dans la théière, sur laquelle elle posa un couvre-théière en tricot à rayures bleu et rose surmonté d'un pompon. L'idée d'une théière avec un bonnet fit sourire William. Ses parents ne voudraient pas le croire.

« En tout cas, si vous réfléchissez, vous n'avez pas perdu votre journée.

— Comment cela ?

— Le jour où vous êtes arrivé, vous saviez seulement que votre mère s'appelait Bronagh Skinner et qu'elle avait vingt ans. »

William la regarda d'un air intrigué. « Oui... Continuez.

— Eh bien, vous savez maintenant que son vrai nom est Christina Skinner et qu'elle est née à Manchester en 1919 ou 1920. » Grace se tut une seconde. Voyant son regard intrigué, elle poursuivit. « Vous ne voyez donc pas ? Vous pourriez aller à Manchester essayer d'obtenir son certificat de naissance. Quand votre mère est entrée au couvent, elle avait déjà vingt ans, et on sait que c'était au début du mois d'avril. Par conséquent, sa date de naissance doit se situer quelque part dans l'année 1920 avant le mois d'avril. »

Elle servit le thé pendant que William digérait cette information.

« Et ça servirait à quoi, d'après vous ? » Il avait le cerveau encore embrumé de la fatigue de ses voyages.

« Sur ce certificat seront indiqués non seulement la date et l'endroit exacts où elle est née, mais aussi le nom de ses parents. Et je suis presque certaine que le nom de jeune fille de sa mère y figurera également. Si seulement j'arrivais à me rappeler le nom de sa tante… C'est énervant… Je me souviens qu'elle était célibataire et qu'elle est décédée peu de temps avant que Christina n'arrive au couvent. Et aussi qu'elle avait hérité de la ferme de ses parents. Par conséquent, si vous trouviez le nom de jeune fille de la mère de Christina, il y a des chances pour que quelqu'un connaisse la ferme. »

William croisa les mains derrière la tête et se cala au dossier de sa chaise. « Vous êtes formidable, Grace ! »

Elle rougit légèrement. « Allons, allons… Vous auriez fini par en déduire la même chose.

— Vous croyez qu'il est possible qu'elle soit retournée à Manchester ?

— Je n'en sais rien… Peut-être. On l'a envoyée en Irlande pour qu'elle ait son bébé, mais elle était libre ensuite de retourner chez elle. Et comme je ne vois pas ce qui aurait pu la retenir ici, oui, je dirais qu'il est très possible qu'elle soit repartie vivre dans sa ville natale. » Elle se tut une seconde. « Mais Manchester est une grande ville. Les chances de la retrouver sont minces.

— Je sais. Et vous avez raison, il faut d'abord que je trouve où est la ferme. Si j'y parviens, peut-être que quelqu'un là-bas saura où elle est allée. »

Grace ouvrit la porte du four. Une bonne odeur de pommes parfumées à la cannelle emplit la pièce. Elle déposa la tarte à la croûte dorée sur la table.

« Vous permettez ? » William prit le couteau et découpa le gâteau d'où s'éleva un ruban de vapeur. Grace la dissipa d'un geste de la main.

« Vous savez, je crois que je vais aller à Manchester, dit-il. Maintenant que j'ai traversé l'Atlantique, je peux bien faire un saut de l'autre côté de la mer d'Irlande, je ne suis plus à ça près ! Et qui sait ? Peut-être que je trouverai enfin là-bas la clé du mystère. »

31

Sur le ferry, un passager avait affirmé à William qu'il pleuvait tout le temps à Manchester. Il ignorait si c'était vrai, en tout cas, ce premier jour de mai s'était levé sur un ciel aussi bleu qu'une piscine. Il avait trouvé un *bed and breakfast* bon marché dans les faubourgs, à un court trajet en bus du centre-ville. Sa logeuse lui avait remis un plan sur lequel elle avait entouré l'endroit où il devait aller d'un rond rouge. Il s'installa au premier étage du bus à impériale – une nouveauté qui lui donna un sourire d'une oreille à l'autre tandis qu'il roulait dans Oxford Street. Il descendit à Palace Theatre et déplia son plan. Puis il regarda en direction de St Peter's Square, où, comme promis, il aperçut le dôme immense de la Bibliothèque centrale de Manchester.

Il accéléra le pas et se dirigea vers le gigantesque bâtiment circulaire de style néoclassique. Aussi haut que deux étages, le portique corinthien de l'entrée se composait de six colonnes en pierre impressionnantes. En gravissant les marches, il eut plus le sentiment d'entrer dans un palais romain que dans une bibliothèque. À l'intérieur, la splendeur majestueuse de l'édifice aux boiseries en chêne et en noyer était tout aussi spectaculaire. Il monta l'immense escalier pour gagner le Grand Hall, qui à l'origine avait abrité la salle de lecture. William n'imaginait pas d'endroit plus paisible pour se consacrer à l'étude de la littérature, ou pour feuilleter tranquillement les journaux du matin. Un peu nerveux, il s'approcha de la jeune bibliothécaire derrière le bureau de réception.

« Bonjour, je me demandais si vous pourriez m'aider.

— Je suis là pour ça, répondit-elle en souriant. Que puis-je faire pour vous ?

— J'aurais besoin de me procurer la copie d'un certificat de naissance. »

La jeune femme, dont le badge l'informa qu'elle s'appelait Miss Sutton, sortit un formulaire.

« Il me faut quelques informations… Mais d'abord, voulez-vous qu'on vous le poste ou viendrez-vous vous-même le chercher ? »

William fut surpris de constater que la procédure semble si simple. « Je viendrai le chercher. Je n'ai pas d'adresse permanente au Royaume-Uni. »

Miss Sutton sourit d'un air attendri. « Je me disais bien que vous n'étiez pas d'ici… Vous êtes canadien ?

— Je vais tâcher de ne pas mal le prendre, plaisanta William. Je viens du Vermont, aux États-Unis. Je suis né en Irlande, mais mes parents sont anglais. »

La jeune femme parut s'en étonner.

« C'est une longue histoire », ajouta William.

Elle le gratifia d'un petit sourire en biais. « Il faudra que vous me la racontiez, un de ces jours. »

Mon Dieu, les Anglaises sont-elles toutes aussi directes ?

« Je plaisantais ! Quel est votre nom ? »

Il se ressaisit. « William Lane.

— Et le certificat de naissance est à quel nom ?

— Christina Skinner. »

Son stylo courut habilement sur le papier, et, sans relever les yeux, Miss Sutton demanda : « Date de naissance ? »

William se troubla. « *Ma* date de naissance ? »

Elle lui jeta un regard cinglant. « Non, celle de Christina Skinner.

— Euh, je ne la connais pas exactement. Je sais juste que ce doit être entre avril 1919 et mars 1920.

— Avez-vous d'autres précisions ? Adresse ? Lieu de naissance ? Nom du père ? »

William se sentit d'un seul coup idiot. « Non. C'est un problème ?

— Non, pas pour moi, mais vous allez devoir chercher dans les index du Registre général pour voir si vous y trouvez la bonne Christina Skinner. Je ne peux pas demander la copie d'un certificat de naissance en ayant aussi peu d'informations. »

William soupira. « Et je fais ça comment ? »

Elle lui montra une table au fond de la salle. « Installez-vous là-bas, je vais vous apporter le premier des registres. »

Au bout de deux heures, William se dit que plus jamais ses yeux ne pourraient fixer l'horizon. À force de lire les lignes minuscules, sa vision se brouilla, et il commença à avoir mal à la tête. Il avait grand besoin de respirer un peu d'air frais. Il retourna voir Miss Sutton, qu'il appelait à présent par son prénom.

« Karen, désolé de vous déranger, dit-il tout bas. Il faut que je sorte prendre l'air. Pouvez-vous me garder ma place ?

— Bien sûr. Ça va, vous vous en sortez ?

— J'ai trouvé deux Christina Skinner qui pourraient correspondre, mais il me reste encore un registre à consulter. Je serai de retour d'ici une demi-heure. »

Il parcourut les rues de Manchester en se demandant si sa mère avait foulé ces mêmes pavés. Était-il possible qu'elle vive ici aujourd'hui ? Et son père, Billy ? Pourquoi avait-il si cruellement abandonné sa mère au moment où elle avait eu le plus besoin de lui ? En tout cas, il ne semblait pas être un père dont on pouvait être fier. Il pensa à Donald, là-bas dans le Vermont, qui travaillait sans relâche à la ferme pour subvenir aux besoins de sa famille, ses mains calleuses et son dos voûté attestant ses longues heures de labeur. Le sentiment de culpabilité qu'il éprouvait par rapport à ce qu'il était en train de faire revint en force, et il eut soudain le mal du pays. La tranquillité et l'amour de son foyer lui manquaient, tout comme les bonnes odeurs de la cuisine de sa mère, ou le parfum enivrant et la solitude de sa cabane à sucre. Manchester était si loin de tout cela qu'il s'interrogea sur le bien-fondé de ses démarches. Néanmoins, tout au fond de lui, il avait le désir dévorant de savoir dans quelles circonstances il était né. Il avait déjà appris que l'élever avait été le vœu le plus cher de sa mère. Et l'idée qu'elle ait dû l'abandonner contre son gré le remplissait à la fois de tristesse et de rage. Il avait besoin de connaître toute l'histoire entre son père et sa mère, et pour quelle raison il l'avait si lâchement abandonnée. Fort de cette nouvelle détermination, il remonta les marches de la bibliothèque pour aller reprendre ses recherches.

L'heure de la fermeture approchait quand William revint voir Karen Sutton avec une liste de trois Christina Skinner possibles. Il la posa sur le comptoir avec une expression morose. Elle la parcourut en vitesse.

« Vous voulez commander les trois certificats d'un coup ? »

William réfléchit une seconde. « Ça prend combien de temps ?

— Quelques jours, peut-être un peu plus.

— Si je les demande un par un, je peux sans doute avoir la chance de tomber tout de suite sur le bon, mais il se pourrait aussi que ce soit le dernier, et il se sera alors passé une quinzaine de jours… Non, je n'ai pas assez d'argent pour rester aussi longtemps en Angleterre, et puis, de toute façon, mes parents vont avoir besoin de moi.

— On peut vous faire suivre les certificats aux États-Unis », proposa Karen.

William se gratta le front tandis qu'elle attendait qu'il se décide.

« Je ne veux pas vous presser, mais la bibliothèque va fermer dans dix minutes.

— Je suis désolé. Alors, je suppose que je vais devoir commander les trois en même temps. »

Pendant que Karen remplissait les formulaires, une de ses collègues la rejoignit derrière le bureau – une femme aux cheveux gris à l'air sévère, vêtue d'un tailleur en tweed marron, avec un rang de perles autour du cou. Après avoir jeté un coup d'œil par-dessus l'épaule de Karen, elle fit glisser ses lunettes au bout de son nez pour regarder le formulaire de plus près.

« Christina Skinner ? On a déjà ce certificat de naissance. »

William et Karen échangèrent un regard étonné.

La jeune femme se tourna vers sa collègue. « Excusez-moi, Mrs Grainger, vous voulez dire que nous avons ici un certificat de naissance au nom de Christina Skinner ?

— C'est ce que je viens de vous dire, non ? rétorqua Mrs Grainger sans cacher son impatience. À présent, rangez-moi ce bureau. Je dois fermer. »

Karen rassembla des papiers et remit des stylos dans un pot. « Serait-ce possible de le voir, pour savoir si c'est celui dont a besoin William ?

— En aucun cas ! Ce certificat a été payé, il appartient à la personne qui l'a commandé. Elle seule peut ouvrir cette enveloppe. »

Karen leva les yeux au ciel, l'air de s'être attendue à ce genre de réponse. Mrs Grainger était manifestement très pointilleuse en matière de règles et de bureaucratie.

« Quand est-ce que cette personne vient chercher le certificat ? interrogea William.

— Je n'en sais rien, répondit Mrs Grainger. Il est arrivé seulement hier… Sans doute demain ou après-demain. Tout dépend si c'est urgent. »

Ce certificat était-il celui de sa mère ? William voyait mal qui d'autre aurait pu en réclamer une copie. Avait-il des frères et des sœurs qui eux aussi essayaient de retrouver sa trace ? À moins que ce ne soit Christina elle-même. L'avait-elle commandé pour remplacer l'original ? Était-il pour une autre personne ? Il lui fallait à tout prix les réponses.

Mrs Grainger s'était éloignée et était en train de remettre des livres sur les rayonnages. William se pencha vers Karen. « Il faut que je sache qui a commandé cette copie », murmura-t-il.

Elle se retourna pour vérifier que Mrs Grainger était toujours occupée. Celle-ci venait de grimper sur une échelle et monta sur le dernier barreau en tenant un volume particulièrement énorme à la main.

« Accordez-moi une minute », dit Karen.

Elle plongea sous le bureau et sortit une clé du fond d'un tiroir. Puis, sans quitter des yeux Mrs Grainger, elle ouvrit le tiroir du haut d'une armoire sans faire de bruit. Les doigts vifs et agiles, elle passa en revue les dossiers. Quand elle trouva celui qu'elle cherchait, elle eut juste le temps de lire le nom inscrit sur l'enveloppe avant que sa supérieure ne l'appelle. « Vous avez fini, Karen ?

— Je termine de ranger, Mrs Grainger... » Elle fit un clin d'œil à William. « Retrouvez-moi dehors dans cinq minutes. »

Dans le centre de Manchester, c'était l'heure de pointe. Sur la place bruyante où s'élevaient les vapeurs des gaz d'échappement, William regarda les gens courir pour attraper un bus au milieu des voitures qui klaxonnaient avec impatience. Des hauts talons résonnèrent sur les marches en pierre. Il se retourna et aperçut Karen. Elle l'entraîna dans la rue en jetant des coups d'œil furtifs par-dessus son épaule.

« Elle est juste derrière nous », chuchota-t-elle en le poussant à l'entrée d'une boutique, alors que Mrs Grainger passait d'un pas pressé, les yeux rivés sur le trottoir. Ils poussèrent un soupir de soulagement. « J'ai l'impression d'être une trafiquante d'armes internationale ! » s'exclama Karen en pouffant de rire.

William sourit.

« Vous avez trouvé le nom de la personne qui a demandé le certificat ?

— Oui. Elle s'appelle Tina Craig. Ça vous dit quelque chose ?

— Pas du tout… Mais il est vrai que je ne connais personne à Manchester. Peut-être qu'elle cherche une autre Christina Skinner.

— Peut-être… ou peut-être pas. Il n'y a qu'un moyen de le savoir.

— Lequel ?

— Revenez demain et attendez qu'elle se présente à la réception.

— Mais… et si elle ne vient pas ? Elle pourrait très bien décider de ne pas le récupérer avant plusieurs jours, voire des semaines. »

Karen haussa les épaules. « Tout dépendra s'il lui tarde ou non d'avoir ce certificat. »

32

Tina secoua son parapluie avant de monter les marches de la bibliothèque. La rue miroitait sous la pluie qui rebondissait sur le trottoir et avait trempé les semelles fines de ses sandales. Elle se traita d'imbécile. Aujourd'hui, mettre des bottes aurait été plus raisonnable, cependant, comme on était en mai, elle refusait obstinément de ressortir ses affaires d'hiver. Elle prit son poudrier dans son sac et se regarda dans le petit miroir. Ses cheveux longs étaient plaqués sur ses joues, son mascara soi-disant waterproof avait dégouliné… Elle s'essuya le dessous des yeux tout en gagnant le Grand Hall, puis se dirigea vers le bureau de réception contre lequel elle posa son parapluie. Une petite flaque se forma sur le parquet ciré. Elle se passa les mains dans les cheveux et s'adressa à la jeune femme derrière le comptoir.

« Bonjour, je viens chercher la copie du certificat de naissance que j'ai commandé.

— Votre nom ?

— Tina Craig. C-R-A-I-G.

— Oui. Asseyez-vous une minute, s'il vous plaît. »

La jeune femme lui indiqua une rangée de fauteuils un peu plus loin, puis se tourna vers un casier plein de fiches qu'elle fit défiler du bout du pouce.

« Excusez-moi, dit-elle en souriant à Tina. Je dois juste aller dire un mot à mon collègue.

— Pas de problème. Je ne suis pas pressée. »

William était affalé dans le fond de la salle, caché derrière un journal. Karen tapa du plat de la main sur la table. Il sursauta.

« Hé ! Qu'est-ce que vous…

— Elle est là », dit Karen.

Il n'eut pas besoin d'autre explication. Il se leva, replia le journal qu'il mit sous son bras et suivit Karen jusqu'au bureau, où elle sortit une enveloppe d'un tiroir.

« Mrs Craig, appela-t-elle. Voici votre certificat de naissance. »

Une jeune femme qui attendait dans un fauteuil vint prendre l'enveloppe et la rangea dans son sac. « Merci bien… Au revoir. »

William, bouche bée, la regarda s'éloigner. Il jeta un regard affolé à Karen avant de se décider. « Il faut que je la suive. »

Il rattrapa la jeune femme sur le perron où elle était en train de se bagarrer avec son parapluie.

« Excusez-moi, madame… J'aimerais vous dire un mot. »

Tina regarda alentour. « À moi ?

— Oui, si vous permettez… Ce ne sera pas long. »

Il était fasciné par le bleu vif de ses yeux qu'accentuaient des traces de mascara en dessous. Il sentit la pluie dégouliner dans son col et frissonna malgré lui. La jeune femme s'avança en lui proposant de s'abriter sous son parapluie. Ils se dévisagèrent en silence pendant ce qui parut durer une éternité, bien que ça n'ait été en réalité qu'une seconde. Deux parfaits inconnus partageant un espace sur la planète pas plus grand qu'une dalle pavée. William se lança.

« Je m'appelle William Lane et je vous attends depuis un certain temps.

— Toute votre vie, j'imagine ! »

Il se figea sur place, puis rougit lorsqu'il comprit qu'elle avait mal interprété sa remarque.

« Oh, non, ce n'est pas ce que je voulais dire… Je voulais dire par là que j'ai attendu que vous veniez récupérer ce certificat de naissance. Je ne cherchais pas du tout à vous faire des avances ni rien de ce genre. »

La jeune femme parut troublée. « Désolée, j'ai cru que vous vouliez me faire du rentre-dedans.

— Du rentre-dedans ? » William fronça les sourcils. Ils avaient beau parler la même langue, communiquer s'avérait difficile.

« Oui… me proposer de sortir. » Elle haussa les épaules et sourit.

William scruta son visage. Bien qu'elle soit d'une beauté incontestable, son regard trahissait une sorte de tristesse.

« Écoutez, si on recommençait depuis le début ? finit-il par dire. Est-ce qu'il y a un endroit où nous pourrions aller parler ?

— Oh, je ne sais pas trop… Je ne vous connais pas.

— Je vous en prie, insista William. C'est important. Et je ne vous retiendrai pas longtemps.

— Il y a un café juste à l'angle. On pourrait aller là.

— Très bien. On y va ? »

Une fois qu'ils furent installés devant une tasse de café, et que toute idée d'une plaisanterie ait été écartée, William commença à raconter son histoire.

« Je suis venu d'Amérique dans l'espoir de retrouver ma mère biologique. Je suis né dans un couvent en Irlande en 1940 et je sais juste que le nom de ma mère était Bronagh Skinner. »

En entendant le nom de Skinner, Tina gigota sur sa chaise, mais se garda de l'interrompre.

« Je suis allé dans ce couvent pour voir si on pourrait m'aider, sauf que ça n'a servi à rien. Les sœurs ont refusé de me renseigner. Mais une sage-femme qui travaille là-bas a eu pitié de moi et m'a proposé de m'aider. Il se trouve qu'elle se souvenait de ma mère parce qu'elle était anglaise, de Manchester. Et son vrai prénom n'était pas Bronagh, mais Christina. Je suis passé à la bibliothèque pour demander une copie de son certificat de naissance, et c'est là que j'ai appris que vous m'aviez précédé. J'ignore si c'est la même Christina Skinner que je cherche, mais je me demandais si vous accepteriez que j'y jette un coup d'œil. »

Tina savait déjà que ce certificat était celui de la mère de William. Aussi bien Alice Stirling que Maud Cutler lui avaient raconté que Chrissie avait été expédiée en Irlande. Elle ramassa son sac. Plein d'espoir,

William la regarda plonger la main au fond et en sortir non pas l'enveloppe que lui avait remise Karen Sutton, mais une autre plus ancienne un peu jaunie. Elle la poussa sur la table d'un geste solennel. « Je pense que vous devriez lire ceci. »

William la prit, les mains tremblantes. « Cette lettre est adressée à Mrs C. Skinner.

— Votre mère, confirma Tina.

— Je… je ne comprends pas.

— Lisez. Ensuite, je vous expliquerai. »

Il sortit la lettre de l'enveloppe et la déplia, puis jeta un regard à Tina avant de lire. Elle retint sa respiration en le voyant parcourir la lettre, puis la relire avec plus d'attention. Après l'avoir lue deux fois, il la reposa sur la table. « Où l'avez-vous trouvée ?

— Je travaille dans une boutique caritative où quelqu'un a laissé un sac de vieux vêtements devant la porte. Dedans, il y avait un costume, et dans la poche de la veste, cette lettre. Comme vous le voyez, elle n'a jamais été postée. Quand je l'ai ouverte, j'ai été émue par ce que j'ai lu, et si intriguée par la raison pour laquelle Billy ne l'avait jamais envoyée que je me suis juré d'essayer de retrouver Chrissie et de lui remettre la lettre en main propre. » Elle rougit. « Vous devez penser que ce ne sont pas mes affaires, mais… quelque chose en moi a été touché. »

William fixa la lettre. « Ce bébé auquel il fait allusion, c'est moi. » Ses yeux s'embuèrent de larmes. « Je croyais qu'il avait abandonné ma mère… Elle a cru qu'il ne voulait plus entendre parler d'elle. Grace m'a raconté que, bien qu'il se soit si mal comporté, elle n'avait jamais cessé de l'aimer, et à présent, je trouve ça... » Il reprit la lettre et la respira. « Pourquoi ne l'a-t-il pas postée ? Que lui est-il arrivé ? »

Tina ne voyait pas trente-six façons de lui annoncer la nouvelle. « Après avoir trouvé la lettre, je me suis rendue au 180, Gillbent Road, et, croyez-le ou pas, les parents de Billy habitent toujours là. »

William la regarda avec des yeux ébahis. « Mes grands-parents vivent ici à Manchester ?

— Oui. » Tina sourit de voir son enthousiasme, puis elle reprit d'un ton plus grave. « Votre grand-mère, Alice Stirling, m'a parlé de son fils. Elle et son mari l'ont adopté à l'âge de dix mois. Quand je lui ai montré la lettre, elle s'est rappelée l'avoir vu l'écrire – c'était même elle qui lui en avait soufflé l'idée. Le lendemain, il est allé chez Chrissie et a parlé à sa mère, mais elle ne savait rien de la lettre. Billy a été désespéré d'apprendre qu'elle avait été envoyée en Irlande et a supplié Mrs Skinner de lui donner son adresse. Elle lui a promis qu'elle contacterait Chrissie de sa part.

— Et que s'est-il passé ? Elle l'a fait ? »

Tina secoua la tête. « Mabel Skinner a été tuée ce soir-là, pendant le couvre-feu, et, d'après ce que je sais, elle n'a jamais écrit à sa fille. » Elle sortit de son sac la photo de Billy qu'Alice Stirling lui avait donnée. « C'est votre père. »

William la prit et l'observa avec attention. « Il était bel homme... Savez-vous ce qu'il est devenu ? »

Tina se raidit. « Il a malheureusement été tué à la guerre, en 1940. Je suis désolée. »

William sentit poindre ses larmes. Il les essuya d'un revers de main. Tina prit une serviette en papier

334

dans le petit distributeur et la lui tendit. « C'était un homme bien. Il n'a pas abandonné votre mère. Il l'aimait et voulait fonder une famille avec elle. Alice dit qu'il aurait fait un père merveilleux.

— Mais ma mère ne l'a jamais su. Si seulement elle avait reçu cette lettre, les choses auraient été tellement différentes...

— Je sais. C'est pour cette raison que j'ai eu le sentiment que je devais essayer de la retrouver et lui donner la lettre.

— Et c'est dans ce but que vous avez demandé son certificat de naissance ? »

Tina acquiesça. Puis elle lui raconta qu'elle était allée à Wood Gardens, où elle avait rencontré par hasard Maud Cutler. « Maud connaissait bien les Skinner. Elle m'a dit que le Dr Skinner était un homme épouvantable et que Chrissie avait été envoyée en Irlande.

— C'est incroyable... Merci infiniment d'avoir fait ça, Tina. Vous auriez très bien pu jeter cette lettre à la poubelle, mais le fait que vous ayez pris du temps pour tenter de retrouver ma mère est vraiment... » Il chercha le bon mot. « C'est vraiment extraordinaire.

— J'ai trouvé la lettre il y a plus d'un an, et, tout de suite, elle m'a intriguée. » Elle but un peu de café, puis se tourna vers la vitre embuée derrière laquelle ruisselait la pluie et dessina dessus un trait d'un air absent. « Mais, à ce moment-là, il se passait des tas de choses dans ma vie, si bien que je l'ai laissée de côté. Et le jour où je suis de nouveau tombée dessus, je me suis dit que Chrissie n'avait peut-être aucune envie qu'on la retrouve. Peut-être qu'elle a fini par faire un mariage heureux et ne souhaite pas qu'on lui rappelle le passé.

— Ça m'a traversé l'esprit à moi aussi, avoua William.

— Pour finir, j'ai décidé de demander le certificat de naissance. En me disant que je pourrais toujours changer d'avis plus tard. »

Une serveuse avec un tablier blanc couvert de taches de thé et de café s'approcha. « Excusez-moi, je ne voudrais pas vous bousculer, mais est-ce que vous voulez commander autre chose ? Les gens font la queue pour avoir une table », dit-elle en montrant la porte, où une file attendait en jetant des regards impatients dans leur direction.

William se leva. « Désolé… Nous n'avons pas vu le temps passer. » Il aida Tina à enfiler son imperméable et la fit sortir devant lui. Dans la rue, ils restèrent face à face sans trop savoir quoi dire. La pluie avait cessé ; les nuages s'étaient dissipés et laissaient passer quelques timides rayons de soleil.

« On va marcher un peu ? proposa William. J'espère que je ne vous retiens pas… Est-ce que quelqu'un vous attend ? Un mari ? Un petit ami ?

— Non, personne. Venez, allons vers les jardins de Piccadilly… On pourra s'asseoir. »

Ils trouvèrent un banc relativement à l'écart et observèrent deux employés qui marchaient à pas pressés en serrant des sacs en papier qui contenaient les sandwiches et les fruits qui leur serviraient de déjeuner.

« À propos, comment avez-vous réussi à obtenir le certificat de naissance de ma mère alors que vous ne connaissiez que son nom ? »

Tina sourit. « Comme je vous l'ai dit, ma première démarche a été d'aller à Wood Gardens, où j'ai rencontré Maud Cutler. C'est elle qui m'a donné les noms des parents de Chrissie. Elle m'a également dit où était enterrée Mabel. Chaque année, elle va déposer des fleurs sur sa tombe. Mabel a sauvé la vie de son bébé, vous savez. Il était si minuscule à la naissance… » Elle ferma les yeux quelques secondes en repensant à sa fille.

« Est-ce que ça va ? demanda William.

— Oui, ça va. C'est juste que je… Non, rien. Quoi qu'il en soit, une fois que j'ai su quels étaient leurs noms, obtenir le certificat n'était pas très compliqué. On le regarde ?

— Oui, s'il vous plaît. »

Tina déplia la feuille sur ses genoux. Il se pencha pour lire.

« C'est le nom que je cherchais, dit-il avec enthousiasme. Je peux ? » Il prit le document et l'examina de plus près. « McBride… Puisque c'est le nom de jeune fille de la mère de Chrissie, sa tante doit avoir le même. Ça va beaucoup m'aider quand je retournerai en Irlande. La famille McBride… » Ses yeux brillaient d'excitation. « Quelqu'un s'en souviendra sûrement… » Ses mains tremblèrent quand il redonna le certificat à Tina. « Je vais enfin retrouver ma mère !

— Gardez-le, dit-elle en cherchant quelque chose dans son sac. Et vous n'avez qu'à prendre ça aussi. » Elle lui donna la lettre et la photo de Billy. « Bonne chance, William ! » Puis elle se leva et lui tendit la main. « J'ai été ravie de vous rencontrer. »

William se leva précipitamment. « Venez avec moi », dit-il de but en blanc.

Tina recula d'un air surpris.

« Je voulais dire, s'il vous plaît, venez avec moi. En Irlande. Sans vous, je n'aurais jamais pu en apprendre autant, et j'aimerais bien que vous soyez avec moi pour voir comment tout ça se termine. »

Tina jugeait absurde d'imaginer partir là-bas avec un homme qu'elle ne connaissait même pas. Elle avait fait sa part, et même davantage que n'en aurait fait la majorité des gens. Elle ne lui devait rien, et pourtant, en regardant ses yeux bruns, elle réalisa à quel point il ressemblait à son père. Les similitudes étaient frappantes. Billy était mort, mais son fils était là devant elle, et il lui demandait de l'accompagner dans un voyage qu'il avait dû planifier quasiment toute sa vie. Et tout cela, grâce à elle. Elle lui avait remis l'information dont il avait besoin pour retrouver sa mère. Elle ressentit un frisson d'excitation qu'elle n'avait pas connu depuis de longs mois. C'était une idée folle, impulsive et totalement ridicule.

Tina renversa la tête en arrière en riant. « William… Ce sera pour moi un véritable honneur ! »

33

Dès qu'elle poussa la porte verte de la cabine télé-phonique, Tina apprécia de se retrouver dans cet abri paisible. Il y avait quelque chose dans les cabines télé-phoniques qui l'apaisait : le sentiment d'être coupée du monde extérieur, d'être dans un endroit où il était possible de rassembler ses pensées et de réfléchir au chaos qui sévissait partout ailleurs. Certes, la plupart des cabines de Manchester empestaient l'urine, mais celle-ci, à Tipperary, était simplement agréable, sans aucun relent nauséabond venant perturber les sens. Elle décrocha le gros combiné noir et composa un numéro. Au bout de plusieurs sonneries, elle pesta intérieure-ment en reconnaissant la voix de Sheila. Elle n'eut d'autre choix que d'introduire une première pièce.

« Sheila ? C'est Tina. Tu peux me passer Gra-ham ? »

Heureusement, Sheila, aussi peu bavarde qu'à l'or-dinaire, se contenta d'un vague grognement avant de poser l'appareil et d'appeler son mari. Tina attendit en se balançant sur ses talons. Après un moment qui lui sembla interminable, elle entendit sa voix.

« Tina ? »

Avant même qu'elle ait articulé le moindre mot, le signal que la communication allait couper retentit. Elle mit une autre pièce dans la fente.

« Bonjour, Graham. Écoute, je n'ai pas beaucoup d'argent, aussi vais-je devoir faire vite. Tu as trouvé mon mot ?

— Oui, ce matin. Qu'est-ce que tu fabriques en Irlande ?

— Ce serait trop long à t'expliquer. Tu te rappelles cette lettre que j'ai trouvée l'an dernier ?

— Non, quelle lettre ? »

Tina jura en silence. « Cette vieille lettre qui était dans la poche d'un costume que quelqu'un avait déposé à la boutique… Je suis pourtant sûre de t'en avoir parlé !

— Aucun souvenir… Mais quel rapport avec le fait que tu sois partie en Irlande ? »

Bip… bip… bip…

Tina commençait à perdre patience. Elle introduisit encore des pièces.

« Il faut que je me dépêche. Au prochain *bip*, la communication va couper, et je n'ai plus de pièces. Alors, écoute-moi et tais-toi, d'accord ? Je suis partie en Irlande pour retrouver la femme à qui était adressée cette lettre. Je suis là avec son fils, qui est à sa recherche lui aussi. Je voulais juste te dire que je vais bien et de ne pas t'inquiéter pour moi. »

Graham eut l'air de ne pas bien comprendre. « Tu es avec qui ? Tu comptes rentrer quand ? »

Le dernier *bip* retentit. Tina éluda ses questions et s'empressa de lui dire au revoir.

Au moment où elle reposa le combiné sur la fourche, elle l'entendit hurler dans l'appareil : « Je m'inquiéterai toujours pour toi ! »

Lorsqu'elle revint chez Mrs Flanagan, William l'attendait dans le salon.

« Tout va bien ? Tu veux du thé ? » Comme il avait la bouche pleine, ses mots sortirent étouffés.

Mrs Flanagan avait apporté une grosse théière sur un plateau, ainsi que des galettes de pommes de terre au saumon fumé que William était en train d'engouffrer. Il finit d'avaler et s'essuya la bouche.

« Pardon... Ces galettes de pommes de terre sont un vrai régal. Tu as pu joindre ton ami ? »

Tina s'assit près de lui sur le canapé et se servit une tasse de thé. « Oui, je te remercie. Je lui ai laissé un mot en lui disant où j'étais partie, mais il se fait du souci pour moi. »

William mordit une nouvelle bouchée. « Ce Graham, c'est un ancien petit ami ? » Des miettes tombèrent de sa bouche. Tina fronça les yeux.

« Les Américains parlent toujours la bouche pleine ? »

William but une lampée de thé et sourit. « Excuse-moi. C'est une sale habitude, je sais. Je ne suis pas quelqu'un de très raffiné. Un simple gars de la campagne. »

Elle regarda sa montre. « Il n'est que quatre heures de l'après-midi... C'est quoi, ce repas ? Tu déjeunes tard ou bien tu dînes de bonne heure ?

— C'est la faute de Mrs Flanagan. Elle pense que j'ai besoin de me remplumer ! » répondit-il en haussant les épaules.

Tina sourit. « Pour répondre à ta question, Graham est juste un excellent ami. Ces douze derniers mois, il m'a énormément soutenue. Je lui dois beaucoup. Ce ne serait pas sympa de ma part de disparaître comme ça d'un seul coup sans lui faire savoir que je vais bien.

— Il est un peu pour toi comme un père, alors ? »

Tina réfléchit une seconde. « Je dirais plutôt comme un grand frère. »

Mrs Flanagan passa la tête dans l'embrasure de la porte. « Vous avez besoin d'autre chose ?

— Vous êtes trop gentille, Mrs Flanagan. Je crois qu'on a tout ce qu'il faut.

— Parfait ! Si vous voulez quoi que ce soit, vous n'aurez qu'à m'appeler. » Elle repartit en les laissant en tête à tête.

« Bon, on fait comment ? demanda Tina.

— Demain matin, je t'emmènerai chez Grace Quinn pour te la présenter. Après tout, si elle n'avait pas été là, je ne serais jamais allé à Manchester, et nous ne nous serions jamais rencontrés. On verra si elle se souvient de la famille McBride et de l'endroit où ils vivaient.

— On dirait qu'on tient un plan », dit-elle en souriant.

Tina trouva le cottage de Grace charmant – elle se fit la réflexion qu'il aurait pu figurer sur une boîte

342

de chocolats ou un puzzle. Les murs blancs en pierre scintillaient sous le soleil éclatant, au point qu'elle dut se protéger les yeux alors qu'ils avançaient sur le chemin pavé vers la porte rouge vif, qu'encadrait une glycine mauve magnifique. Ils furent accueillis aimablement par Grace, qui était ravie de rencontrer Tina. Ils prirent place autour de la table dans la cuisine et William sortit son carnet.

« Avant de se marier, la mère de Christina Skinner s'appelait Mabel McBride. Ce nom vous dit-il quelque chose, Grace ? »

Elle joignit les mains devant elle et réfléchit. Elle avait beau n'avoir aucune envie de décevoir ce jeune homme et l'adorable jeune femme qui l'accompagnait, elle dut admettre qu'elle ne connaissait personne de ce nom.

« Je suis vraiment désolée, mais le nom de McBride ne me dit rien. »

William s'efforça de ne pas montrer son dépit. « Ne vous en faites pas… Après avoir fait tout ce chemin, je ne vais pas abandonner maintenant. Si vous saviez tout ce que j'ai appris à Manchester… »

Il sortit la lettre de Billy de son carnet.

« Tenez, lisez ça. »

Grace chaussa ses lunettes au bout de son nez et lut la lettre. « C'est incroyable… Où l'avez-vous trouvée ? »

Tina expliqua comment elle était entrée en possession de la lettre, et que c'était elle qui avait obtenu le certificat de naissance de Chrissie.

« Vous aviez raison, Grace, dit William. Le père de Chrissie était médecin et sa mère était sage-femme.

— La pauvre, elle n'a jamais su que Billy voulait l'épouser... Quand je repense à son angoisse pendant l'accouchement, et à la tristesse qui ne quittait jamais son regard... La première fois qu'elle vous a tenu dans ses bras, elle était tellement folle de joie que son sourire illuminait la pièce, mais ses yeux... rien qu'en regardant ses yeux, on savait. Ils exprimaient une douleur qui ne s'apaisait jamais. » Grace se moucha discrètement. « Ce que je ne comprends pas, c'est pourquoi Billy n'a pas posté sa lettre. Il l'a écrite en y mettant tant d'amour et de sentiments que je n'arrive pas à croire qu'il ne l'ait pas postée. »

Tina expliqua qu'Alice Stirling se souvenait que Billy était sorti dans l'intention de le faire, mais qu'elle non plus ne comprenait pas pourquoi il avait changé d'avis.

« Je n'ai jamais entendu une histoire aussi déchirante de ma vie, dit Grace en reniflant. Savez-vous ce qu'est devenu Billy ? »

Tina et William échangèrent un regard. Ce fut lui qui prit la parole.

« Il est mort à la guerre en 1940. » Il rouvrit son carnet. « Voici sa photo. »

Grace regarda le beau jeune homme en tenue de soldat.

« Vous lui ressemblez beaucoup. » Grace ne trouva rien d'autre à dire. Elle replia la lettre et allait la lui rendre quand elle se ravisa. « Oh, regardez, il y a quelque chose écrit là-derrière... Ça dit juste : "Pardon." »

William reprit la lettre et regarda à son tour. « Je n'avais pas remarqué. Et toi, Tina ? »

Elle se figea. Une sensation de dégoût familière l'envahit, une sensation qui partit du creux de son ventre et remonta en lui brûlant la gorge et en lui donnant envie de vomir. Elle plaqua la main devant sa bouche.

« Tina ? Vous vous sentez bien ? »

Des gouttes de sueur perlèrent au-dessus de sa lèvre. Et brusquement, tout son corps se hérissa de haine.

« Je… Ça va aller. » Elle se leva. « Vous permettez que j'utilise vos toilettes ? »

Grace jeta un regard inquiet à William. « Bien sûr, ma chère, c'est par ici. »

Tina se réfugia dans la salle de bains, où elle s'aspergea la figure d'eau froide. Sa poitrine et son cou étaient cramoisis, son visage couvert de plaques écarlates. Agrippée au lavabo, elle respira profondément pour calmer les battements de son cœur. Rick était mort depuis cinq mois, mais il avait encore le pouvoir de la replonger dans ces violentes émotions. La plupart du temps, elle parvenait à garder cette haine enfouie au fond d'elle. Elle ne voulait pas qu'elle la ronge et définisse qui elle était. Il avait saccagé les cinq dernières années de sa vie, et elle était déterminée à ce qu'il ne fasse pas de même avec les cinq prochaines.

Dès qu'elle se sentit mieux, elle retourna dans le petit salon. Grace et William étaient penchés au-dessus de la table, une assiette de scones au babeurre encore fumants posée au milieu. L'hospitalité irlandaise semblait se concentrer sur la nourriture. William se retourna en l'entendant arriver.

« On étudiait la carte. On a indiqué où était le couvent… Ici, regarde. » Il lui montra l'endroit où il avait tracé une croix au stylo rouge. « On sait que la tante de Chrissie vivait dans les parages mais, à la campagne, ça peut représenter pas mal de kilomètres. » Il vérifia l'échelle de la carte, puis dessina un cercle autour du couvent. « Ça couvre un rayon de trois kilomètres. » Il traça un autre cercle plus grand. « Et là, de huit kilomètres. Bon, c'est un peu sommaire, mais, sans compas, c'est le mieux que je puisse faire.

— Mon frère va passer ce soir, dit Grace. Je lui demanderai de mettre une marque sur tous les pubs qui se trouvent à l'intérieur de vos deux cercles – ça vous servira de point de départ. Les communautés rurales se rassemblent dans les pubs. Ce sont des mines d'informations. »

Il sourit à Tina. « Tu es partante ? »

Elle lui rendit son sourire. « Bien sûr. » L'enthousiasme de William était contagieux, et, de toute façon, il était trop tard pour reculer. Elle ignorait s'ils parviendraient à retrouver sa mère mais, quelle que soit l'issue, elle tenait à être à ses côtés.

34

Le *Malt Shovels* était le troisième des pubs dans lequel ils se rendaient. Très gentiment, le frère de Grace les avait indiqués sur la carte – quatre dans le premier cercle, trois dans le second. Ce qui signifiait qu'il y avait sept pubs dans un rayon de huit kilomètres autour du couvent.

William prit sa demi-pinte de Guinness et but une gorgée. « Le propriétaire de ce pub a le sens des affaires... Il sert des plats. On commande quelque chose ? Je meurs de faim.

— Est-ce qu'il t'arrive de penser à autre chose qu'à la nourriture ? se moqua Tina. Je n'ai jamais vu personne manger autant... Tu dois avoir le ver solitaire !

— Aller d'un pub à l'autre à vélo m'a ouvert l'appétit. » Il montra le menu affiché sur une ardoise. « Regarde, ils ont de l'Irish stew. »

Tina lui donna un petit coup dans les côtes. « Tu commences à ressembler à un vrai Irlandais. »

William termina sa bière. « Mais je suis irlandais ! Au moins de naissance. » Il leva son verre vide vers le barman, qui hocha la tête et commença à lui en préparer un autre.

« Tu es sûr de vouloir reprendre une bière ? Il nous reste encore un pub à voir ce soir, et tu ne voudrais quand même pas qu'on t'arrête pour ivresse sur un vélo !

— Tu as raison. Écoute, on va commander un plat et poser quelques questions. Ce pub me paraît un peu plus prometteur que les deux derniers.

« Bon, d'accord. Je prendrai juste la salade au fromage. Je veux me réserver pour *ça*. »

Elle lui montra le menu. William se pencha pour lire.

« Pudding au pain et au beurre… C'est quoi ? dit-il en fronçant le nez d'un air écœuré.

— Tu verras. Je demanderai deux cuillers. Car je te garantis que tu auras envie d'y goûter ! » Tina prit soudain un air songeur. « C'était la spécialité de ma mère. Elle le réussissait à la perfection. Des grosses tranches de pain blanc, du beurre bien crémeux et plein de fruits juteux, avec juste ce qu'il faut de crème anglaise… Le dessus était toujours un peu craquant, bien caramélisé, et, s'il en restait, il était encore meilleur le lendemain. »

William sourit. « Tu ne m'as encore jamais parlé de ta famille. Parle-moi d'eux. »

Elle attrapa un fil qui dépassait de la manche de son pull et évita son regard. « Mes parents sont morts tous les deux.

— Oh, je suis désolé… Je ne voulais pas te faire de peine.

— Tu ne pouvais pas savoir. Mon père est mort quand j'avais seize ans, et ma mère, sept ans après. Elle ne s'est jamais remise de l'avoir perdu. C'est un peu cliché, mais ils étaient vraiment comme deux âmes sœurs. Toujours est-il que j'étais enfant unique et que, à vingt-trois ans, je me suis retrouvée orpheline. » Elle esquissa un petit sourire. « Mais j'avais un bon boulot dans un bureau et je travaillais dans une boutique caritative le week-end, alors je ne manquais pas de compagnie. Je travaille maintenant pour la boutique à temps complet.

— Et qu'est devenu ton emploi de bureau ? »

Tina hésita. « C'est une longue histoire. J'en suis partie quand je suis tombée enceinte. »

William écarquilla les yeux. « Tu as un bébé ?

— Non. Ma fille était mort-née. »

Instinctivement, William lui prit la main et la posa sur sa joue. « Je ne sais pas quoi dire. Ma pauvre… Et le père ? Tu étais mariée ? »

Tina perdit très vite l'appétit. « Oui, j'étais mariée, mais il est mort lui aussi. »

William eut l'air stupéfait. « Quelle quantité de souffrance une personne est-elle supposée endurer ? »

Tina redressa la tête. « Je ne verse aucune larme sur *lui*, dit-elle en prenant le menu. Bon, on commande ? »

Lorsqu'ils sortirent du pub, le soleil commençait déjà à décliner. Le parfum âcre des haies d'aubépine embaumait l'air, et le soir qui tombait sur cette journée de mai apportait une légère fraîcheur.

« Décidément, c'était encore une perte de temps, déclara William en rentrant le bas de son pantalon dans ses chaussettes. Il regarda Tina tripoter le panier sur le vélo de Grace. Pendant tout le dîner, elle était restée silencieuse. Il s'en voulait d'avoir rouvert d'anciennes blessures.

« Tu es d'accord pour qu'on en fasse un autre ? »
Elle leva les yeux. « Un autre ?

— Le dernier pub dans le premier cercle. Comme ça, il ne nous en restera plus que trois à aller voir si on manque de chance dans le prochain.

— Si tu es sûr que ton vélo en est capable ! plaisanta Tina en fixant la vieille bicyclette rouillée que William avait empruntée au voisin de Grace.

« Je sais, dit-il en grimaçant. C'est celui que Noé a refusé d'embarquer au prétexte qu'il était trop démodé. »

Tina éclata de rire. « Tu es drôle, William…

— Et toi, tu es magnifique quand tu ris. Écoute, je suis désolé pour tout à l'heure… J'espère que tu ne m'as pas trouvé indiscret.

— Que tu me poses des questions sur ma famille n'a rien d'irraisonnable. Seulement tu ne te doutais pas que ça allait prendre des dimensions shakespeariennes… Allez, dépêchons-nous ! On va où ? »

Le dernier pub n'était rien de plus qu'un petit cottage aux fenêtres minuscules dont la salle était sombre et lugubre, et le plancher si abîmé que la couche de sciure n'arrivait pas à le cacher. Il y avait six tables, autour desquelles étaient assis des vieux messieurs, les uns jouant aux cartes ou aux dominos, les autres l'œil rivé sur le fond de leur pinte. Ils levèrent tous les yeux en les voyant entrer. William les salua d'un signe de tête et entraîna Tina vers le bar.

« Bonsoir, dit la serveuse, qui aurait eu l'air plus à sa place comme sergent dans l'armée. Qu'est-ce que je vous sers ? »

William se tourna vers Tina.

« Oh, pour moi, ce sera juste un jus d'orange...

— Deux, s'il vous plaît. »

Comme il n'y avait rien pour s'asseoir, ils restèrent debout au bar et observèrent la petite salle. La première curiosité s'étant émoussée, les habitués s'étaient de nouveau absorbés dans leurs activités. William s'adressa à la serveuse.

« Est-ce que je peux vous demander quelque chose ? » La routine était désormais bien rôdée, sauf qu'elle s'était révélée infructueuse dans les trois pubs précédents. « Savez-vous si une famille du nom de McBride vit dans les parages, une famille de paysans ? »

La serveuse arrêta d'essuyer le verre qu'elle tenait dans ses mains et fronça les sourcils. « Vous ne pourriez pas être plus précis ? McBride est un nom assez courant, par ici. »

William soupira. Dans chacun des pubs, il avait eu droit à la même réponse. Apparemment, ils ne disposaient pas de suffisamment d'informations.

« C'est malheureusement tout ce qu'on sait. Que le nom de la famille est McBride et qu'ils vivaient dans une petite ferme dans un coin isolé, mais ça remonte à plus de trente ans. »

La serveuse recommença à essuyer le verre avec vigueur tout en réfléchissant. « Vous voulez savoir quoi, au juste ? »

William toussota. « Je suis à la recherche de ma mère. Je suis né ici il y a trente-quatre ans, au couvent de St Bridget, avant d'être adopté. Je suis parti vivre en Amérique, mais je suis revenu dans l'espoir de retrouver ma mère.

— Je vois. Je suppose que vous êtes allé au couvent, et que personne là-bas ne vous a été très utile. »

William jeta un regard complice à Tina. « En effet, on peut dire ça.

— Alors, voyons si on arrive à faire mieux… Vous dites que ça remonte à une trentaine d'années ? »

William et Tina acquiescèrent en même temps.

La serveuse rangea le verre sur une étagère, puis appela un des joueurs de cartes. Il posa son jeu et s'approcha du bar. « Qu'est-ce qu'il y a, Morag ? »

— Ces deux-là sont à la recherche d'une famille du nom de McBride, mon père. Vous pensez pouvoir les aider ?

— McBride ? Vous pouvez m'en dire un peu plus ? »

Morag sourit. « C'est bien ce que je disais… » Elle se tourna vers William et Tina. « Voici le père McIntyre, le prêtre de la paroisse. S'il y a quelqu'un qui peut vous aider, c'est lui. »

Une demi-heure plus tard, William et Tina sortirent du pub munis d'un papier. Le père McIntyre ne se souvenait d'aucune famille McBride correspondant à la vague description que lui en avait donnée William ; en revanche, il connaissait quelqu'un qui peut-être saurait. William lut le nom du prêtre sur la feuille.

« Eh bien, on sait quoi faire demain… » Il glissa le papier dans la poche de sa chemise et enfourcha son vieux vélo. « Espérons que le père Drummond nous aidera à découvrir une nouvelle pièce du puzzle ! »

35

Lorsqu'ils rentrèrent chez Mrs Flanagan, celle-ci était déjà partie se coucher. William chercha la grosse clé à tâtons sous le paillasson. Elle tourna dans la serrure en grinçant, et il fit la grimace tandis qu'ils entraient tous les deux sur la pointe des pieds pour ne pas réveiller la logeuse.

« Tu veux boire un dernier verre ? » demanda-t-il tout bas.

Tina hésita une seconde avant de finalement accepter. Assis dans le salon avec chacun un verre de whisky, ils se détendirent un peu et cessèrent de chuchoter pour parler d'une voix normale. Elle laissa aller sa tête sur le dossier du canapé et ferma les yeux. Le whisky se répandit dans son estomac comme une brûlure, et l'odeur lui fit penser à Rick. À cause de la boule qui lui nouait la gorge, elle eut de la peine à avaler, et soudain, elle sentit monter les larmes. Elle pria en silence pour que William ne le remarque pas, mais il était bien trop malin.

« Tina ? Ça va ? » Il se précipita près d'elle sur le canapé. « Oh, mon Dieu, tu pleures... »

Elle écrasa une larme sous son petit doigt et se força à sourire.

« Ça va, je t'assure… Ne t'inquiète pas. »

Il lui prit son verre et le posa sur la table basse, puis il attrapa ses mains dans les siennes. « À la seconde où on s'est rencontrés, j'ai senti en toi une sorte de tristesse. Elle est là, dans ton regard. Tu es magnifique, tu as un sourire splendide, mais tes yeux ne sourient jamais. » Il lui serra les mains plus fort. « Tu as été tellement gentille de venir jusqu'ici avec moi que… j'aimerais t'aider. Explique-moi ce qui ne va pas. »

Pauvre William… Il avait l'air désespéré, et elle n'avait aucun doute que son inquiétude était sincère.

Tina lui montra le verre sur la table. « Tu veux bien ? »

Il le lui passa.

« Tu vois ce liquide, là ? » Elle fit tourner le verre, si vite qu'un peu de whisky atterrit sur ses genoux sans qu'elle semble y prêter attention. « Eh bien, il a littéralement gâché ma vie, reprit-elle d'un ton amer. Et il a coûté la vie à ma fille. »

William reposa son verre, son envie de boire un alcool fort d'un seul coup envolée.

« Tu veux m'en parler ? demanda-t-il avec douceur. J'aimerais t'aider, si je peux.

— C'est trop tard… C'est trop tard. J'ai été une parfaite imbécile, aveugle devant l'évidence… Je le vois bien, à présent. »

William lui serra les mains. « Continue. »

Elle reprit sa respiration, retira ses mains des siennes et les essuya sur ses cuisses.

« J'ai été une femme battue. » Il voulut dire quelque chose, mais elle l'en dissuada en plaçant un doigt sur ses lèvres. « Tout le monde le voyait, sauf moi. Graham, mon amie Linda, mon patron au boulot… Ils voyaient tous ce qui se passait, mais moi pas. Oh non, j'étais convaincue qu'il changerait, c'est pour ça que je suis retournée avec lui en lui donnant une chance et puis encore une autre… Après m'avoir frappée, il s'excusait toujours, avec une humilité et une tendresse incroyables… Parfois, il lui arrivait même de pleurer en regrettant de m'avoir traitée de cette façon, au point que j'avais de la peine pour lui. » Elle secoua la tête et se tut une seconde. « Bien entendu, à chaque fois, il promettait qu'il ne lèverait plus jamais la main sur moi, et moi, comme une imbécile, je le croyais ! Et puis il s'énervait à nouveau, en général pour quelque chose d'insignifiant, et il me persuadait que c'était de ma faute, et, là encore, je le croyais. Le problème de base, c'était qu'il buvait, seulement ce serait trop facile de tout mettre sur le dos de l'alcool… Mon mari était une brute autoritaire qui me manipulait à sa guise. J'ai pensé le quitter pendant des années, mais je n'en ai jamais eu le courage. Il disait tout le temps qu'il me retrouverait, et j'avais peur de lui. En plus, j'aurais eu l'impression de l'abandonner alors que, manifestement, il avait besoin qu'on l'aide. »

William la dévisageait, éberlué.

« Et puis, un beau jour, j'ai fini par trouver le courage de le quitter. Mais pour dire la vérité, je me sentais affreusement seule. Il me manquait. » Elle se tourna vers William. « Tu te rends compte ? Il me manquait ! »

Il secoua la tête d'un air navré sans rien dire.

« Il a arrêté de boire et a paru reprendre sa vie en main. Pour je ne sais quelle raison, voir qu'il se débrouillait très bien sans moi m'a blessée. Il s'est repris et il est devenu l'homme que j'avais toujours voulu qu'il soit. C'était comme s'il n'avait plus besoin de moi, mais, évidemment, il jouait sur le long terme. C'est à ce moment-là que je me suis aperçue que j'étais enceinte, si bien que je n'ai pas eu d'autre choix que de revenir vivre avec lui. C'est en tout cas ce que je me suis dit… Pendant un temps, tout a été merveilleux, j'étais très heureuse, lui aussi, on était tous les deux impatients d'avoir le bébé… Je savais que j'avais pris la bonne décision, même si Graham et Linda me répétaient que j'étais folle. Mais moi je pensais : *Qu'est-ce qu'ils en savent ?* » Elle eut un rire sarcastique. « Il s'est avéré qu'ils savaient mieux que moi !

— Que s'est-il passé ? demanda William d'une voix étranglée.

— Il s'est passé ça, répondit-elle en montrant le verre de whisky. Il s'est remis à boire. Au début, juste un peu, et puis c'est devenu une spirale infernale qui s'est terminée en désastre. J'aurais pourtant dû m'y attendre, mais j'avais une vision tellement idéaliste de notre couple que je lui trouvais sans cesse des excuses. Je vois bien aujourd'hui que je me faisais des illusions, parce que je suis lucide. J'y vois très clair… Dix sur dix ! »

William prit sur lui pour poser la question suivante.

« Qu'est-il arrivé à ton bébé ? Une petite fille, disais-tu ? Comment est-elle… enfin, tu comprends… »

Tina se frotta les joues, puis le regarda. Elle prit sa respiration et lui raconta ce qui s'était passé ce jour atroce.

William la regarda d'un air atterré. « J'ai envie de vomir, murmura-t-il. Si Rick n'avait pas vu la lettre de Billy, tu aurais encore ta fille... » Il se leva et alla ouvrir la fenêtre pour respirer un peu d'air frais. Tina le rejoignit et posa ses mains sur ses larges épaules.

« Je n'y pense pas comme ça... J'ai appris à éviter de le faire. Rick était un diable, une sale brute à qui un rien aurait pu faire péter les plombs. C'est lui qui est à blâmer, personne d'autre. Il m'a fallu du temps avant de l'accepter, mais je sais à présent que c'est vrai. C'est cette certitude qui m'aide à avancer petit à petit. J'ai été la victime, moi et mon bébé, et rien de tout ce qui est arrivé n'est de ma faute. »

William la prit dans ses bras et enfouit sa tête dans ses longs cheveux bruns. Ils sentaient l'herbe fraîchement coupée mêlée à une odeur de feu de bois.

« Je suis vraiment désolé. » Ce fut tout ce qu'il réussit à dire.

Le père Drummond n'était pas habitué à se lever de bonne heure. À quatre-vingt-seize ans, il estimait avoir gagné le droit de faire la grasse matinée, ou même de rester au lit toute la journée si ça lui plaisait. Cependant, ce matin, la femme qui était à la fois sa gouvernante, son infirmière et son tyran l'avait prévenu qu'il avait un rendez-vous à dix heures. Il fallait donc qu'il se lève à huit heures s'il voulait être lavé, rasé et habillé à temps. Il s'adossa au fauteuil et, sans enthousiasme, laissa Gina lui étaler du savon à barbe sur les joues. Elle lui tira la peau tout en passant dessus la lame acérée du rasoir. Les fins poils gris cédèrent facilement, et elle essuya la lame sur une serviette. Au deuxième passage, elle lui entailla très légèrement la peau. Une goutte de sang se mêla à la mousse.

Le père Drummond ne prit pas la chose à la légère. « Pour l'amour du ciel, Gina ! Vous ne pourriez pas pour une fois me raser sans qu'on doive me faire une transfusion de sang ? »

Gina manifesta son agacement et reprit sa tâche.

« N'exagérez pas, mon père… Je ne comprends pas ce que vous avez contre les rasoirs électriques. Ce serait tout de même plus facile pour moi !

— Je me suis rasé avec un coupe-choux toute ma vie. Ce n'est pas à mon âge que je vais changer mes habitudes ! »

Gina leva les yeux au ciel. En quelques coups habiles, l'opération fut terminée.

« Et voilà, père Drummond, c'est fait !

— Mmm… Est-ce que j'ai encore mes oreilles ? »

Gina l'ignora et commença à lui retirer son haut de pyjama. « Il vous en faudrait un neuf… Je ne sais pas comment vous vous débrouillez pour tout renverser sur vous. Voyons voir… Vous voulez mettre un costume ? »

Le prêtre se troubla une seconde. « Qui avez-vous dit qui devait venir ?

— Je vous l'ai dit ! répondit Gina d'un ton exaspéré. Il s'appelle William Lane et il est à la recherche de sa mère, une femme dénommée Christina Skinner qui venait d'Angleterre et qu'on a envoyée ici pour avoir son bébé. Elle vivait avec sa tante, qui s'appelait McBride, et a accouché au couvent. Le père McIntyre pense que vous pourriez vous souvenir de la famille McBride... quoique j'en doute, étant donné que je vous ai expliqué tout ça il y a moins de dix minutes et que vous l'avez déjà oublié ! »

Le vieil homme lui jeta un regard noir tandis qu'elle lui passait un gant de toilette sous les aisselles d'un geste vigoureux. Cette femme ne savait pas ce qu'elle racontait. Il n'avait aucun problème de mémoire.

Gina accueillit William et Tina aimablement et les conduisit dans le salon. La maison du vieux prêtre était immense et sentait fort le moisi. Tina fronça le nez.

« La moitié des pièces sont fermées, dit Gina sur un ton d'excuse. Désormais, il n'y a plus que le père et moi qui vivons ici.

— Oh, mais c'est magnifique ! s'exclama Tina en admirant les boiseries. C'est une demeure majestueuse. »

Le père Drummond les attendait près du feu. Malgré la douceur de mai, des bûches flambaient dans la cheminée, et le vieux prêtre avait les jambes enroulées dans une grosse couverture écossaise.

« William Lane, se présenta William en lui tendant la main. Merci d'avoir accepté de nous recevoir, père Drummond. Voici mon amie Tina Craig. »

Elle lui tendit la main à son tour. Le prêtre la serra brièvement. « Excusez-moi si je ne me lève pas...

— Je vous en prie, dit William. Nous allons tâcher de ne pas vous prendre trop de temps. Je crois que vous pourriez connaître la famille McBride, qui habite par ici. »

Il expliqua la raison de son voyage, lui parla de la lettre de Billy, puis raconta comment Tina s'était juré de la remettre à Chrissie et comment ils s'étaient rencontrés à Manchester. Le père Drummond baissa les yeux au moment où il lui confia que les religieuses du couvent ne s'étaient pas montrées très serviables.

« Par conséquent, vous êtes notre dernière chance. Je sais que ça remonte à très longtemps, mais peut-être vous souvenez-vous de quelque chose… Si nous retrouvions la ferme où ma mère a été envoyée, peut-être que quelqu'un qui vit là saura ce qu'elle est devenue et où elle est partie. Quelque chose dans mon histoire vous évoque-t-il un souvenir ? »

Après l'avoir dévisagé longuement, le père Drummond se frotta les tempes et ferma les yeux. William crut qu'il s'était assoupi. Finalement, le vieux prêtre rouvrit les yeux et le regarda droit en face. « Je suis désolé, non. Je ne me souviens pas d'une famille McBride qui corresponde à ce que vous me décrivez. »

William et Tina repartirent vers l'arrêt de bus.

« Encore une perte de temps… Et maintenant, on fait quoi ? »

Tina lui pressa le bras. « On continue. Il va falloir élargir nos recherches. Il nous reste encore ces trois pubs… Tôt ou tard, on finira bien par avoir de la chance. »

Son optimisme le fit sourire. « Merci, Tina. Tu sais vraiment t'y prendre pour me remonter le moral ! »

Le père Drummond demeura assis au coin du feu. Il retourna le problème dans sa tête quelques minutes avant de se convaincre qu'il avait agi comme il le devait. Il avait fait une promesse à Kathleen McBride et avait respecté ses volontés à la lettre. Remuer le passé ne servirait à rien. D'ailleurs, elle n'aurait pas voulu qu'il le fasse. Il hocha la tête avec conviction. Non, il n'avait pas de doute : il avait bien fait.

Gina entra dans la pièce. « Vous êtes prêt à déjeuner, mon père ?

— Oui. Je suis prêt.

— Quel dommage que vous n'ayez pas pu renseigner ce jeune couple ! Je vous disais bien que votre mémoire n'était plus ce qu'elle était… mais vous refusez de l'entendre. »

Le père Drummond sourit par-devers lui. « Vous avez raison. Je n'ai plus aucune mémoire. »

36

À la fin du mois, William en arriva à la conclusion que ses recherches étaient terminées. Personne dans les parages ne se souvenait de la famille McBride, et il avait épuisé toutes les pistes possibles. Il était temps qu'il rentre chez lui. Ils partiraient de bonne heure dès le lendemain matin.

Tina était dans sa chambre en train de plier ses vêtements dans sa petite valise quand il frappa à la porte. Elle lissa la chemise qu'elle tenait à la main et la posa sur le dessus. « Entre !

— Tu as bientôt fini ? demanda William en passant la tête dans l'embrasure de la porte.

— Oui, plus ou moins. Mais viens, entre ! »

Il s'avança et se laissa tomber sur le lit.

« Ça va, William ? » Elle posa sa main sur son épaule en la serrant doucement. Il attrapa ses doigts et les entremêla aux siens.

« Je n'arrive pas à croire qu'on n'ait pas réussi à la retrouver… On était si près du but… Échouer maintenant a quelque chose de frustrant. »

Tina s'assit à côté de lui, la tête sur son épaule. « Ne renonce pas, William… Tu m'entends ? »

Il lui tapota le genou et se redressa. « Je ne renoncerai pas. Et maintenant, viens… Profitons de notre dernière soirée ensemble. »

« Cet endroit va me manquer, dit-il quelques heures plus tard, alors qu'ils revenaient à la pension. C'est vrai, en Irlande, tout est tellement chaleureux, accueillant… Sans parler de la nourriture ! » Il se frotta le ventre d'un air satisfait. « Si je reste plus longtemps, je vais finir par ressembler à une barrique ! »

Tina glissa son bras sous le sien en riant. « J'ai adoré chacune des secondes que j'ai passées ici… C'était exactement ce dont j'avais besoin, et je suis sûre qu'on restera toujours amis. » Elle s'arrêta pour le regarder dans les yeux. « Car on va rester en contact, n'est-ce pas ? Je sais bien qu'un océan nous sépare, mais on pourra s'écrire, ou se parler au téléphone de temps en temps. Ça coûte cher, mais… »

Il mit un doigt sur ses lèvres pour la faire taire. « Profitons de cette soirée et ne pensons pas à la suite… Ça te dirait qu'on aille faire un petit tour avant de rentrer chez Mrs Flanagan ? »

Une averse de début d'été avait rendu les trottoirs brillants et l'air était d'une humidité quasi tropicale. Ils allèrent dans le parc et s'assirent sous un saule pleureur qui avait gardé un banc relativement au sec.

« Je n'arrive pas à imaginer que demain, à cette heure-ci, je serai rentré chez moi ! dit William.

— Il doit te tarder de revoir tes parents. »

Il réfléchit un instant. « Oui, bien sûr, mais j'ai l'impression de les avoir laissés tomber.

— Qu'est-ce que tu veux dire ?

— Bien qu'ils m'aient toujours soutenu dans ma démarche, je sais que ça a été pour eux une source d'angoisse, et vu que ça n'a mené à rien, je regrette de l'avoir fait.

— Si tu ne l'avais pas fait, on ne se serait jamais rencontrés. »

William médita là-dessus une seconde. « Te rencontrer aura été le plus beau moment de ce voyage. Je ne peux pas imaginer ce que j'aurais ressenti si j'avais dû venir ici tout seul. La déception de ne pas retrouver ma mère aurait été nettement plus difficile à supporter sans toi à mes côtés. »

Elle lui caressa tendrement la joue.

« Oh, William…, murmura-t-elle. On se connaît depuis peu de temps, mais j'ai déjà l'impression que tu fais partie de ma vie. Après Rick, j'ai cru que je ne serais plus jamais capable de faire confiance à un homme. » Elle détourna les yeux en rougissant. « Je sais que ça paraît ridicule, parce que je suis sûre que tu m'oublieras une fois que tu seras revenu dans ta famille en Amérique. »

Il éclata d'un rire bref. « Tu te trompes ! Je ne t'oublierai jamais. De toute façon, je n'abandonne pas l'idée de retrouver ma mère. Je suis certain que je reviendrai un jour en Irlande… Et puis j'ai des grands-parents à Manchester !

— Tu vas aller leur rendre visite ? demanda Tina, pleine d'espoir.

— Un jour.

— Tu penseras à me prévenir. » Elle lui donna un petit coup de coude dans les côtes.

Il se leva et lui tendit sa main. « Viens, il se fait tard. On ferait mieux de rentrer. »

Tina se leva. En se redressant, elle voulut retirer sa main, mais quand William la retint dans la sienne, elle n'eut pas envie de résister.

Il faisait quasiment nuit lorsqu'ils s'engagèrent dans la rue de la pension. Ils étaient tous les deux si absorbés dans leurs pensées qu'ils mirent un certain temps avant de s'apercevoir que la logeuse les appelait sur le pas de la porte.

Sans lâcher la main de Tina, William accéléra le pas.

« Qu'y a-t-il, Mrs Flanagan ? demanda-t-il, essoufflé.

— Ah, enfin, vous voilà… Je vous attendais. »

Bien qu'elle ait une bonne tête de moins que lui, elle l'attrapa par les épaules et le regarda droit dans les yeux. « Un monsieur est là, dans mon salon. Je ne voudrais pas que vous pensiez que j'ai l'habitude de recevoir des inconnus chez moi à cette heure, mais, pour lui, j'ai fait une exception…

— Continuez, dit William, intrigué.

— J'ai fait une exception parce qu'il a tenu à vous attendre. C'est que je lui ai dit que vous partiez très tôt demain matin, vous comprenez… » Elle reprit sa respiration et se fendit d'un grand sourire. « Le monsieur qui est là dans mon salon dit qu'il connaît votre mère. »

TROISIÈME PARTIE

37

En trente-cinq ans, peu de chose avait changé à la ferme de Briar. Ses deux occupants y menaient une existence simple à laquelle ils étaient habitués. Certes, les employés allaient et venaient, tout comme les animaux, mais l'essentiel demeurait immuable – de longues heures de travail éreintant pour une maigre récompense. La première fois que Chrissie était arrivée ici, elle avait vu la ferme comme une étape temporaire dans son existence, et si quelqu'un lui avait dit qu'elle serait encore là trente-cinq ans plus tard, elle l'aurait pris pour un fou.

Bien que la vie n'ait pas été tendre avec elle, elle avait trouvé une sorte de satisfaction dans la familiarité de cet environnement, ainsi que chez l'homme adorable avec qui elle vivait. Jackie Creevy avait été son roc, si infaillible dans sa loyauté et sa dévotion qu'elle avait toujours été désolée de ne pas pouvoir lui donner davantage. De multiples fois, elle avait proposé de s'en aller pour qu'il puisse trouver une femme, avoir des enfants et faire de la ferme son foyer, mais il refusait d'en entendre parler. Ce n'était pas qu'elle n'avait pas des sentiments pour lui. Au contraire, il était la seule personne en ce monde sur qui elle pouvait compter. Tant de gens l'avaient trahie... Son père en l'envoyant en Irlande, sa mère en l'abandonnant totalement alors qu'elle lui avait promis de rester en contact, et tante Kathleen pour avoir fait en sorte qu'elle aille au couvent vivre trois années d'enfer qu'elle n'aurait pas souhaitées à son pire ennemi. Et puis Billy. Au bout de toutes ces années, elle ne comprenait toujours pas pourquoi il l'avait rejetée de façon aussi cruelle. Elle l'avait aimé de toute son âme, et elle savait que lui aussi. Pourquoi le bébé avait-il tout changé ?

Le bébé. Il ne se passait pas un seul jour sans qu'elle pense à lui. Ces derniers temps, elle essayait de l'imaginer adulte, sans doute entouré d'une famille, plutôt que comme le petit enfant terrifié dont elle gardait le souvenir. Le jour où on le lui avait enlevé pour le conduire à l'aéroport de Shannon et lui offrir une autre vie sans elle était celui où elle s'était sentie mourir à l'intérieur. Pendant trois ans, elle l'avait élevé, et elle avait été obligée de signer ce papier pour le donner à un couple d'Américains sans enfant. Les humiliations et la détérioration des conditions de vie au couvent n'étaient rien comparées à l'angoisse qu'elle avait ressentie quand on lui avait arraché son petit garçon adoré. Au moment où elle avait dû lui faire ses adieux, elle avait lutté comme une démente, et elle avait réussi à se maîtriser suffisamment pour lui faire un dernier câlin avant qu'on le fasse monter dans la voiture. Il lui avait tendu les bras par la portière ouverte.

« Maman, veux pas partir… S'il te plaît. »

Chrissie avait voulu le reprendre, mais il était trop tard. La portière s'était refermée, et elle avait senti qu'on la tirait en arrière tandis qu'elle regardait la voiture s'éloigner lentement sur les graviers. Debout sur la banquette arrière, le petit William avait le visage tordu de chagrin et hurlait en appelant sa mère. Chrissie n'entendait pas ce qu'il disait, mais ses petites joues striées de larmes étaient restées gravées dans sa mémoire de façon indélébile. On s'occuperait bien de lui, elle le savait. Mais elle savait aussi qu'aucune mère ne pourrait l'aimer autant qu'elle l'aimait. Pendant ces trois années qu'ils avaient passées ensemble, elle lui avait consacré toute son attention, avait fait de lui le centre de son monde. Billy n'avait pas voulu de cet enfant, mais elle avait plus qu'assez d'amour à lui donner pour eux deux.

Chrissie avait bien entendu tenté de retrouver son petit garçon, cependant les religieuses étaient demeurées inflexibles. Elle avait été contrainte de signer un papier disant qu'elle n'avait aucun droit sur cet enfant et qu'elle ne chercherait pas à entrer en contact avec lui, ni maintenant ni jamais. Et on lui avait agité ce papier sous le nez plus d'une fois au fil des années.

À l'instant, elle était dans la cuisine, où elle attendait que la bouilloire chauffe. C'était l'un des rares changements survenus à la ferme – et plus que bienvenu ! L'énorme marmite qui servait autrefois à chauffer l'eau avait disparu, et à la place de l'ancienne cheminée trônait une cuisinière en fonte. Il fallait toujours aller chercher de la tourbe pour l'alimenter, mais, au moins, comme tout se passait dans le four, elle pouvait fermer la petite porte pour éviter le plus gros de la fumée. Elle versa l'eau dans la théière, puis laissa infuser les feuilles de thé. Par la fenêtre, elle aperçut Jackie en train de tirer le cheval de trait dans la cour. Le vieux Sammy avait rendu l'âme depuis des années, et il avait acheté ce poulain indompté de trois ans à la foire aux chevaux. Haut de près de un mètre quatre-vingt, l'animal était énorme, avec une robe de couleur sombre et une rayure blanche sur la tête. Jackie avait dit l'avoir acheté parce qu'il lui rappelait le cheval de George Orwell, Boxer, dans *La Ferme des animaux*, stoïque face à l'adversité, d'une loyauté indéfectible et qui travaillait jusqu'à tomber littéralement de fatigue. Il avait dit à Chrissie que, s'il donnait ce nom au nouveau cheval, peut-être qu'une partie de son goût pour le travail déteindrait sur lui.

Or ça n'avait pas été le cas du tout. Jackie disait que, de toutes ses années passées à la ferme, jamais il n'avait vu un animal aussi têtu, avec un aussi mauvais caractère et aussi flemmard. Boxer n'aurait pas pu être plus différent de son homonyme dans le roman.

Chrissie emporta deux tasses de thé dans la cour et en tendit une à Jackie. Dès qu'elle arriva, Boxer renâcla et lui jeta un regard en biais en montrant le blanc de ses yeux.

« Parfois, il a un air démoniaque ! » s'esclaffa-t-elle.

Jackie caressa le flanc du cheval.

« Il est brave… Pas vrai, mon vieux ? » Homme ou bête, Jackie voyait toujours en chacun ce qu'il y avait de meilleur.

Boxer renâcla de nouveau en frappant le sol de son sabot.

« Merci pour le thé. » Jackie but une gorgée et posa la tasse sur la barrière. « Si on allait faire un tour en ville et dîner au restaurant ?

— C'est un peu extravagant, non ?

— Je me disais que ce serait bien de faire une pause. Et puis ce serait l'occasion de te mettre sur ton trente et un, de relâcher tes cheveux, de te distraire un peu… Il y a une éternité qu'on n'a pas fait ça. »

Pauvre Jackie, il pensait toujours à son bien-être… Chrissie se disait parfois qu'elle ne méritait pas qu'il soit aussi gentil et généreux. Une part d'elle aurait souhaité pouvoir l'aimer comme lui l'aimait, mais son cœur avait été brisé de façon irréparable, et elle ne voulait plus s'engager dans cette voie.

Il reprit un peu de thé en attendant sa réponse.

« Bon, d'accord ! dit-elle d'un ton enjoué. Allons-y… Et tant pis pour la dépense ! »

Un grand sourire éclaira le visage de Jackie. Il lui fit un clin d'œil. « Voilà qui est mieux. »

Elle sourit de son enthousiasme et lui pinça le bras. Compte tenu du travail laborieux qu'il s'imposait, les années avaient été bienveillantes avec lui. En vieillissant, il avait pris l'air buriné qu'ont ceux qui travaillent dehors par n'importe quel temps. Ses cheveux roux étaient plus clairs, presque blonds, et parsemés de gris. Il était resté relativement en bonne santé ; le seul signe du temps qui passait se devinait quand, accroupi, il voulait se relever, un geste qu'il lui était impossible d'effectuer sans gémir et se tenir le dos.

Une fois les animaux nourris et rentrés à l'étable pour la nuit, ils montèrent dans leur vieille camionnette et partirent en direction de la ville. Sur le chemin truffé de nids-de-poule, le véhicule tangua violemment, ce qui faisait toujours rire Chrissie. Dès qu'ils rejoignirent la route, et que les secousses diminuèrent, elle put lâcher le tableau de bord et se détendre un peu.

Sur la route à une seule voie, il était rare de croiser une voiture arrivant en sens inverse, de sorte que, à la sortie d'un virage, ils furent totalement surpris de se retrouver face à deux cyclistes. Jackie freina si fort que la camionnette fit une embardée vers la haie. Chrissie se boucha les oreilles en entendant les branches d'aubépine crisser sur la vitre tels des ongles sur un tableau noir.

« Dieu du ciel ! s'exclama Jackie – qui ne jurait jamais. Si je m'attendais à ça ! »

Les deux cyclistes, âgés d'une trentaine d'années, s'excusèrent en descendant de leur vélo qu'ils poussèrent sur la route.

L'homme avait l'air particulièrement embêté. « Pardon, monsieur… Nous n'aurions pas dû rouler comme ça côte à côte. »

Jackie hocha la tête, puis il enclencha la première et repartit.

« Voilà qui n'arrive pas souvent, observa Chrissie. Je me demande où ils vont.

— Oui, c'est curieux. Manifestement, il n'était pas d'ici. Un Américain, je dirais. »

38

Après avoir négocié le chemin assez traître, William et Tina arrivèrent à la ferme de Briar. Le trajet avait été plus long qu'ils ne le pensaient. Ils avaient pris un bus pour aller le plus loin possible et avaient fait le reste de la route à vélo. Il avait fallu persuader le chauffeur de les autoriser à les charger à l'arrière, mais il avait fini par accepter. Et bien qu'on ne soit qu'en début de soirée, ils étaient arrivés plus tard que prévu. Ils laissèrent leurs vélos contre la barrière et entrèrent dans la cour de la ferme. Le soleil bas, mais encore chaud, jetait une lumière dorée sur la maison et les dépendances. Hormis quelques poules qui picoraient dans la cour, l'endroit paraissait étrangement désert. Les poings sur les hanches, William observa le petit cottage.

« On dirait qu'il n'y a personne. Mais on ferait mieux de s'en assurer. »

Ils s'approchèrent et retinrent leur souffle au moment où William frappa à la porte, le cœur battant. Ce moment, il l'avait attendu toute sa vie. La porte était taillée dans un bois tellement épais que le coup qu'il donna résonna à peine. Toujours très respectueux, il attendit quelques secondes avant de frapper une seconde fois.

« Je crois qu'il n'y a personne, dit Tina. Qu'est-ce qu'on fait ? »

William alla devant la fenêtre et regarda à l'intérieur. « Tu as raison. Il n'y a personne. On n'a plus qu'à attendre. Allons jeter un œil alentour. »

Ils se dirigèrent vers la grande grange au fond de la cour et s'immobilisèrent en entendant à l'intérieur une sorte de bruissement. William tapa à la porte. « Bonjour, il y a quelqu'un ? »

Affolés, ils sursautèrent tous les deux en entendant des chiens aboyer comme des fous en se précipitant contre l'immense porte. Des aboiements si féroces que William attrapa Tina par la main, et ils s'éloignèrent en courant sans regarder en arrière.

« En tout cas, s'il y a quelqu'un, il sait maintenant qu'on est là ! » Le cœur au bord de l'explosion, William sauta sur le muret en pierre qui entourait le petit jardin. Il aida Tina à se hisser à son tour, et ils restèrent assis là en se demandant quoi faire.

« Ils ne peuvent pas être sortis toute la nuit, conclut William. Avec tous ces animaux dont il faut s'occuper… » Ils entendirent renifler et grogner ce qu'ils supposèrent être des cochons dans une grange plus basse. Un peu plus loin, un cheval à l'air mal luné tournait en rond dans son enclos.

Tina regarda le soleil baisser progressivement en plissant les yeux. « En tout cas, c'est une belle soirée ! »

Elle sauta au bas du mur et alla prendre un thermos et un paquet dans le panier de son vélo. Puis elle déplia un torchon sur le muret et défit le paquet.

« Oh, cette chère Mrs Flanagan… Regarde, un cake au gingembre ! »

William jeta un coup d'œil sur le gâteau moelleux de couleur sombre.

« Je ne peux pas. Je suis trop nerveux pour manger. »

Tina venait d'en couper deux tranches et allait mordre dans la sienne lorsqu'elle se ravisa. « Tu as raison. Mieux vaut attendre. »

Il éclata de rire. « Ne sois pas sotte… Vas-y ! Je mangerai le mien plus tard. »

Elle le regarda d'un un air inquiet. « Est-ce que tu te sens bien, William ? » Refuser de manger lui ressemblait si peu… Elle lui effleura le genou. Il posa sa main sur la sienne en souriant.

« Tu plaisantes ? Après des années d'angoisse et de recherches, sans parler du voyage qui m'a fait traverser l'Atlantique et la mer d'Irlande, je vais enfin rencontrer ma mère ! Évidemment que je me sens bien… Nerveux, c'est vrai, mais aussi excité. Je sais que tout va bien se passer. »

Chrissie et Jackie approchaient des faubourgs de Tipperary, ce qui leur avait pris près d'une heure dans leur vieille camionnette brinquebalante. Les petites routes de campagne désertes avaient laissé place à des voies plus larges, de sorte qu'il put accélérer un peu. « On y est presque, dit-il en se tournant vers Chrissie. Tu as faim ? »

Elle lui sourit affectueusement. « Je meurs de faim !

— Je m'étais dit qu'on pourrait aller au *Cross Keys*.

— Au *Cross Keys* ? On ne peut pas se le permettre…

— Laisse-moi me soucier de ça », dit-il en lui tapotant le genou.

Chrissie lui caressa la joue. « Oh, mon Dieu ! » s'exclama-t-elle tout à coup en mettant sa main devant sa bouche.

Instinctivement, Jackie enfonça la pédale de frein. « Qu'est-ce qu'il y a ?

— Les poules ! J'ai oublié de les enfermer… Comment ai-je pu faire une bêtise pareille après ce qui est arrivé ? »

Un mois auparavant, un renard s'était introduit dans la cour juste avant le crépuscule et avait tué jusqu'à la dernière de leurs poules. Un carnage si sanglant que Jackie lui-même en avait été ébranlé. Il avait filé dans la grange d'où il était ressorti, le regard sinistre et déterminé, avec un fusil en bandoulière. Le renard s'en était sorti indemne, mais ils s'étaient promis d'être plus vigilants à l'avenir. Dès le lendemain, Jackie était allé au marché et avait remplacé toutes les poules massacrées.

« Il faut qu'on rentre… Je suis désolée. »

Il n'existait pas d'homme plus patient sur cette terre que Jackie Creevy. Il la regarda avec gentillesse. « Ne t'en fais pas, on sortira une autre fois.

— Oui, promis. » Elle observa son profil. Il s'était rasé et sentait bon le savon au citron. Il portait une chemise blanche immaculée qu'il n'avait encore jamais mise et un pantalon beige qui n'aurait pas été idéal pour travailler tous les jours. « Je suis sincèrement désolée.

— Arrête de t'excuser. Si quelque chose arrivait à ces poules, je sais que tu ne te le pardonnerais pas. »

Elle regarda par la fenêtre en se mordillant la lèvre tandis qu'il effectuait trois manœuvres pour faire demi-tour au milieu de la route.

« Ne t'inquiète pas, Chrissie, on devrait arriver avant la tombée de la nuit… » Il lui sourit tendrement. « Et je suis sûr que rien de traumatisant ne nous attendra en rentrant à la maison. »

39

Lorsqu'ils arrivèrent à la ferme, le soleil avait disparu derrière les collines. Le cœur au bord des lèvres, Chrissie descendit de la camionnette et fila chercher leur petite famille de poules. Elle les aperçut à côté de la grande grange, en train de picorer sans s'inquiéter le moins du monde. Elle les rassembla et les fit rentrer dans le poulailler. Après quoi elle lâcha les chiens pour qu'ils aillent courir une dernière fois, puis remplit leurs écuelles d'eau avant d'aller vérifier que l'auge de Boxer était pleine. Ce ne fut qu'à cet instant qu'elle vit que Jackie était devant la maison, en train de parler avec deux inconnus. Elle se demanda qui ce pouvait bien être. Personne ne passait jamais les voir à l'improviste. Son seau en fer à la main, elle alla les rejoindre, tout d'abord à pas lents, puis en marchant un peu plus vite. Jackie vint à sa rencontre, la main tendue. « Chrissie… »

Sentant la tête lui tourner, elle s'arrêta à quelques mètres du petit groupe. Ils la dévisagèrent. Elle battit des cils pour chasser ses larmes et ouvrit la bouche pour dire quelque chose, mais sa voix se noya dans le fracas du seau qu'elle lâcha par terre.

Elle avança encore d'un pas, puis, d'un geste hésitant, elle tendit ses bras au jeune homme qui la dévorait des yeux et, d'un seul coup, les années s'envolèrent.

« Billy ? Oh, mon Dieu, Billy… J'ai toujours su que tu reviendrais ! »

Elle courut vers lui et enfouit sa tête contre sa poitrine alors que jaillissaient ses larmes. Elle le serra dans ses bras avec tendresse, puis s'écarta pour le regarder. Il était encore très beau, les années avaient été douces avec lui, et, tout en prenant son visage entre ses mains, elle chercha la cicatrice sur son sourcil gauche. Ne la trouvant pas, elle sursauta comme si elle venait de recevoir une décharge électrique. Non, ce n'était pas Billy… Comment avait-elle pu être aussi stupide ?

Jackie l'attrapa par les épaules et la força à lui faire face. « Ce n'est pas Billy, dit-il gentiment.

— Je sais, murmura-t-elle en baissant la tête. Je suis désolée. »

Il lui redressa le menton pour la regarder dans les yeux. « Ce n'est pas Billy, mais c'est son fils, *ton* fils. William. »

Chrissie se sentit défaillir. Jackie la soutint, puis elle se tourna vers le jeune homme. La gorge serrée, la voix à peine audible, elle dit tout bas : « Mon Dieu… mon bébé. »

Ses jambes se dérobèrent pour de bon. Elle s'effondra par terre et, la tête dans les mains, se balança d'avant en arrière. « Tu m'as retrouvée… Je n'arrive pas à croire que tu m'aies retrouvée…

— Emmenons-la à l'intérieur », dit Jackie à William.

Le cottage était chaleureux et accueillant. En tant qu'invités, William et Tina furent priés de prendre les deux gros fauteuils, tandis que Chrissie et Jacky s'asseyaient sur les chaises à dos droit. Visiblement, il était rare qu'ils reçoivent du monde.

« Je n'arrive pas à le croire, répéta Chrissie en lui caressant de nouveau la joue. C'est un vrai miracle… Tu es vraiment là ?

— Oui. Moi aussi, j'ai du mal à y croire. Il y a eu des moments où j'ai cru qu'on ne te retrouverait jamais. » Il se tourna vers Tina. « Sans cette jeune dame, je n'y serais pas parvenu. »

Chrissie lui caressa la main d'un air éperdu. « Je ne t'ai jamais oublié, William, jamais un seul instant. J'ai tenté de te retrouver, mais les religieuses n'ont rien voulu me dire. Comment as-tu fait pour arriver jusqu'à moi ? »

William se cala dans son fauteuil. « C'est une longue histoire. »

Il lui raconta qu'il avait eu la bénédiction de ses parents pour aller en Irlande, et qu'il s'était rendu au couvent où les religieuses ne s'étaient pas montrées très coopératives – pour dire le moins. Puis il lui parla de Grace Quinn, qui ne l'avait pas oubliée.

« Grace travaille toujours là-bas ? s'étonna Chrissie.

— Oui, c'est elle qui m'a dit quel était ton véritable nom. Je ne connaissais que celui de Bronagh. Elle m'a encouragé à aller à Manchester pour obtenir une copie de ton certificat de naissance.

— Oui, elle savait que j'avais grandi à Manchester… Elle était adorable avec moi, comme avec toutes les filles, d'ailleurs. Sans elle, je ne pense pas que j'aurais supporté cet endroit. »

William poursuivit son récit : « Je suis donc allé à Manchester, et c'est là que j'ai rencontré Tina. »

Chrissie se tourna vers elle en se demandant ce qu'elle venait faire dans cette histoire.

« Je doute que je t'aurais retrouvée, si elle n'avait pas été là. Je l'ai rencontrée à la bibliothèque, là où sont conservés les registres de l'état civil, et j'ai appris qu'elle avait déjà demandé une copie de ton certificat de naissance.

— Pour quelle raison ? » demanda Chrissie à Tina.

Ne sachant trop comment répondre, cette dernière regarda William. Il sortit la lettre de Billy de la poche de sa veste. « Tina voulait te retrouver parce qu'elle pensait devoir te remettre ça. » La main tremblante, il donna la lettre à sa mère. Lentement, elle la déplia et contempla l'écriture qu'elle avait oubliée depuis si longtemps. « S'il te plaît, tu veux bien me passer mes lunettes ? » dit-elle à Jackie.

Alors, trente-cinq ans plus tard qu'elle ne l'aurait dû, elle lut ces mots qui auraient pu changer entièrement le cours de sa vie.

180, Gillbent Road
Manchester

4 septembre 1939

Ma chère Christina,

Tu me connais, je ne suis pas très doué pour ce genre de choses, mais avoir le cœur brisé me donne du courage. La façon dont je me suis comporté hier est

*impardonnable, mais, je t'en supplie, sache que c'était
à cause du choc, et non le reflet des sentiments que j'ai
pour toi. Ces derniers mois ont été les plus heureux de
ma vie. Je ne te l'ai encore jamais dit, mais je t'aime,
Chrissie, alors, si tu veux bien, je voudrais qu'on passe
chaque jour qui nous reste à vivre ensemble pour te le
prouver. Ton père m'a dit que tu ne voulais plus me
voir, et je ne te le reproche pas, mais il ne s'agit plus
seulement de nous à présent – il faut penser au bébé.
Je veux être un bon père et un bon mari. Oui, c'est ma
façon maladroite de te demander ta main. S'il te plaît,
Chrissie, dis-moi que tu seras ma femme et qu'on pourra
élever notre enfant ensemble. La guerre aura beau nous
séparer physiquement, le lien qui unit nos cœurs restera
à tout jamais indissoluble.*

*Il faut que tu me pardonnes, Chrissie. Je t'aime.
À toi pour toujours,*

Billy xxx

Lorsqu'elle releva les yeux, un silence de mort
s'abattit dans la pièce. Elle replia la lettre délicatement
et la remit dans l'enveloppe. Puis, la voix tremblante
d'émotion, elle se tourna vers Tina.

« Comment avez-vous trouvé cette lettre ? »

Tina lui raconta son histoire. « Je ne comprenais pas
pourquoi il avait écrit cette lettre et ne l'avait jamais
postée. Je voulais en savoir plus. »

Elle expliqua ensuite qu'elle était allée voir les
parents de Billy, et qu'Alice Stirling se rappelait très
bien qu'il avait écrit la lettre et était sorti la poster.
« Alice m'a dit qu'il était allé chez vous le lendemain,
mais que vous étiez déjà partie pour l'Irlande. Votre

385

mère lui a promis de vous faire savoir qu'il était venu et qu'il voulait être là pour vous.

— Elle ne l'a jamais fait », murmura Chrissie, le regard dans le vide.

William s'agita dans son fauteuil, mal à l'aise. « C'est que… Elle n'en a jamais eu l'occasion.

— Elle aurait quand même pu faire un petit effort, répliqua Chrissie. J'ai toujours su que mon père la terrorisait, mais ne pas dire quelque chose d'aussi important… c'est impardonnable ! »

William se troubla. « Elle est morte…

— Oui, je me doute qu'elle est morte… J'ai tenté de la contacter plusieurs fois. Elle n'est même pas venue à l'enterrement de sa sœur… Elle m'avait pourtant promis qu'elle serait là au moment où tu naîtrais. Mais dès que j'ai quitté Manchester, elle m'a tout simplement oubliée ! »

William et Tina se dévisagèrent.

Il s'éclaircit la gorge et parla avec une extrême douceur. « Ta mère est décédée deux jours après la déclaration de guerre. Une voiture l'a renversée pendant le couvre-feu. Elle est morte avant que je sois né.

— Quoi ? Non, c'est impossible… Tu veux dire qu'elle est morte juste après que je suis arrivée ici ? Mon Dieu, pourquoi mon père ne m'en a-t-il jamais rien dit ? »

D'un seul coup, tout se mit en place. Sa mère ne l'avait jamais abandonnée, et son père lui avait refusé la possibilité de lui faire convenablement ses adieux.

Chrissie prit sur elle pour contenir sa colère. Et bien qu'elle n'ait aucune envie de mettre ses hôtes dans l'embarras, la haine et le ressentiment accumulés envers son père depuis tant d'années remontèrent brusquement et explosèrent avec la fureur d'un volcan.

« Mon Dieu, je hais cet homme ! s'écria-t-elle. Comment peut-on infliger cela à sa propre fille ? M'avoir empêchée d'être avec Billy en m'envoyant ici ne lui suffisait pas ? »

Ses larmes coulèrent sans retenue. Elle s'essuya le bout du nez d'un revers de main. Au moment où Jackie la prit dans ses bras, elle laissa libre cours à ses sanglots, des sanglots d'une telle violence qu'elle avait de la peine à respirer.

40

William et Chrissie sortirent respirer un peu d'air frais. Dans le jour déclinant, ils firent un tour dans la cour. Tenant son fils par le bras, elle contempla le ciel dégagé dans lequel brillaient les premières étoiles.

« Tu veux que je te raconte le reste de l'histoire ? demanda-t-elle.

— Tout, je veux tout savoir. Tu mérites au moins ça... Tu es sûre que tu en as la force ? »

Chrissie renifla. « Pendant toutes ces années, je me suis efforcée de ne pas penser à ma mère. Parce que c'est son abandon qui a été pour moi le plus dur à accepter. Je savais mon père capable de tout, mais elle... Je croyais qu'elle m'aimait. Et j'apprends qu'elle est morte juste après mon départ pour l'Irlande... C'est incroyable... Comment un père peut-il cacher une chose pareille à sa fille ?

— Je ne sais pas. J'avoue que ça me dépasse. »

Chrissie s'immobilisa une seconde. « Sais-tu s'il est encore en vie ?

— Malheureusement, on ne sait rien de lui. Le jour où Tina est allée à Wood Gardens, elle a vu que toutes les anciennes maisons avaient été démolies. C'est là qu'elle a rencontré Maud Cutler, et c'est elle qui lui a dit que ta mère avait été tuée pendant le couvre-feu.

— Maud Cutler ! s'esclaffa Chrissie. Je n'avais pas entendu ce nom depuis des années !

— Maud lui a indiqué aussi le nom de tes parents, si bien qu'obtenir une copie de ton certificat de naissance a été relativement facile. On a su quel était le nom de jeune fille de ta mère, et on est revenus à Tipperary pour se renseigner. Personne n'a pu nous aider, tous nos efforts semblaient ne mener à rien... On avait même fait nos bagages ! Je m'apprêtais à rentrer en Amérique, et Tina à Manchester. » Il se tut une seconde. « Mon Dieu, cette fille va me manquer...

— Comment m'as-tu retrouvée ?

— Nous étions sortis faire un dernier dîner, et, quand on est revenus chez Mrs Flanagan, quelqu'un était là qui nous attendait et affirmait avoir connu ma mère.

— Qui était-ce ?

— Un dénommé Pat. Apparemment, il passe prendre ce que vous produisez à la ferme et le revend en ville. Comme il avait entendu parler de nous dans un des pubs où on était allés, il a appelé Mrs Flanagan.

— Pat, oui. Il vient à la ferme depuis des lustres, il venait même déjà avant mon arrivée. C'est incroyable... Ce cher vieux Pat !

— Voilà, c'est à peu près tout, et c'est comme ça qu'on est arrivés jusqu'ici. » William entoura les épaules de sa mère d'un bras protecteur.

Chrissie parla si bas qu'il dut tendre l'oreille. « Il y a une chose que je voudrais te demander... »

Il sentit son cœur s'accélérer en devinant la question qui allait suivre.

« Sais-tu ce qu'est devenu Billy ? »

Il la regarda dans les yeux et lui prit les mains. « Il n'y a pas de façon délicate de le dire… Il est mort au combat en 1940. Je suis désolé. »

Elle lui tourna le dos en prenant un mouchoir dans sa manche et se tamponna les yeux.

« Je l'aimais vraiment, tu sais… » Elle se retourna face à lui. « Pendant toutes ces années, j'ai pensé qu'il était lâche de ne pas avoir assumé ses responsabilités, de m'avoir laissée me débrouiller toute seule… Si j'avais eu sa lettre, je ne me serais jamais retrouvée en Irlande ! On aurait été ensemble, je serais restée à Manchester… Si j'avais eu son soutien, j'aurais tout supporté, mais le jour où mon père m'a dit qu'il m'avait abandonnée, j'ai su que je n'y arriverais jamais toute seule. On aurait pu être une famille, William… Et s'il avait su qu'il avait tant de choses vers lesquelles revenir après la guerre, peut-être qu'il n'aurait pas été tué… Peut-être qu'il n'a pas été assez prudent. » Ses pleurs résonnèrent dans le silence de la cour.

William la prit dans ses bras. « Chut… Ça ne sert à rien de parler comme ça.

— Pourquoi n'a-t-il pas posté cette lettre ? Ça aurait tout changé !

— On ne connaîtra jamais la réponse, néanmoins, il l'a écrite, et tu sais quels étaient ses sentiments. C'est tout ce que tu as, il va falloir faire avec ça.

— C'est pour moi un tel choc que j'ai l'impression que je vais me réveiller d'une seconde à l'autre… Merci de m'avoir retrouvée. Tu n'imagines pas le bonheur que tu me fais ! Je voudrais juste que ton père puisse te voir… Il aurait été fier de toi ! Tu lui ressembles tellement… Je suis sûre qu'il aurait été un père merveilleux.

— C'est ce que sa mère a dit à Tina. Alice Stirling lui a aussi donné ça », dit-il en sortant la photo de sa veste.

Chrissie contempla la vieille photo noir et blanc en se mordillant la lèvre.

« C'était vraiment un très bel homme. Regarde-le, dans son uniforme… Qu'est-ce qu'il a bien pu me trouver ?

— Il t'aimait. À présent, tu le sais. »

Elle lui rendit la photo, mais il refusa de la prendre.

« Non, garde-la.

— Mais c'est la seule photo que tu as de ton père… »

William pensa à Donald, là-bas dans le Vermont. Honnête et dur à la tâche, il était le pivot de la famille et avait tout fait pour lui donner le meilleur foyer qu'il aurait pu espérer. Donald était son père, et il avait des quantités de photos de lui. La recherche de ses parents biologiques était terminée. Et bien qu'il ait obtenu les réponses à certaines de ses questions, et qu'elles lui apportent une sorte de paix, jamais il ne trahirait les deux êtres qui l'avaient élevé et avaient fait de lui ce qu'il était aujourd'hui.

Il repoussa la photo. « S'il te plaît, garde-la. »

Il était déjà tard lorsque William et Tina décidèrent qu'il était temps pour eux de rentrer.

« Mais il fait nuit ! s'exclama Chrissie. Vous n'allez pas repartir à vélo dans le noir… Vous n'avez qu'à dormir ici, dans la grange.

— Dans la grange ? répéta Tina.

— J'y ai dormi durant des années ! s'exclama Jackie en riant. Vous verrez, c'est très confortable. Je vous apporterai même une tasse de chocolat chaud. »

Il échangea un regard avec Chrissie, qui sourit à ce souvenir. Quelle journée… Son fils unique était revenu, et il était devenu un superbe jeune homme. Au moins, les religieuses l'avaient confié à une famille aimante, elle devait le reconnaître.

Plus tard, allongée dans son lit, Chrissie remonta les couvertures sous son menton. Même au beau milieu de l'été, il ne faisait jamais très chaud dans sa chambre, si bien qu'elle portait sa chemise de nuit en flanelle tout au long de l'année. Elle prit la tasse de chocolat que Jackie avait préparé et en but une gorgée. Elle l'entendait en bas, en train de vider les cendres du fourneau pour qu'il soit prêt au matin. Il continuait à dormir dans le petit lit, quand bien même elle avait insisté d'innombrables fois pour qu'il prenne la chambre. Mais il ne voulait pas en entendre parler. Il était trop gentleman pour accepter.

Chrissie prit la photo de Billy sur la table de nuit. Bien qu'elle ait dû être prise seulement quelques semaines après la dernière fois qu'elle l'avait vu, il paraissait plus vieux. Peut-être était-ce à cause de l'uniforme. L'idée qu'il soit parti à la guerre sans savoir ce qu'ils étaient devenus, elle et leur bébé, lui était insupportable. Elle relut la lettre jusqu'au bout, puis la respira en essayant de détecter une trace de son odeur qu'elle aurait pu conserver. Après cela, elle la replia et glissa la photo à l'intérieur.

« Oh, Billy…, dit-elle dans un soupir. Je t'aimais tant… »

Lorsqu'elle se réveilla le lendemain matin, Chrissie avait les pensées embrouillées. Elle s'appliqua à se remémorer les événements de la veille et s'affola un instant à l'idée que ça n'avait été qu'un rêve. Puis elle se redressa dans son lit et passa la main à tâtons sur la table de nuit. Sentant la lettre de Billy sous ses doigts, elle la pressa contre sa poitrine en soupirant de soulagement. Pendant toutes ces années, elle avait cru que quelque chose en elle n'allait pas. Sinon, pourquoi un homme aurait-il abandonné la femme qu'il aimait et leur enfant ? Certes, les religieuses ne l'avaient aidée en rien en la persuadant que tout était de sa faute. Elle avait fini par se sentir inutile, un sentiment de déchéance qui l'habitait encore aujourd'hui. Elle caressa la lettre et la relut encore une fois. Elle en connaissait déjà chaque mot par cœur, mais elle ne se lasserait jamais de regarder la petite écriture enfantine de Billy. Finalement, elle avait été aimée. Mieux, elle se sentait capable d'aimer à nouveau. Elle avait gâché quasiment sa vie entière à pleurer son amour perdu en se refusant la possibilité d'avoir une histoire avec un autre homme. Et pendant toutes ces années, cet homme avait été là à ses côtés, sa dévotion n'avait jamais failli, sa patience avait été infinie. L'indulgence qu'il avait eue par rapport à ses propres malheurs aurait pu leur coûter la chance d'un vrai bonheur. Il était temps de réparer ça. Elle s'y sentait prête.

Enveloppée dans une couverture, avec des grosses chaussettes pour se protéger du froid du sol en pierre, Chrissie descendit l'escalier à pas de loup. Bien qu'il soit encore tôt, Jackie était déjà levé et faisait cuire des œufs au bacon sur le fourneau. Le feu était allumé, la bouilloire crachait un ruban de vapeur, signe que son thé du matin serait bientôt prêt. Jackie lui tournait le dos, inconscient de sa présence. Tout à coup, elle vit le petit cottage sous un autre jour. Il était toujours aussi peu meublé mais, au lieu de la toile de sacs de jute devant les fenêtres, il y avait maintenant des petits rideaux en vichy rouges. Jackie avait troqué des œufs contre un métrage de tissu avec lequel ils avaient cousu des rideaux ensemble au coin du feu. Sur le sol en pierre rugueux, devant le fourneau, il avait mis un vieux tapis qu'il avait trouvé dans une brocante, pour qu'elle puisse faire la cuisine sans que le froid lui remonte dans les pieds. L'odeur du bacon la fit saliver quand Jackie le mit sur une assiette. Il coupa une grosse tranche du pain qu'elle avait fait cuire la veille et la passa dans la poêle pour l'imbiber du gras du bacon. Alors que Chrissie promenait son regard sur la petite pièce, pour la première fois, elle la vit pour ce qu'elle était – son foyer. Elle s'approcha et, tout doucement, pour ne pas le faire sursauter, elle appuya sa joue contre son dos en l'entourant de ses bras.

41

Les doigts engourdis de froid, Tina eut de la peine à mettre la clé dans la serrure. La température était glaciale, mais le ciel dégagé. Les trottoirs tapissés de givre ressemblaient à des dalles brillantes nappées de sucre glace qui lui rappelaient toujours les *Nice biscuits*. La porte finit par s'ouvrir, de façon si brusque qu'elle faillit perdre l'équilibre et s'étaler de tout son long dans la boutique. Elle ramassa le tas de publicités et de journaux gratuits derrière la porte, puis la bouteille de lait déposée sur le seuil, et râla en voyant que les oiseaux avaient percé le couvercle en aluminium à coups de bec pour piquer la couche de crème à la surface.

Dès qu'elle se fût réchauffée, elle s'installa sur le tabouret derrière le comptoir et sortit de son sac une longue enveloppe bleu pâle qui contenait plusieurs feuilles de papier très fin. La perspective d'avoir des nouvelles de William lui donna le sourire. Depuis maintenant six mois que leurs chemins s'étaient séparés, ils s'étaient écrit pratiquement toutes les semaines.

Tina était si absorbée dans sa lecture que la sonnette de l'entrée la fit sursauter.

« Désolé, ma jolie… Je ne voulais pas te faire peur, dit Graham.

— Pas de problème. J'étais en train de lire la lettre de William. Apparemment, chez lui, il fait moins quinze… et il est prévu qu'il fasse encore plus froid ! Tu imagines ?

— Ça doit être horrible. »

Il se percha sur le tabouret de l'autre côté du comptoir et la regarda lire. Elle avait les joues roses et le sourire aux lèvres.

« Ah…

— Qu'est-ce qu'il dit ?

— Que je lui manque et qu'il pense à moi tous les jours. »

Graham regarda le plafond. « Et tu ressens la même chose ? »

Elle soupira. « Je ne veux pas revenir là-dessus, Graham. Bien sûr qu'il me manque ! On est devenus très proches pendant qu'on était en Irlande, mais il vit à cinq mille kilomètres d'ici. On est juste bons amis.

— Pour l'instant. Mais je crains que tu t'emballes et que tu ailles le rejoindre. »

Tina reposa la lettre. « Est-ce que ce serait si grave ?

— Pour moi, oui. Je n'ai pas envie de te perdre.

— Graham, je t'aime beaucoup, et tu m'es très cher, dit-elle en lui prenant les mains. Tu es mon ami et mon roc, mais je ne suis pas à toi et tu ne peux pas me perdre.

— Je sais, dit-il, l'air penaud. C'est juste que je me sens protecteur envers toi, après tout ce que tu as traversé...

— Non. On ne revient pas sur le passé, tu te rappelles ?

— Oui, mais ça fait presque un an que... que tu...

— Que j'ai perdu le bébé ? J'en suis consciente, tu sais, merci. » Elle était également consciente qu'il commençait à s'impatienter. « William me rend joyeuse. C'est bien ce que tu veux, non ?

— Plus que tout, Tina. Tu le mérites.

— Très bien. Et maintenant, je peux finir ma lettre ? »

Il se laissa glisser au bas du tabouret. « Je te laisse... D'ailleurs, je dois aller ouvrir. »

Tina tourna la page qu'elle venait de lire.

« Oh, mon Dieu ! s'exclama-t-elle, la main sur la poitrine.

— Qu'est-ce qu'il y a ?

— Chrissie et Jackie se sont mariés ! Il y a quinze jours, dans une petite chapelle près de la ferme, rien que tous les deux... N'est-ce pas romantique ? William dit qu'il a reçu une photo par la poste et qu'ils ont l'air aux anges... Oh, je suis vraiment heureuse pour eux ! On dirait qu'elle a fini par faire la paix avec le souvenir de Billy pour aller de l'avant. Tout ira bien pour elle. Jackie est un homme merveilleux. » Son nez la picota, et elle renifla bruyamment. « Tu imagines ! »

Graham vint se placer derrière elle et posa ses mains sur ses épaules. Aussitôt, Tina pencha la tête en arrière. Il lui planta un baiser sur le sommet du crâne.

« Merci, Graham.

— De quoi ?

— De te soucier de moi. Tu as beau être pire qu'un père, un frère et un agent de probation réunis, j'apprécie ! »

Il referma la porte de la boutique en riant et lui envoya un baiser derrière la vitre.

Tina reporta son attention sur la lettre. En lisant le dernier paragraphe, elle faillit tomber de son tabouret. Alors qu'elle sentait son visage, son cou et sa nuque s'empourprer, elle se félicita que Graham ne soit plus là pour voir sa réaction.

Dans la précipitation des préparatifs de Noël, la boutique était toujours très fréquentée, et ce jour-là ne faisait pas exception. Tout le monde venant farfouiller dans l'espoir de dénicher une bonne affaire, Tina n'arrêtait pas de vendre. À l'instant, il y avait cinq ou six clients dans la boutique, si bien que le petit espace était particulièrement encombré. Les gens étaient emmitouflés dans leurs gros manteaux d'hiver, et au moins trois d'entre eux traînaient des poussettes remplies de courses difficiles à manier. Elle se faufila pour aller remettre des vêtements sur les portants. Un vieux monsieur qui passait de temps à autre était en train de bavarder avec un client. Il devait avoir dans les quatre-vingts ans, mais sa voix était ferme et forte, quoique un peu rauque. Il portait un trilby sur la tête et des lunettes à monture épaisse, et, bien qu'il se tienne légèrement voûté, il avait dû être très grand. Il sortit un vieux mouchoir grisâtre de sa poche pour se moucher, puis ôta ses lunettes et essuya ses yeux chassieux. Il ne s'était pas rasé depuis plusieurs jours, et, à en juger par son odeur, il n'avait pas dû se laver depuis plus longtemps encore. Ses longs doigts épais étaient bleus de froid, et il avait des éraflures sur le dessus des mains. Il avait l'air si misérable que Tina eut aussitôt pitié de lui. Le pas traînant, penché lourdement sur sa canne, il allait et venait parmi les vêtements.

« Vous cherchez quelque chose en particulier ? » lui demanda-t-elle.

Lorsqu'il se retourna, elle nota que le blanc de ses yeux bleus avait jauni et que ses pupilles étaient comme floues. « Oh, je jette juste un coup d'œil... Ça m'occupe.

— Si je peux vous aider, dites-le-moi. »

Il hocha la tête et reporta son attention sur le portant. Tina attrapa une pile de vieux livres de poche qu'elle commença à ranger sur une étagère. Le vieil homme prit un costume sur un portant et le tint à bout de bras en l'examinant.

« Mon Dieu ! s'exclama-t-il sans s'adresser à personne. Vous ne l'avez toujours pas vendu ? Je l'ai pourtant donné il y a longtemps. Il est de bonne qualité, je me demande pourquoi personne ne l'a encore acheté. »

42

Il remit le costume en place et Tina continua à ranger ses livres en repensant à la dernière lettre de William – c'était tellement merveilleux que Chrissie et Jackie se soient enfin dit oui ! Tous deux avaient connu tant de peines dans leur vie qu'elle se réjouissait de savoir qu'ils allaient passer le restant de leurs jours ensemble et qu'ils seraient heureux. Jamais une telle chose ne serait arrivée si elle n'avait pas découvert la lettre dans la poche de ce costume...

Elle se figea en repensant à la scène qui s'était déroulée un instant plus tôt, puis posa les livres n'importe comment sur l'étagère et se retourna en cherchant des yeux le vieux monsieur. La petite boutique était si pleine qu'il lui fallut quelques secondes avant de se rendre compte qu'il était parti. Elle sortit sur le pas de la porte dans le vent glacial et l'aperçut qui s'éloignait à pas prudents sur le trottoir gelé.

« Monsieur, excusez-moi ! » cria-t-elle. Il ne répondit pas.

Elle brava le froid et, son chemisier en satin collé à sa peau, elle s'avança sur le trottoir.

« Monsieur, excusez-moi ! » répéta-t-elle. Cette fois, il se retourna, le regard intrigué. « Pardon de vous déranger, mais vous voudriez bien revenir une minute à la boutique ?

— Quelle boutique ? demanda le vieux monsieur d'un air confus.

— Ma boutique. La boutique caritative dont vous venez de sortir.

— Vous pensez que j'ai volé quelque chose ? Dans une boutique caritative ?

— Non, bien sûr que non… Quoique vous seriez étonné de voir jusqu'où peuvent s'abaisser certaines personnes ! Non, je voulais savoir si je pourrais vous dire un mot. »

Le vieil homme parut se méfier.

« S'il vous plaît, c'est important, insista Tina.

— Bon, d'accord », grommela-t-il. Elle le prit par le coude, le ramena à la boutique et lui offrit un siège le temps que les nombreux clients s'en aillent. Puis elle tira le verrou et mit en place le panneau *Fermé*.

« Que se passe-t-il ? demanda le vieil homme d'un air soupçonneux.

— Ne vous inquiétez pas, je ne vous retiens pas prisonnier… Seulement, je préfère ne pas être dérangée. »

Elle s'assit face à lui et croisa les mains sur le comptoir. Tout à coup, elle eut l'impression d'être un inspecteur de police en train d'interroger un suspect. Elle se cala contre le dossier de sa chaise et adopta une attitude plus décontractée.

« Le costume que vous avez regardé tout à l'heure, vous avez dit que vous l'aviez donné. Vous en êtes certain ? »

Le vieux monsieur parut offusqué. « Mais oui, j'en suis certain ! J'ai beau être vieux et décrépit, j'ai encore toute ma tête !

— Oui, bien sûr, excusez-moi. Mais je me demandais... Vous pourriez me dire comment vous êtes entré en possession de ce costume ?

— Ma foi, ça remonte à très longtemps... Il a été fait pour moi par un tailleur de Deansgate. À l'époque, ça coûtait très cher, mais le tissu est d'excellente qualité. D'où mon étonnement que personne ne l'ait encore acheté.

— Si je comprends bien, ce costume vous appartenait ?

— Je viens de vous le dire. »

Tina s'éclaircit la gorge. « Le nom de Billy Stirling vous dit-il quelque chose ? »

Le vieil homme arrondit tout grand les yeux. « Où voulez-vous en venir ?

— Je vous en prie, répondez-moi, monsieur... Euh, pardon, je ne connais pas votre nom.

— Skinner. Dr Skinner. »

Tina ouvrit la bouche, mais aucun son n'en sortit.

« Qu'est-ce qu'il y a ? » s'étonna le médecin.

Elle se frotta les tempes. « J'essaie juste d'assembler les éléments...

— Vous m'avez demandé si le nom de Billy Stirling me disait quelque chose. Et je ne sais pas pourquoi vous voulez le savoir mais oui, il se trouve que j'ai le malheur de savoir de qui vous parlez.

— Comment le connaissez-vous ?

— Il y a très longtemps, il a fait la cour à ma fille. Enfin... Jusqu'à ce qu'il la mette enceinte, me forçant

405

à l'envoyer au loin ! Je l'ai fait pour son bien, mais ça a détruit ma famille… À cause de lui, j'ai perdu ma femme et ma fille. À présent, je n'ai plus personne. »

Les éléments commençaient à se mettre en place. « Dr Skinner, savez-vous quelque chose à propos d'une lettre adressée à votre fille ? Elle se trouvait dans la poche de ce costume, et elle était de Billy Stirling.

— Oui, je me rappelle. La guerre venait d'éclater. Il harcelait ma fille, et quand je lui ai conseillé de la laisser tranquille, il n'a rien voulu entendre et a continué à venir la voir. J'ai été contraint de les séparer. Ce n'était pas un garçon pour elle, mais elle ne s'en rendait pas compte. J'avais réussi à faire en sorte qu'ils ne se voient plus, et voilà qu'il lui écrit une lettre ! Je m'apprêtais à aller chez lui pour m'assurer qu'il avait compris qu'il ne devait plus la revoir, et il partait la poster. C'est une chance que j'aie pu intercepter cette lettre à temps… Quand je lui ai proposé de la remettre à ma fille, il a accepté. Mais comme il ne me faisait pas confiance, il a dit qu'il passerait le lendemain pour vérifier que je la lui avais donnée. Ce garçon n'a jamais renoncé… Naturellement, dès que je suis rentré chez moi, j'ai pris des dispositions pour éloigner Chrissie. La lettre est restée dans ma poche, et je l'ai oubliée… » Il haussa les épaules. « Voilà ce que m'évoque le nom de Billy Stirling.

— Vous n'avez jamais lu sa lettre ? Quand je l'ai trouvée, l'enveloppe était encore cachetée. »

Le médecin se contenta de hausser les épaules sans répondre.

« Si vous l'aviez lue, je me demande si ça aurait changé quelque chose, ajouta Tina.

— J'en doute fort. »

Elle songea à toutes les vies qui avaient été gâchées à cause de ce comportement égoïste. Billy était parti à la guerre sans avoir aucun espoir ; Chrissie avait été privée de son foyer et de l'amour de sa mère, et elle s'était retrouvée dans l'obligation d'abandonner son enfant. Tina se souvenait de l'angoisse et de la culpabilité de William pendant qu'il cherchait sa mère biologique. Et il y avait aussi Jackie, qui avait attendu avec patience que la femme qu'il adorait finisse par comprendre que ce qu'elle cherchait avait été là, tout près d'elle.

« Vous ne croyez pas que Chrissie avait le droit de lire cette lettre ?

— Vous ne croyez pas que j'avais le droit de protéger ma fille ? »

Tina ignora sa question. « Vous dites que vous n'avez personne... Vous ne pensez donc jamais à Chrissie et à son bébé ? Vous ne vous demandez jamais ce qu'ils sont devenus ? »

Le Dr Skinner baissa les yeux. « Je n'ai pas pensé à eux depuis des années. Après la mort de ma femme, je me suis jeté dans le travail à corps perdu... Pour un homme dans ma position, avoir une fille obstinée était humiliant. Et les années passant, je me suis forcé à les oublier, elle et l'enfant. »

Elle observa les traits anguleux du vieil homme avec un regard de défi.

« J'ai lu la lettre, Dr Skinner. Je sais qu'elle ne m'était pas adressée, mais il fallait que je le fasse. Je sais où vit Chrissie et où vit votre petit-fils. Je lui ai remis cette lettre qu'elle aurait dû lire depuis tant d'années. Elle ne comprenait pas pourquoi Billy l'avait abandonnée, et aucun de nous ne comprenait pourquoi Billy n'avait jamais posté sa lettre. Mais maintenant, on le sait… Ils auraient pu être une famille, ils auraient *dû* en être une, mais votre intervention et votre manque de cœur les en a privés. »

Si cette nouvelle surprit le médecin, il n'en laissa rien deviner. Il se contenta de hausser les épaules. « Comme je vous l'ai dit, j'ai agi pour son bien.

— Son bien ? Vous n'avez pas idée de la peine que vous avez causée ? Votre fille vous méprise, Dr Skinner. Vous lui avez gâché les plus belles années de sa vie. Heureusement, après avoir lu la lettre de Billy, elle est en paix. Depuis qu'elle a retrouvé son fils, elle est enfin heureuse, en dépit de tout ce que vous avez fait pour l'en empêcher. »

Le médecin sortit son vieux mouchoir et s'essuya les yeux. « Vous n'étiez pas là, jeune demoiselle… Vous ne savez pas de quoi vous parlez. Vous vous mêlez de choses que vous ne comprenez pas. »

Tina repensa au fait qu'il avait éloigné Chrissie dans la honte, et à la souffrance qu'elle avait endurée au couvent. Elle-même avait ressenti une douleur physique lorsqu'elle avait appris comment William avait été arraché à sa mère, car elle ne savait que trop bien ce que représentait la perte d'un enfant. Et elle repensa à Billy. Un beau jeune homme qui avait compris son erreur et voulait épouser la jeune fille qu'il aimait pour fonder une famille stable. Billy, qui avait été tué au combat et n'avait jamais su qu'il avait engendré un garçon aussi merveilleux que William… Tout aurait pu être très différent si l'homme assis devant elle avait agi comme il le fallait en remettant la lettre à sa fille.

Elle se leva.

« Dr Skinner, jamais dans ma vie je n'ai rencontré un homme aussi rancunier que vous, et, croyez-moi, je sais ce qu'il en est des sales brutes… Billy a écrit cette lettre en y mettant tout son cœur. Elle méritait d'être lue, mais la décision égoïste que vous avez prise a transformé la vie de nombreuses personnes, y compris la vôtre. »

Il se racla la gorge, mais l'âge avait rendu sa voix rocailleuse. Il baissa ses yeux aux paupières tombantes et murmura : « Comment va-t-elle ?

— Chrissie ? Oh, parce que vous vous souciez d'elle ?

— Je me suis *toujours* soucié d'elle. C'est même pour cette raison que j'ai agi comme je l'ai fait. »

Au moment où il se leva, il lâcha sa canne. Tina la ramassa et la plaça dans sa main noueuse.

« C'était ma fille. Et contrairement à ce que vous pouvez penser, je l'aimais. »

Tina lui tint la porte ouverte. « Au revoir, Dr Skinner. »

Après son départ, elle attrapa son sac et ressortit la lettre de William. Elle l'avait lue et relue tant de fois que le fin papier bleu était déjà froissé, mais le dernier paragraphe fit naître un grand sourire sur ses lèvres. *Je n'ai jamais été aussi amoureux de ma vie. Je n'imagine pas passer le reste de mes jours sans toi. Jamais je n'aimerai personne comme je t'aime. Je t'en supplie, Tina, viens me rejoindre en Amérique et marie-toi avec moi.*

Riant et pleurant en même temps, elle serra la lettre contre son cœur.

Il y avait très longtemps, un jeune homme au seuil de sa vie avait écrit une lettre comme celle-ci à la femme qu'il aimait. Et s'il ne l'avait pas fait, Tina n'aurait pas été là à l'instant en train d'envisager l'avenir avec l'homme qu'elle aimait.

Elle regarda vers le plafond, les larmes aux yeux, et murmura :

« Merci, Billy. »

ÉPILOGUE

Aujourd'hui

Elles étaient assises sur la balancelle, sous le porche qui surplombait le jardin. Une légère brise transportait le parfum intense des massifs de lavande. Tina but une gorgée de thé glacé. Chaque fois qu'elle en buvait, elle souriait intérieurement. Jamais elle n'aurait imaginé qu'une fille terre à terre du nord de l'Angleterre puisse un jour boire du thé froid sans lait et sans sucre – et avec une rondelle de citron, en plus !

« C'est une histoire triste, Grand-Mère. » Ava aspira bruyamment le reste de la citronnade faite maison avec sa paille, puis coinça le verre vide entre ses genoux. Comme ses petites jambes étaient trop courtes pour toucher le sol, elle demanda à sa grand-mère de la balancer. Tina s'exécuta. Ava avait raison, c'était une histoire triste, mais elle s'était consolée parce qu'elle finissait bien. Si Billy avait posté sa lettre, elle n'aurait pas rencontré William. Tina s'était résolue depuis longtemps à l'idée que ce que Chrissie avait perdu était ce qu'elle-même avait gagné.

Elle jeta un regard vers son mari. Elle ressentit aussitôt ce même élan de tendresse qui, au bout de tant d'années, continuait à lui faire battre le cœur plus vite et à lui rosir les joues. Lorsqu'il intercepta son regard, il ramassa son sécateur et coupa une énorme rose, dont il respira le parfum enivrant avant de la brandir vers elle. Et bien qu'il soit à l'autre bout de la pelouse, trop loin pour qu'elle distingue les mots qu'il prononçait, elle ne douta pas un seul instant de ce qu'il lui disait.

Je t'aime.

REMERCIEMENTS

Je tiens à remercier sincèrement ma famille et mes amis, qui m'ont épaulée jusqu'au bout, et en particulier ceux et celles qui ont lu mes premiers brouillons en me faisant partager leur sagesse, leur savoir et leur expertise. Parmi eux figurent :

Mon mari, Robert Hughes, ma fille, Ellen, mon fils, Cameron, ainsi que mes parents, Audrey et Gordon Watkin.

Mes amies, qui m'ont consacré du temps alors qu'elles avaient sans doute mieux à faire : Yvonne Lyng, Kate Lowe, Grace Higgins et Helen Williams. Et j'adresse un merci particulier à Wendy Bateman pour ses encouragements et son enthousiasme contagieux.

Je me sens redevable envers toute l'équipe de Headline, notamment Sherise Hobbs et Beth Eynon.

J'exprime également ma reconnaissance à mon agent, Anne William, qui m'a guidée tout au long du processus de la publication et a répondu avec patience à mes questions incessantes.

Enfin, si le couvent de St Bridget relève de la fiction, il existait bel et bien des institutions de ce genre, aussi voudrais-je rendre hommage à toutes les jeunes femmes qui ont été victimes de ce système cruel et impitoyable. L'histoire de Chrissie reflète les souffrances de plus de trente mille jeunes femmes qui, pour un grand nombre d'entre elles, en gardent encore les cicatrices aujourd'hui.

Le Livre de Poche s'engage pour
l'environnement en réduisant
l'empreinte carbone de ses livres.
Celle de cet exemplaire est de :

400 g éq. CO₂

Rendez-vous sur
www.livredepoche-durable.fr

**PAPIER À BASE DE
FIBRES CERTIFIÉES**

Composition réalisée par NORD COMPO

Achevé d'imprimer en décembre 2017, en France sur Presse Offset par
Maury Imprimeur – 45330 Malesherbes
N° d'imprimeur : 223057
Dépôt légal 1ʳᵉ publication : février 2017
Édition 09 - décembre 2017
LIBRAIRIE GÉNÉRALE FRANÇAISE – 21, rue du Montparnasse – 75298 Paris Cedex 06